抽水蓄能电站运行技术文集

上海华东水电工程咨询有限公司　汇编

黄河水利出版社

内 容 提 要

本文集收编了20世纪末我国已建成的广州、天荒坪、十三陵抽水蓄能电站建设和生产运行中相关技术论文50余篇,重点对三个电站初期运行中出现的设备问题进行了分析、讨论,并提出了解决问题的方法。全书分为六大部分,即综合论述、水泵水轮机及其附属设备、发电电动机及其附属设备、电气设备、电站控制系统及保护装置、水工建筑物及其附属设备。可供从事水电行业设计、建设、管理的技术人员及相关的大中专院校师生阅读参考。

图书在版编目(CIP)数据

抽水蓄能电站运行技术文集/上海华东水电工程咨询
有限公司汇编 .—郑州:黄河水利出版社,2006.7
ISBN 7 - 80734 - 089 - 4

Ⅰ.抽… Ⅱ.上… Ⅲ.抽水蓄能水电站—运行—
文集 Ⅳ.TV743 - 53

中国版本图书馆 CIP 数据核字(2006)第 075750 号

策划组稿:简群 电话:0371 - 66023343 E-mail:w _ jq001@163.com

出 版 社:黄河水利出版社
　　　　　地址:河南省郑州市金水路 11 号 邮政编码:450003
发行单位:黄河水利出版社
　　　　　发行部电话:0371 - 66026940 传真:0371 - 66022620
　　　　　E-mail:hhslcbs@126.com
承印单位:黄委会设计院印刷厂
开本:787 mm×1 092 mm 1/16
印张:17.5
字数:402 千字 印数:1—2 000
版次:2006 年 7 月第 1 版 印次:2006 年 7 月第 1 次印刷

书号:ISBN 7 - 80734 - 089 - 4/TV·467 定价:45.00 元

前　言

由于电网发展的需要,20 世纪末我国已建成了以广州、天荒坪、十三陵抽水蓄能电站为代表的大型抽水蓄能电站,电站的建设和生产运行的专业技术人员在实践过程中总结了不少宝贵的经验。现在,泰安、桐柏、琅琊山等一批抽水蓄能电站将陆续建成投产;宜兴、张河湾、西龙池等一批抽水蓄能电站正在建设中;特别是宝泉、惠州、白莲河等抽水蓄能电站的主机设备采用了技术引进方式,走上了大型抽水蓄能电站机组设备国产化之路。认真总结早期投运的广州、天荒坪、十三陵抽水蓄能电站等大型抽水蓄能电站的建设、运行的经验,对于以后的抽水蓄能电站的设计、建设和设备制造国产化一定会有很大的帮助。在抽水蓄能电站联谊会上,许多同行希望能对已投运抽水蓄能电站进行技术交流,为此我们组织收集编写了本书。在编写过程中,得到了广州抽水蓄能有限公司、华东天荒坪抽水蓄能有限责任公司、十三陵蓄能电厂、国网新源宝泉抽水蓄能有限公司等单位的领导和工程技术人员的全力支持,上海华东水电工程咨询有限公司负责文章的汇集整理工作,在此我们向他们表示感谢。希望本书的出版能为我国抽水蓄能事业的发展起到一定的推动作用。

抽水蓄能电站联谊会

2006 年 2 月

目　录

一、综合论述

二、水泵水轮机及其附属设备

三、发电电动机及其附属设备

四、电气设备

五、电站控制系统及保护装置

六、水工建筑物及其附属设备

一、综合论述

已投运大型抽水蓄能电站运行情况概述

上海华东水电工程咨询有限公司　何永泉　林肖男

[摘　要]　本文综述了广东广州、华东天荒坪和北京十三陵为代表的第一批大型抽水蓄能电站的概况和电站机电设备初期运行的一些情况;同时,论述了它们在电网中所起的作用。

[关键词]　抽水蓄能电站;电站概况;运行方式;可靠性分析

　　国内大型抽水蓄能电站的建设始于 20 世纪 80 年代,到 2000 年建成了以广东广州、华东天荒坪和北京十三陵为代表的第一批大型抽水蓄能电站,总装机容量为 5 000MW。这些电站的建成,在电网运行中发挥了重要作用,运行实践使人们对抽水蓄能电站的认识进一步深化,同时也为抽水蓄能电站的设计、施工、管理和运行积累了丰富的经验。下面提供了已建的广东广州、北京十三陵和华东天荒坪三座大型抽水蓄能电站的建设与运行的主要情况,供规划与正在建设的抽水蓄能电站借鉴。

1　电站概况

　　广州抽水蓄能电站(简称广蓄)一、二期,十三陵抽水蓄能电站(简称十三陵)和天荒坪抽水蓄能电站(简称天荒坪)均为日调节纯抽水蓄能电站,电站的基本特点与建设指标列于表 1、表 2。

表 1　电站特性

电站名称	广蓄一期	广蓄二期	十三陵	天荒坪
电站所在地	广东从化	广东从化	北京昌平	浙江安吉
电站装机容量（MW）	1 200	1 200	800	1 800
电站装机台数（台）	4	4	4	6
正常发电库容（万 m³）	700		381	676.76
备用库容（万 m³）	300			125.32

表 2　工程实施情况

电站名称	工程总投资（亿元）	外资来源	单位投资（元/kW）	主体工程开工时间（年·月）	投产时间（年·月）	竣工时间（年·月）	总工期（月）
广蓄一期	28.20	法国政府贷款	2 350	1989.5	1994.3	1994.12	58
十三陵	37.30	日本政府贷款	4 662	1992.9	1995.12	1997.6	78
广蓄二期	34.25	亚洲银行贷款	2 450	1994.9	1999.4	2000.6	69
天荒坪	62.76	世界银行贷款	3 487	1994.3	1998.9	2000.12	81

国内这些初次建成的大型抽水蓄能电站,其建设规模、建设速度和主要技术指标均达到世界先进水平。尽管我国抽水蓄能电站建设起步较晚,但由于有大规模常规水电建设积累的经验,加上改革开放后,引进国外先进技术和管理经验,使电站建设的起步较高。表3列出了这三座抽水蓄能电站的主要工程特性。由于当时国内尚无蓄能机组制造能力,电站的主要机电设备均经国际招标从国外引进(表4列出电站主要设备的来源,表5列出设备主要参数),三座电站的设备都是由有较好业绩的国外制造商提供的。

表3　主要工程特性

	项　目	广蓄一期	广蓄二期	十三陵	天荒坪
上水库	多年平均径流量(万 m³)	660		—	—
	多年平均流量(m³/s)	0.209		—	—
	总库容(万 m³)	2 408		445	919.2
	正常水位(m)/有效库容(万 m³)	816.8/1 686		566/422	902/676.76
	最高蓄水位(m)	818.25		566.0	905.2
	上库主坝坝型	钢筋混凝土面板堆石坝		钢筋混凝土面板堆石坝	沥青混凝土斜墙土石坝
	最大坝高(m)/坝顶长度(m)	68.0/318.52		118/550	72/503
	溢洪道	侧槽式岸边溢洪道			
下水库	集雨面积(km²)	13		223	24.2
	多年平均流量(m³/s)	0.544		0.522	0.876
	总库容(万 m³)	2 342		7 977	859.56
	正常水位(m)/有效库容(万 m³)	287.40/1 713		89.5/990.3	342/676.76
	最高蓄水位(m)	289.90		89.5	344.5
	下库主坝坝型	碾压混凝土重力坝		钢筋混凝土面板堆石坝	钢筋混凝土面板堆石坝
	最大坝高(m)/坝顶长度(m)	43.3/127.0		29/627	95/230
	溢洪道	坝顶溢流式		岸边侧堰溢洪道	岸边侧堰溢洪道
压力输水道	主隧洞数/长度(m)/内径(m)	1/3 856.817(含 进、出水)/8.0	1/946.04/8.0	2/805.349～810.148/5.2	2/884～886/7.0
	高压岔管数/长度(m)/内径(m)	4/144.334～158.299/3.5	4/总长620.013/3.5	2/391～382/3.8	3/258～308/3.2～2.2
	上游调压井(直径×高,m)	8.5×20	上室 D25,大井 D14/阻抗孔 D6.3	7.0×84.6	—
主厂房尺寸(m×m×m)		146.5×21×45	152×21×45.7	145×23×46.6	200×21×48
主变室尺寸(m×m×m)		138.12×17.24×27.40	138×17.24×17.6	141.7×16.5×25.65	180×18×24

表4　电站主要设备来源

设备名称	广蓄一期	广蓄二期	十三陵	天荒坪
水泵水轮机	法国 Alstom	德国 Voith	美国 Voith	挪威 Kvaerner
发电电动机	法国 Alstom	德国 Siemens	奥地利 ELIN	加拿大 GE
监控系统	法国 Alstom	德国 Siemens	加拿大 Bailey	加拿大 Bailey
主变压器	法国 Alstom	英国 Peebles	奥地利 ELIN	英国 Peebles
GIS	法国 Alstom	德国 Siemens	瑞士 ABB	瑞士 ABB
高压电缆	法国 Alcater	法国 Alcater	德国 Siemens	日本日立

表5　主要机电设备参数

	项　目	广蓄一期	广蓄二期	十三陵	天荒坪
水泵水轮机	型式	立轴单级可逆混流式	立轴单级可逆混流式	立轴单级可逆混流式	立轴单级可逆混流式
	额定出力(MW)	306	306	218	306
	转轮直径(m)	3.886	3.865	3.679	4.03
	最大毛水头/额定水头(m)	537.18/496.02	541.8/509	481/430	610.2/526
	额定转速/飞逸转速(r/min)	500/725	500/725	500/725	500/725
	吸出高程(m)	−70	−70	−56	−70
发电电动机	型式	立轴、空冷、三相半伞式	立轴、空冷、三相半伞式	立轴、空冷、三相半伞式	立轴、空冷、三相悬式
	机端电压(kV)	18	18	13.8	18
	额定容量(发电/抽水)(MW)	300/300	300/312	200/218	300/320
	励磁方式	自并激可控硅静态励磁	自并激可控硅静态励磁	自并激可控硅静态励磁	自并激可控硅静态励磁
	启动方式	SFC+背靠背	SFC+背靠背	SFC+背靠背	2 SFC+背靠背
主变压器	型式	强迫油循环水冷三相变压器	强迫油循环水冷三相变压器	强迫油循环水冷三相变压器	强迫油循环水冷三相变压器
	额定容量(MVA)	340(连续过负荷 360)	360	240	360
	变比(kV/kV)	525/18	525/18	220/13.8	515/18
升压站	主接线	四角形	四角形	双发－变联合单元	单母线双分段
	高压设备	500kV 室内 GIS	500kV 室内 GIS	220kV 室内 GIS	500kV 室内 GIS

　　三座大型抽水蓄能电站的规划、建设和运行,凝聚了设计、施工和运行人员的智慧与心血,同时也取得了一系列科技进步成果。例如,解决了上水库大面积人工库盆钢筋混凝土面板防渗处理和沥青混凝土护层防渗技术;取得了地下厂房喷锚支护设计和施工的成功经验;掌握了岩壁吊车梁、水工隧洞、岔管钢筋混凝土衬砌及斜井的设计和施工技术;攻

克了科学、合理地选择大型抽水蓄能机组参数的课题;实现了蓄能电站"无人值班、少人值守"的自动化管理模式;积累了蓄能机组在大电网中优化运行的成功经验,并在国内首次采用500kV交联聚乙烯干式电缆等一系列新技术;同时,探索和积累了适用于抽水蓄能电站的经营管理经验。

2　抽水蓄能电站在电网中的作用

　　已投运的广蓄、十三陵、天荒坪抽水蓄能电站在所在的电网中均发挥了重要作用。虽然蓄能电站都具有运行方式灵活、启动快速、调峰调压性能优良等优点,但根据所在电网的特点及其需要,三座电站的实际运行方式和作用各有特色。

　　广蓄是目前国内最大的抽水蓄能电站,也是世界上装机容量最大的抽水蓄能电站。电站所在的广东电网发展迅速,新建了不少大型火电和核电机组,火电单机容量达660MW,核电单机容量达900MW,西电东送500kV天广线供电容量为800MW,还与香港电网相连,电网的安全问题十分突出。广蓄投运后,由于调峰填谷作用,大大改善了电网中核电和火电的运行条件,使香港中华电力公司无需多开煤机,保证核电实现不调峰稳定经济运行,核电机组在1994～2000年内连年超计划出力运行。从表6可看出广蓄一期在1994年3月投产前后广东电网拉闸限电情况得到明显的改善。在事故备用方面,广蓄从机组投运以来,平均每年紧急启动17.9次,自1995年～2003年9月,广蓄为电网事故备用紧急启动机组161次。广蓄电站还对电网平衡无功、稳定电压起了较大的作用,由于广蓄地处广东省电网500kV环架的北部,在建成初期机组经常处于调相工况运行,吸收了电网大量的无功,1996年全年吸收无功电量约为有功电量的1/3,1994～1997年,年均发出无功电量54 695MVARh,年均吸收无功电量182 320MVARh。广蓄一期初期运行有功、无功电量及机组启动次数见表7。广蓄电站的建成还为广东电网大型机组调试创造了极为有利的条件,大亚湾900MW核电机组、沙角C厂660MW煤电机组带负荷试验或甩负荷试验都需要广蓄机组给以配合。随着广东电网的不断发展,电网对广蓄电站的依赖也愈来愈强。

表6　广东电网1993～1996年拉闸限电情况

时　间	拉闸限电次数	拉闸限电负荷(MW)
1993 年	7 354	
1994 年	1 250	7 385.4
1995 年	823	3 328.8
1996 年(1~8 月)	463	2 149.4

表7　广蓄一期初期运行有功、无功电量及机组启动次数

项　目		1993 年	1994 年	1995 年	1996 年
有功电量	吸收	1.89	11.56	13.68	13.55
(亿 kWh)	发出	1.59	9.11	10.7	10.68
无功电量	吸收	0.11	0.81	1.35	4.6
(亿 kVARh)	发出	0.19	1.58	0.59	0.19
机组启动次数			2 826	3 399	3 883

十三陵蓄能电站所在的京津唐电网是一个以火电为主的电网,对保证首都北京政治用电十分重要。十三陵电站在电网的作用主要体现在调频、调峰填谷、事故备用和黑启动。电站投入运行前,京津唐电网的调峰主要依靠燃煤火电机组,由于火电调节速度的限制,1993年以前,京津唐电网频率合格率在98%左右。1995年后,十三陵电站投入运行,电网频率合格率每年都在99.99%以上。十三陵电站的投运,一定程度上增强了电网的调峰手段,有力地缓解了京津唐电网调峰的紧张局面,改善了燃煤机组的运行条件,提高了电网经济运行的水平。表8列出了十三陵电站投产前后京津唐电网拉路限电的情况比较。

表8 京津唐电网拉路限电情况对照

时 间	累计拉路次数		累计拉限负荷(MW)	
	京津唐电网	北京地区	京津唐电网	北京地区
1995年	81 830	19 231	114 910	·27 990
1998年	966	0	183	0

在事故备用和应急调频方面,十三陵电站在电网中的作用更是功不可没。例如在1999年3月12~17日,首都出现连续十多天的大雾阴雨天气,电网雾闪跳闸事故不断出现,在此期间,十三陵电站开机48次,发电1 948万kWh,紧急启动成功率100%,为确保首都安全用电起到了重要作用。

天荒坪电站所在的华东电网也是以火电为主的大电网。自1998年天荒坪机组开始投运以来,较大地改善了华东电网大型火电、核电机组运行条件,对保证华东电网的安全、稳定运行发挥了重要作用。无论在大型机组故障跳机的时候,还是龙政500kV直流线路几次跳闸的情况下,天荒坪机组均能紧急启动发电,使电网频率在短时间内迅速恢复正常。天荒坪电站自1998年至2004年7月,已为电网应急调频或事故备用38次。在华东电网严重缺电的形势下,天荒坪电站充分发挥了调峰填谷的作用,为系统提供了充沛的调峰电力和电量,缓和了电网缺电的局面。同时,天荒坪电站是华东电网瓦解时恢复电网供电的黑启动电源,也作为系统调试的重要工具。

3 运行可靠性分析

三座抽水蓄能电站水工建筑物运行情况都较好,可靠性相对较高,其主要原因除设计经验较丰富外,同时有一套严格的施工管理、验收和鉴定的管理程序,对土建工程必须做到百年大计、万无一失,土建工程中存在的问题一般都能在施工期间和调试阶段解决,除了运行初期广蓄和天荒坪因水工缺陷各有一次放空水库进行渗漏处理外,其余运行情况正常。

从电站运行实践来看,影响机组可用率的主要因素还是机电设备故障,是电站机组设备和控制系统的设计欠妥导致的,也有安装调试过程中的潜在隐患造成的,一般随着潜在隐患的消除,设备运行的可靠性会愈来愈高。由于抽水蓄能机组具有启动迅速、工况转换方便等优点,通常将蓄能电站的可用率和启动成功率作为衡量一个抽水蓄能电站是否能最大限度发挥其各项功能的主要指标。同时大型蓄能电站由于单机容量较大,在运行过程中出现故障跳机会对系统造成大的冲击,因此机组跳机次数也是考核蓄能电站运行管理水平的又一个重要指标。表 9、表 10 为广蓄一期和天荒坪电站投运初期的可靠性指标。

表 9　广蓄一期电站运行初期的启动成功率和跳机次数

工　况		1993 年	1994 年	1995 年	1996 年
启动成功率(%)	发电工况	95.70	96.60	98.60	98.50
	电动工况	85.70	89.40	92.70	91.90
跳机次数		26	71	39	11

表 10　天荒坪电站投产初期机组启动成功率和跳机次数

工　况		1999 年	2000 年	2001 年	2002 年
启动成功率(%)	发电工况	94.46	97.00	98.99	99.31
	电动工况	86.09	86.14	94.26	97.72
跳机次数		17	26	24	3

从三座电站运行情况分析,主设备存在的缺陷,处理难度高、所需工期长,直接影响机组运行的可靠性。通常水泵水轮机问题较多,如:广蓄一期,机组运行不到一年,4 台水轮机泄水锥固定螺栓被剪断,运行中泄水锥脱落;主轴密封在运行初期多次发生烧坏碳精密封的事故。天荒坪在运行初期,由于主轴密封不良导致的跳机次数几乎占跳机总次数的一半,经过多次改造才解决;另有导叶端面磨损、球阀工作密封损坏等异常情况。发电电动机由于定子铁芯较长、转速较高,加上频繁启停,双向运转,运行状态比较复杂,用户方通过与制造商的共同研究,较好地解决了大容量、高转速机组的推力轴承及通风冷却等问题,但仍发生了转子磁极连接板联结处开裂、磁极绕组黏结开裂、绕组向外鼓出,以及定子铁芯硅钢片位移、线棒端部绑线松动等问题。此外,还发生了多起主变压器绝缘不合格和运行中变压器绝缘事故及高压充油电缆渗油、电缆终端爆炸等事故。这些主设备事故或缺陷,不仅降低电站运行可靠性,影响系统的安全、稳定运行,而且要求运行单位花费极大的精力和劳力进行处理。

已建电站的监控系统大多是早期产品,一些电站曾多次发生死机、控制功能丧失、历史数据不能保存等问题,主机硬件和备品属淘汰产品难以购买,现已经或正在对计算机监控系统进行升级换代。此外,自动化元件故障占电站故障的 30% 左右,如位置开关、温度传感器、位置传感器等性能不稳定、耐震性能差或防潮、防尘效果欠佳导致不正常动作而误发指令,这些产品均经过逐步筛选、更换后,进入稳定运行状态。

与常规水电站一样,抽水蓄能电站建成后会有一个逐步稳定不断提高可靠性的过程,设备投入运行经过一个磨合期是不可避免的。虽然这些设备的制造厂都有相当丰富的经验,但在具体实施过程中有设计考虑欠周之处,也有的制造商为节约投资,偷工减料,而影响机组的可靠性。因此,在投运初期,都要花大力气进行设备消缺、填平补齐,这个过程一般需要 2 ~ 3 年,然后逐步进入稳定运行期。表 11 列出三座蓄能电站进入稳定运行期后的 2004 年的可靠性指标。这些指标都达到了先进水平,明显优于国家标准对蓄能电站 30 天试运行考核指标的要求:发电工况启动成功率高于 95%;抽水工况启动成功率高于 90%;跳机次数少于 3 次。

表 11　稳定运行期(2004 年为例)启动成功率和等效可用率统计

电站名称		广蓄	十三陵	天荒坪
启动次数[次/(台·年)]	发电工况	1 074	252	545
	抽水工况	789	175	260
	平均日启动次数[次/(台·日)]	5.1	1.17	2.2
启动成功率	发电工况	99.69	99.87	99.39
	抽水工况	98.76		99.1
年平均运行小时数(h/台)	发电工况	2 294	1 237	1 485
	抽水工况	2 115	1 013	1 659
等效可用率(%)		90.74	97.34	97.9

4　结语

首批建设的广蓄一期、十三陵和天荒坪抽水蓄能电站开创了国内蓄能电站建设的新局面,三座电站的设计、施工和运行管理是成功的,为建设新的抽水蓄能电站积累了相当丰富的经验。

三座蓄能电站投运后,在各自所在的电网中发挥了积极的作用,电站的运行方式与所在电网特点和电站的经营模式相关。广蓄电站投运初期,曾采用来电加工的经营模式,为广东电网将低谷电加工为高峰电,电网按每度高峰电支付加工费。这种经营模式完全依赖于电网,不能充分发挥蓄能电站的作用。自 1995 年开始实行租赁经营,提高了电站运行方式灵活性,机组启停十分频繁,为电网启动紧急事故备用次数最多。十三陵电站由电网统一经营,由电网公司统一支付其成本、利润,并负责还本付息。电站仅负责按调度的要求运行,按来电加工方式核算电站的还贷上网电价,平摊加价到用户。电站主要担负电网的事故备用,也承担部分调峰填谷的任务,机组运行时间较少。天荒坪电站采用两部制电价,即容量电价和电量电价,由于电站收益与电量有关,因此电站除为电网应急备用外还经常处于满抽满发的状态。运行实践说明,要充分发挥蓄能电站的作用,除要求电站具有较高可靠性外,还必须有相适应的经营模式。电站经营模式的选择应该不仅能充分发挥电站潜能,有益于电网,而且也应让电站得到应有的效益。

抽水蓄能发电是一种清洁、再生能源,抽水蓄能电站的建设对环境影响比常规水电站小得多。从已建的三座电站看,由于电站的兴建,极大地改善了当地的交通、供电与通信的条件,改善了环境,建成后的电站区都成为十分幽雅的旅游胜地,每天游客川流不息,前来参观电站,体验农家乐趣。

目前,抽水蓄能电站的建设犹如雨后春笋,蓬勃开展,形势喜人。不少电网都结合自身的特点,坚持科学发展观,研究确定电网中抽水蓄能电站应有的合理比例,认真吸取已建电站的经验和教训,科学地建设新的抽水蓄能电站。

抽水蓄能电站运行管理模式浅析

华东天荒坪抽水蓄能有限责任公司　马明刚

[摘　要]　本文仅就作者所了解到的国内外抽水蓄能电站的运行管理模式,从其生产准备、运行方式、调度方式、运营方式、人员编制和值班方式等方面加以介绍和分析,并供运行管理人员和关注抽水蓄能电站运行管理模式的人士共同交流和探讨。

[关键词]　抽水蓄能电站;运行管理模式;人员编制;值班方式;运行方式

1　抽水蓄能电站的发展概况

随着我国国民经济的迅猛发展,电力系统的供电形势日趋紧张,随之而来的电网容量短缺、能源结构不合理、峰谷差加大、供电质量及安全可靠性下降等问题也逐步显现。正是在这种形势下,抽水蓄能电站开始应运而生,并在我国得到了蓬勃发展。

目前,已建成并投入运行的大型抽水蓄能电站主要有广州抽水蓄能电站($8 \times 300MW$)、浙江天荒坪抽水蓄能电站($6 \times 300MW$)和北京十三陵抽水蓄能电站($4 \times 200MW$)等,其总装机容量在 5 700MW 左右,约占全部装机容量的 1.8%。在建的大型抽水蓄能电站有山东的泰安($4 \times 300MW$)、浙江的桐柏($4 \times 300MW$)、江苏的宜兴($4 \times 250MW$)、安徽的琅琊山($4 \times 150MW$)、河北的张河湾($4 \times 250MW$)、湖北的白莲河($4 \times 300MW$)、山西的西龙池($4 \times 300MW$)、广东的惠州($8 \times 300MW$)、辽宁的蒲石河($4 \times 300MW$)、河南的宝泉($4 \times 300MW$)等,并有多处电站在选址和规划当中。

抽水蓄能电站的建成和投产对于改善系统的能源结构、调峰填谷、调频调相、事故备用,提高电网的安全经济运行和火(核)电站的综合利用率,减少能源损耗等方面均发挥了重要作用,是现代电网发展的必然产物。特别是随着目前我国各地区电网供电形势的日益严峻、系统峰谷差的逐年加大,抽水蓄能电站已成为电网不可或缺的组成部分,并发挥了举足轻重的作用和产生良好的经济效益。

2　抽水蓄能电站的结构特点和运行方式

与常规水电站相比,抽水蓄能电站在结构特点和运行方式上存在着诸多不同之处,并对抽水蓄能电站的运行管理模式的确定产生了不同程度的影响。具体说抽水蓄能电站有以下特点:

(1)设备结构复杂。由于抽水蓄能电站比常规电站多了抽水和抽水调相等工况,因而电气上存在换相问题和泵工况的启动问题,并增加了换相设备和变频启动装置(SFC)、启动母线等设备,相应的二次控制系统需要监控和调节的量更多,也更复杂,机械方面为适应机组不同方向的旋转和高水头要求也做出了相应变化,因而检修维护和运行巡检的工作量会有所增加。

(2)地形条件和结构布置特殊。抽水蓄能电站按与常规电站的结合情况分为纯抽水蓄能电站和混合式抽水蓄能电站;按调节性能分为日调节、周调节、季调节抽水蓄能电站;按布置特点分为地面式、地下式抽水蓄能电站等。在枢纽布置上存在上、下两个水库,水工建筑物也要比常规电站复杂。

由于要兼顾发电和抽水需要,对机组水轮机的淹没深度有一定的要求,并考虑到设备的合理布局和节约成本,因而主设备(含机组和主变压器等)大都布置在山体内,同时考虑到更加有益于运行值班人员的身体健康,往往将中央集控室布置在地面。日常生产过程中,机组的开停机操作主要在中央控制室内进行,而设备的巡检操作和检修维护等工作大都要在地下厂房内进行,从工作的环境上看较为分散,对运行值班人员的配置和值班方式也提出了新的要求。

(3)机组运行工况多且开停机及工况转换频繁。常规电站的机组一般只进行发电或调相运行。而抽水蓄能机组除了发电和发电方向调相工况外,多了抽水和抽水方向调相工况,部分抽水蓄能电站还增设了线路充电(黑启动)和由抽水紧急直接转发电的特殊工况。对于电网来说,因其开机时间短,响应速度快,所以在满足负荷的迅速变化要求、应付突然的增荷、稳定周波和保证电网可靠运行等方面,可利用的调节手段更多,系统响应速度比火电机组更快。

以日调节的天荒坪抽水蓄能电站为例(图1),其典型的运行方式是"两发一抽",每天早峰时段(8:00~12:00)发电,晚峰时段(17:00~22:00)发电,低谷时段(23:00~次日8:00)抽水,在系统迎峰度夏和供电紧张时期,有时中午和晚峰前还要各增加一次抽水,下午时段增加一次发电,以6台机组计,日机组最高启停次数达42次之多。由于机组启停过于频繁,大大地增加了检修人员的设备维护和运行人员的操作,其实际工作量与常规电站相比大幅度增加,也带来了运行管理模式的变化。

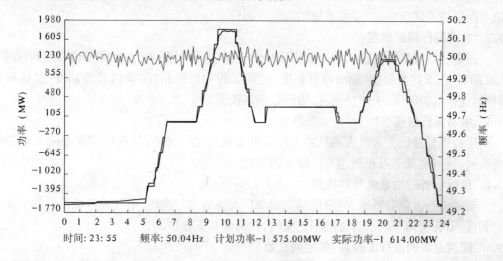

图1　天荒坪抽水蓄能电站功率曲线

3 运行生产准备工作

目前国家尚无有关抽水蓄能电站运行生产准备的具体规定,按照原水利电力部关于《水电厂新厂生产准备工作暂行规定》的要求,并结合已投产抽水蓄能电站的实际情况,运行生产准备工作可以概括为以下几项内容。

3.1 招募运行员工,确定人员结构

新建电站的运行及主要生产人员应在新机组投产前的2~3年调配齐,以便及早安排落实生产准备工作和组织培训。从满足运行生产的需要出发,运行人数一般定在20人左右。从目前已投产的抽水蓄能电站来看,由于其科技含量高、结构复杂,所以普遍要求人员具有较高的综合素质,不但要有专业技术基础,而且具备一定的外语和计算机应用能力,一般应具有大专以上文凭。

运行人员主要采用以下几种方式招募:①全部采用新毕业人员;②部分骨干由其他电站抽调,部分采用新毕业人员,以老带新的方式组合成运行队伍;③由具有运行经验的单位承包并落实。

培训运行员工。运行人员要本着"先培训,后上岗"的原则,进行系统的岗位培训,以满足电站的生产运行和维护管理要求。培训一般分为以下几个阶段:

(1)理论学习阶段。时间为3~6个月,由具有丰富工作经验的教师负责授课。系统学习抽水蓄能电站的概况、各系统的具体组成、工作原理、功能作用和运行维护等相关知识,并理论结合实际,现场熟悉相关设备。

(2)岗位实习阶段。学习时间不少于半年,主要学习运行监视调整、设备巡视、设备异常及事故分析、判断和处理等。并在监护下进行操作训练,分阶段对新进人员进行培训并逐级考核选拔,使被培训人员先后达到副值班员、正值班员、值长的相应资格要求。

(3)熟悉本厂设备阶段。新机组投产前至少半年,所有运行人员必须回到原单位,参与机电安装工作,熟悉本厂设备和系统,学习并掌握有关规章制度、图纸资料,并经过本单位上岗资格考试合格后,方可参加相应运行岗位工作。

3.2 制定运行规章制度

制定运行规章制度包括运行值班岗位责任制、值守制度、应急处理和随叫随到(ON - CALL)制度、交接班制度、巡回检查制度、定期试验和切换制度、缺陷管理制度、监盘调整制度、操作监护制度、工作票制度、运行分析制度等。

3.3 编写运行规程

运行规程是指导运行人员日常工作的重要规范之一,编写过程中需要翻阅大量的设备资料,同时也是学习和熟悉本厂设备的过程。

3.4 运行设备的命名编号和挂牌

安排运行人员分系统、分阶段地完成全厂设备的编号整理,电气及机械设备的中文命名和挂牌,标明油、气、水管道的颜色流向,并确保其正确性。

3.5 配置必要的运行工器具,并定期校验

运行工器具如操作手柄、验电器(笔)、呼吸器、绝缘棒、绝缘鞋、绝缘靴、绝缘手套、接地线、安全带等,以满足将来运行生产的需要。

3.6　编制运行常备的单据表格

单据表格包括工作票和操作票的票样、运行日志、负荷日志及各种登记本和数据统计表等。

3.7　整理和汇编运行图纸

组织运行人员编制和绘制各系统设备的命名图,整理运行生产所需的常备图纸,并编写查图指南。

3.8　拟定标准操作票

组织运行人员编写所需的常用标准操作票,并不断修改完善,确保其正确性和具有可操作性。

4　调试试运行工作

(1)运行人员在做好运行生产的前期准备工作的同时,要全程参与设备的安装调试和试运行工作,以便更加全面细致地了解设备的结构原理,尽快熟悉并掌握各系统设备的运行性能和异常现象的处理。对设备的原始资料、竣工图纸以及试运行中发现的问题和处理情况,运行人员要做好详细交接,为投产后的安全生产打下良好的基础和积累宝贵的资料。

(2)分系统分阶段验收接管运行设备。设备管理要做到界限清晰,运行人员要做到移交一部分,接管一部分。接管设备与安装调试设备之间要从电气和机械等方面做到彻底隔离,并设置明确的隔离护栏和相关标志。已接管的运行设备由运行人员负责管理和操作,凡在其设备上进行工作,必须办理工作票并征得当班运行人员许可后方可执行。

(3)从系统及厂用电进行倒送电之日起,运行人员应入驻生产现场,开始倒班,并由运行人员负责机组的开停机和设备停复役操作,组织主要辅助设备投入生产试运行。

5　抽水蓄能电站的运行人员编制和值班方式

传统方式下运行人员的职责范围包括监盘、机组开停机及设备停复役操作、巡回检查、定期试验和切换、工作票的办理和事故处理等,每值运行人员的数量通常是按照处理事故情况下所需的人数来配置的,每值的运行人员也多达几个甚至十几个,在电厂的总人数中占据比重较大。这种值班方式的弊端在于机组正常运行时运行人员显得过多,但因其职责并不明确,往往出现人浮于事的现象,不利于运行生产的管理和提高效率。随着计算机技术在电厂的广泛应用和不断发展,设备保护和监视、运行数据的抄录等工作需要人为干预的情况越来越少,大部分工作将由计算机及监控系统来完成,这时值班方式和人员编制的问题就显得越来越突出。如何在保证电厂安全的前提下充分发挥每个运行人员的作用,并实现运行人员的合理裁减和分流,从而真正意义上地实现"无人值班,少人值守"是目前抽水蓄能电站运行管理模式的发展方向。

目前,我国新建和在建的抽水蓄能电站在设计和规划上大都采用了先进的自动控制和计算机监控系统,故起点都很高,运行人员的编制也较少,整体运行管理技术和水平比较先进,已投运的几个大型抽水蓄能电站都已基本上实现了运行"无人值班,少人值守",有些抽水蓄能电站甚至达到或超过国外同类电站的运行管理水平。下面仅就本人所了解的国内外几个典型电力系统及抽水蓄能电站的具体运行管理模式做一简单介绍。

5.1 国外抽水蓄能电站的基本运行管理模式

以法国电力公司(EDF)所属的几座大型抽水蓄能电站为例,运行人员的编制情况一般如下:1台机组运行人员定为3人,其中1人为班长,2人为巡回检查工;2台机组运行人员为2名班长和4名巡回检查员;3台机组以上则要增设1名副值长和2名巡回检查工,专门负责公用设施的巡回检查。班长必须具有5年以上的运行经验,并且要取得模拟系统培训合格证。全厂设1名值长,从经验比较丰富的班长中选拔。班长只管自己的1台机组,1名巡回检查工负责水泵水轮机、主阀等机械系统,另1名则负责电动发电机等电气系统。机组的开停机大都集中在流域控制中心进行远方操作,现场控制室不设人值班,采用"无人值班"方式。运行操作上允许单人操作,可不设人监护,这点与国内管理理念存在较大差异。

运行人员的值班方式通常分六值,每六周轮换一次,平均每周工作39h。六周中三周为值班时间,其中一周值上午班(5:00~13:00),一周值下午班(13:00~21:00),一周值晚班(21:00~次日5:00);另外三周中一周为专业技术培训,一周到检修班组工作,一周为休息。在值班周内工作7天,在另两周内工作5天。当然,各国、各电力公司的值班制度是不同的。

5.2 广州抽水蓄能电站的运行管理模式

广州抽水蓄能电站是目前世界上装机容量最大的抽水蓄能电站,也是我国最早建成并率先实现运行"无人值班、少人值守"的大型抽水蓄能电站,一期和二期工程各安装了4台300MW机组,且一期和二期厂房分离设置,但机组开停机操作及监控盘一期和二期合并实行集中控制。

广州抽水蓄能电站运行管理模式的发展思路是将设备巡检、定期试验、隔离操作、工作票的办理、事故处理等工作从运行值班职责中剥离出来,运行值班人员只负责单纯的值守或机组启停操作工作,人数按照机组正常运行所需的人数来配置,由最初的每值3人、2人减少到最后六班四倒,每值1人在中控室值班。运行管理改革的第二步是实行待命值班(即ON-CALL)制度,即成立三个小组,每组由一个值长带一个值班员组成,分别承担从运行值班职责中剥离的各项工作。其中一个小组24h待命值班,负责隔离操作、工作票的办理和事故处理等,作为对运行待命的补充,检修部的机械、电气、自动化也分别安排1人随运行ON-CALL组一起待命值班,上班时除了待命外还需做正常的维护工作;另一个小组负责设备的巡检、定期试验和运行状况分析,只上白班;第三小组则休息。上述三个小组每周轮换一次,其中负责设备隔离和办理工作票的小组跨周末工作。这样的改革,不仅减少了运行人员,而且加强了设备的巡检和运行状况分析。1995年实现了中控室1人值班,随着设备的不断完善和稳定,以及少人值守经验的不断积累,2000年元月又将这位值守人员撤出到离厂房2km的办公大楼集控室,从而实现了一期的无人值班。二期从首台机组投产就开始实行1人值班。2001年6月二期的值守人员也撤离了集控室,真正实现了一期和二期的无人值班。2002年实现了在集控室1人对A、B两厂的集中控制。

目前一期和二期合计拥有运行人员23人,值班人员分值守组和ON-CALL巡检组两部分,值守组主要负责机组的开停机操作和监盘工作,共设7人,采用7班4倒方式,即前夜班、中班、白班、零点班,每轮班中间休息 3 天;ON - CALL 巡检组共计 12 人,主要负责设备隔离操作、办理工作票、事故处理和设备巡检等工作,一期和二期分开,各 6 人,2 人一组,设 3 名值长和 3 名值班员;另外 4 人为部门管理人员和备员。

5.3　十三陵抽水蓄能电站运行管理模式

十三陵抽水蓄能电站共有 4 台 200MW 的混流可逆式水轮发电机组,建厂之初,中控室置于地下厂房,后期为了改善运行人员的工作环境,将中控室迁出至排风洞口,地下厂房控制室改为运行人员的 ON - CALL 值班室。十三陵抽水蓄能电站目前拥有运行人员 16 人,部门管理人员 2 人,备员 2 人,其他 12 人分为 4 个值,实行"四班三倒"的倒班方式,每值 3 人,其中 1 人在中控室负责监盘及机组的开停机操作,1 名值长带 1 名值班员在地下厂房控制室 ON - CALL,负责设备的停复役操作、办理工作票、事故处理及设备的巡检工作。每值采用"一体化"管理,由当值值长在自己的职权范围内合理安排和调配运行值班人员的工作岗位。每值的值班时间是从早晨 8:00 至第二天早晨 8:00,工作 24h 后休息两天。工作期间于上午、下午、前夜、后夜对地下厂房各巡视 1 次。为了提高运行人员的事故处理能力,还尝试采用了将检修自控班与运行 ON - CALL 人员合并的方式。

5.4　天荒坪抽水蓄能电站的运行管理模式

天荒坪抽水蓄能电站运行部现有人员 26 人(含新参加工作人员 3 人),实际在岗当班工作人员 23 人,其中部门管理人员 2 人,值长 5 人,值班工程师 10 人,值班员 6 人。具体运行值班体系分为两大块,即值守组和 ON - CALL 组。

值守组分为 8 组,每组只设 1 名值班工程师,在中控室值班,具体负责机组的开停机操作及与总调的联系、监视全厂设备的运行状态和调整设备的运行方式、运行数据的记录和计算机输入、机组及主要辅机设备的巡检记录等工作。值守组中每 2 个月抽出 2 个组参加运行 ON - CALL 工作,其余 6 组采用 6 班 4 倒方式进行倒班,倒班时间安排基本与广州蓄能电站相同,每轮班周期为 6 天,分为前夜班(21:00 ~ 次日 3:00)、中班(14:00 ~ 21:00)、白班(8:00 ~ 14:00)、零点班(3:00 ~ 8:00),并在前夜班前增加半天学习班(14:00 ~ 16:30)。

ON - CALL 组共设 A、B、C、D 四组,由 4 名值长和 2 个值守组的成员组成。其中每组设 1 名值长和 1 名值班工程师或值班员。按照白班 ON - CALL(周一至周五 8:00 ~ 16:30)、巡检(下周一至周日 8:00 ~ 16:30)、晚班 ON - CALL(周三至下周三 16:30 ~ 次日 8:00)、休息(周三至周日)的顺序进行轮换,每周三下午为固定学习班时间。其中白班 ON - CALL 人员主要负责全厂设备的停复役操作、办理地面及地下厂房的工作票、全厂设备的异常情况及事故处理等工作;巡检组主要负责全厂设备的日常巡视、全厂设备的定期试验和切换等工作;晚班 ON - CALL 主要负责夜间的事故处理及应急操作等工作。

值守组每轮班学习班期间主要完成以下几项工作:①查看运行日志,了解未当班期间的生产情况;②浏览生产早会系统,并签字;③浏览办公室自动化系统和传阅文件并签字;④学习每周学习班内容并签字;⑤结合当天设备存在的薄弱环节完成当日的事故预想;⑥完成技术问答接力:具体操作方式为由每组学习班人员书面解答上一组出的技术问答题,并为下一组出技术问答题。技术问答执行情况由运行部负责审核评比。

运行部的班组学习改为集中学习,即定于每周三(如有事可顺延)ON - CALL 组和值守组集中学习,由部门领导主持,ON – CALL 组和值守组分别设立记录本,各组安全员或委托人负责记录,对于未参加学习的人员进行传阅签字。

由于每个抽水蓄能电站的具体情况不尽相同,所采用的运行管理模式也各有千秋,在编制抽水蓄能电站运行管理模式和具体实施过程中应注重结合自身的生产情况,吸收和借鉴国内外先进电站的管理理念和经验,以满足实际需求为主,切不可盲目照搬照抄。

二、水泵水轮机及其附属设备

天荒坪抽水蓄能电站主轴密封改造

华东天荒坪抽水蓄能有限责任公司　游光华

[摘　要]　本文介绍天荒坪抽水蓄能电站的主轴密封在投产初期出现的问题,分析了原因以及改造方案,消除了投产以来一直困扰电站安全稳定运行的隐患,提高了机组的运行可靠性;同时,希望本文能够为在建的高水头、高转速、高水位变幅的抽水蓄能电站的主轴密封设计提供参考。

[关键词]　主轴密封;故障分析;改造体会

1　概述

天荒坪抽水蓄能电站是一座高水头、高水位变幅、高转速的抽水蓄能电站,水泵水轮机由 GE Norway 公司制造,而其主轴密封则由分包商英国的 Sterling Mechanical Seal 制造,首台机组于 1998 年 9 月投入运行。由于厂家设计原因,自投产以来,主轴密封一直是影响天荒坪电站机组启动成功率的不稳定因素。2002 年以前,厂家虽对主轴密封进行过多次改造,但仍不能完全解决主轴密封在运行中温度突升造成密封磨损较快等问题。2002 年,经过制造厂和天荒坪抽水蓄能电站有关技术人员对主轴密封再次共同研究,重新设计主轴密封,并经过有限元分析和模型试验后,2003 年在机组上安装试验取得了成功,主轴密封的稳定运行问题最终得以解决。

2　主轴密封运行条件

2.1　水头条件

电站设计水头为 526m,水轮机淹没深度为 −70m,电站运行水头范围为 518∼610m,其中供主轴密封水源的下库运行水位在 295∼345m 之间变化,即主轴密封工作水压变化达 50m。

2.2　速度条件

机组设计转速为 500r/min,最高飞逸转速为 720r/min,为顺时针和逆时针双向旋转,大轴直径为 940mm,主轴密封处的运行切向线速度为 30m/s,最高切向线速度约为 43m/s。

2.3　工况条件

该电站机组设计运行工况有发电、抽水、发电调相、抽水调相、停机等五种工况,有停机—发电—停机、发电—发电调相—发电、停机—抽水调相—抽水—停机(抽水调相)等工况转换,每天开停机按 10 次设计。每种工况主轴密封转轮侧(密封腔)压力差异悬殊。

2.4　水力条件

上述三种条件的综合影响,在主轴密封处就形成了复杂的水力条件,由于旋转离心力的作用和尾水动、静态真空的影响以及气和水的黏滞作用的差异，机组在工况转换时将造成主轴密封处水压力的变化。当机组停机时，主轴密封处的水压力为下库静水压力，在下库水位变幅范围 0.7～1.2MPa 之间变化（设计最小淹没深度为 −70m）；当机组在调相工况运行时，因机组在压缩空气中旋转，对主轴密封处的压力影响不大，基本与停机状态相同。但当机组以 500r/min 的转速在水中旋转时，将使主轴密封处的压力降低约一半，即在 0.3～0.65MPa 内变化，这就要求主轴密封在工况转换的短时间内必须适应此水压力的变化，既要防止主轴密封压得过紧影响润滑水膜厚度而烧损，又要防止主轴密封向上抬起造成水淹厂房。因主轴密封的另一侧为大气压力，上述的压力变化也将造成密封结构件的不均匀变形，将影响动密封的接触面，进而影响主轴密封的冷却润滑水流量、水膜的形状及其内部压力降，同时也将影响主轴密封处的水压平衡，对主轴密封的运行造成负面影响。

3 历年主轴密封故障分析

由于天荒坪电站机组的主轴密封工作环境恶劣，投运后运行一直不稳定。从历年的统计情况看，除 2003 年主轴密封已改造外，主轴密封引起的故障占全厂故障的 20% 左右，是影响机组稳定运行的重要因素。历年来主轴密封的故障特征也不相同，在 2000 年以前，主轴密封的缺陷主要特征是在调相工况下，主轴密封处的压力较高，造成其外环变形较大，从而造成主轴密封在调相运行时，压缩空气进入主轴密封的操作腔而影响主轴密封的压紧力，温度升高而烧损。2000 年后，对主轴密封的外环进行了改进，增加了材料的强度和采用加强筋，增加了结构刚度，减小其变形，此时主轴密封的故障特征已表现为调相工况能正常运行，但工况转换时需要人工调整操作腔的压力，以适应主轴密封稳定运行的需要。此外，由于机组为双向旋转，在主轴密封的上下可移动压环上安装有双向防转动键，但经过多次双向运行撞击后形成的凹坑影响主轴密封移动环的上下移动，造成主轴密封在运行时出现温度突升的异常现象。2003 年后，经过整体更换，上述缺陷基本消失，从而使主轴密封的运行性能大大提高，消除了长期困扰机组运行的隐患。

4 原主轴密封工作原理

原密封结构如图 1 所示，移动环垂直方向受力如图 2 所示。技术供水系统供给主轴密封操作腔 7 一个稳定压力 P_0，该压力只能人工调整，而不能随尾水压力变化。P_2 为密封腔压力，随机组运行工况、转速、下库水位等变化。P_1 为技术供水系统提供给密封面的冷却润滑水压力，随冷却润滑水膜厚度和系统供水压力

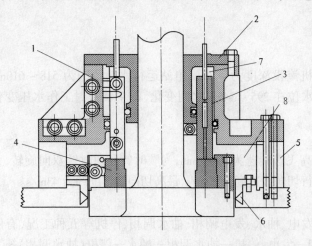

1. 外环；2. 内环；3. 不锈钢移动环（抗磨环）；4. 密封环；
5. 支持环；6. 检修密封；7. 操作腔；8. 密封腔

图 1 原主轴密封结构示意图

变化而变化。正常情况下，P_0、P_1、P_2以及不锈钢移动环的自重达到平衡，在不锈钢移动环与密封环之间形成稳定的冷却润滑水膜和足够的冷却水流量，主轴密封保持稳定的温度运行。

5　原主轴密封存在的问题

5.1　原理问题

原主轴密封采用固定水压的压紧力，这样导致工况转换时，由于主轴密封处水压力的变化可能会打破密封移动环的水压力平衡，造成的直接后果是冷却水流量的不足或中断，密封发生干摩擦，运行温度高而烧损，或者是移动环被向上抬起，造成密封失效，发生漏水的情况。

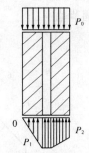

图2　移动环垂直方向受力图

原密封环随大轴一起旋转，密封环被磨损后，移动环会嵌入密封环，机组旋转造成的大轴摆度又会影响移动环与密封环的间隙，进而影响主轴密封的冷却水流量和效果，甚至造成密封环的碎裂。

5.2　结构变形问题

作为主轴密封基座的水轮机顶盖、内顶盖、检修密封以及主轴密封外环等部件在水轮机流道内的水压力作用下，相当于一个悬臂梁的受力结构，各部件在水压力的作用下产生的变形将积累至终端的主轴密封外环，因主轴密封的外环为分半组合结构，此变形过大将影响外环的组合面间隙，造成主轴密封固定压力腔(操作腔7)与尾水之间的泄漏，从而影响主轴密封操作腔的压力，使主轴密封的水压平衡被打破。

5.3　防转动键损坏问题

为防止主轴密封的移动环随着密封环旋转，在移动环上安装有防止转动键，因为机组有两种旋转方向，移动环又要适应密封环被磨损后跟随压紧的移动要求，防转动键与键槽之间必然存在一定的间隙，当机组改变旋转方向时，防转动键与键槽壁将发生撞击，撞击多次后，将产生凹坑、毛刺和键连接螺栓的断裂，影响移动环的上下移动。虽然厂家把防转动键改成了类环氧树脂的材料，但由于该材料强度不高容易碎裂所以效果不佳。

5.4　指示装置损坏

原主轴密封为了监测密封环的磨损情况，安装有密封磨损指示杆，该指示杆穿过操作腔而连接到移动环上，运行中移动环的上下移动、机组的振动，特别是移动环的向上抬起，指示杆断裂而冲出，造成操作腔泄压而密封失效。

6　新型主轴密封

6.1　结构形式

新型主轴密封结构如图3所示，其设计参数如下：

运行介质：	水
设计额定转速：	500r/min
设计最大瞬时飞逸转速：	720r/min

设计稳态飞逸转速:	680r/min
设计运行压力范围:	0.3～1.2MPa
压力调节气缸数:	6只(均布)
气压调节范围:	0～1.0MPa

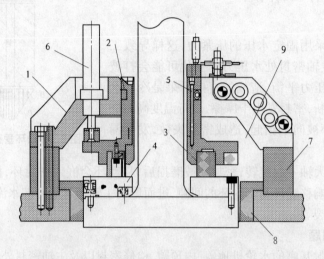

1. 主轴密封外环;2. 主轴密封移动环(内环);3. 密封环;4. 不锈钢抗磨环;
5. O 型密封环;6. 调节气缸;7. 支撑环;8. 检修密封;9. 密封腔

图 3　新型主轴密封结构示意图

6.2　新型主轴密封的工作原理

　　新型主轴密封取消了原主轴密封的固定压力操作腔,利用移动环及密封环的受力面积和压力降使密封在压力变化范围内自动平衡,移动环上的压紧力将随尾水压力自动变化,只要移动环上受压面积选择合理,就可使密封能够自动适应工况转换而运行稳定。具体描述如下:正常运行条件下,主轴密封的外环 1、移动环 2、支撑环 7、密封环 3(合成纤维脂材料,抗变形能力较弱)和抗磨环 4 等形成的压力腔内充满着尾水压力,该压力随下库水位、机组转速、运行工况等变化而变化,如图 4 所示 P_0,就天荒坪电站而言,它的变化范围为 0.3～1.2MPa。同时机组技术供水系统提供的冷却水在主轴密封密封环 3 与抗磨板 4 处形成压力 P_2,该压力沿内侧方向泄压至零,沿外侧方向泄压至尾水压力 P_0, P_2 既受机组技术供水压力影响,也受机组密封环与抗磨板之间的液态冷却膜厚度的影响,事实上,移动环(包括密封环)在水压作用下的变形和移动环上所受的竖直方向的力都将影响其液态冷却膜的厚度和压力分布,从而影响移动环的平衡。因此,主轴密封能否稳定运行取决于主轴密封上的移动环的受力情况及其抗变形能力,如果移动环所受向上的合力过大,则主轴密封移动环将向上抬起,造成主轴密封泄漏;如果移动环所受向下的合力过大,则将导致密封环与抗磨板之间的液态冷却膜过薄或冷却水中断而发生干摩擦,造成主轴密封温度过高而烧损或机组跳机。主轴密封的结构设计应主要考虑控制移动环的受力和变形,也就是要选择密封环的厚度、高度、位置以及移动环上的受力面积。为了保证主轴密封稳定运行,并补偿密封环长期运行的不均匀磨损,在移动环上均匀布置有 6 只压力调节气缸,以便正常运行时进行调节。

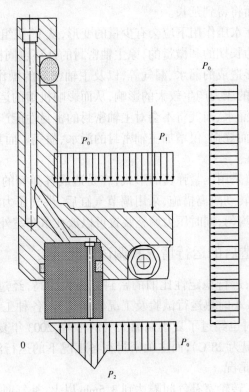

图4 移动环受力示意图

7 新型主轴密封的特点

新型主轴密封有以下几个特点(与原密封相比):

(1)取消了操作腔,结构简单,安装方便。移动环压紧力随尾水变化而自动调整,运行稳定可靠,工况转换时不需要人员调整压力。

(2)更换后密封环安装磨合期短,经首次开机约10min磨合就可投入运行,且温度不高(磨合期比冷却水温高5℃左右)。

(3)防转动装置安装在主轴密封外部,更换方便,不用拆卸外环而重新打压,同时磨损指示装置不再穿过操作腔,因而不会造成泄压及密封抬起。

(4)密封环被磨损后,对其冷却润滑水回路不构成影响,而原主轴密封的密封环被磨损后,移动环进入密封环的槽内将恶化其冷却润滑效果,造成主轴密封密封环的恶性循环磨损,且大轴的摆动将加剧密封环的破裂,导致主轴密封的使用寿命降低。

(5)新型主轴密封的密封环设计高度降低,意味着可磨损量的减小,但明显提高了刚度,如密封面保持良好的液体摩擦,密封环的磨损将保持在较低的水平。另外,旧的密封环中间开有冷却水沟,将削弱其结构强度,且当密封环被磨损后,不锈钢移动环将嵌入密封环,机组旋转时大轴摆动将对其进行不停地撞击,导致其破裂。而新型的密封环内采用水孔通水,密封环被磨损后仍将处于自由状态而不受大轴摆动的影响。因此,主轴密封的寿命不但不会缩短,反而将得到延长。

(6)主轴密封外环在水压作用下应会有少量的变形,从 1# 机组、3# 机组的主轴密封运行经验来看,其变形应为长期的和微量的,原主轴密封的外环也同样存在外环在水压作用下变形的可能性,其变形造成的漏水、漏气等,以及主轴密封的操作腔的调压节流片堵塞也将对主轴密封操作腔的压力产生较大的影响,从而影响机组的运行性能,而新型主轴密封的变形产生的把合面漏水、漏气将不会对主轴密封的密封性能产生影响,也不会造成主轴密封的运行温度升高而烧损,仅增加主轴密封的漏水、漏气。而其内环是一个受压的圆柱体,抗变形能力应更好。

(7)移动环压力调节采用压紧弹簧的形式,容易造成各弹簧的受力不均匀,且调整压紧力时需要作较多的防转动隔离措施,采用调节气缸后,供气压力取自同一压力源,保证了移动环 6 个方向受力均匀,同时压力调整装置可以放在水车室外,因而调整方便。

8　新型主轴密封改造后的运行情况和调试情况

主轴密封经改造后,运行稳定性比旧的密封有很大提高,经过了发电、发电调相、抽水、抽水调相等工况的 6 小时热运行试验及工况转换试验,各种工况下,密封运行温度比冷却水温高 2~3℃,同时也经过了夏季高温天气的考验,2003 年夏季冷却进口水温最高达到 33℃(设计最高水温为 28℃),而主轴密封在各工况下的运行温度未超过 36℃,也未出现运行中温度突升的情况。

在抽水调相工况下,转轮室补气间隔达到 3.5min 以上,补气时间约为 0.5min,发电调相工况补气时间约 3min,而补气间隔达到 16min,大大减小了调相用气量,也减小了空压机的运行小时数,而旧的密封在发电调相工况不能正常运行。

经过约一年的运行,主轴密封的磨损量小于 1mm/1 000h,达到了原设计的技术要求。

9　改造体会

(1)现在国内已建或在建的高水头、高转速的抽水蓄能电站越来越多,上下库的水位变幅也大,在选择主轴密封时,主轴密封的结构和原理应尽量简单,并应随着主轴密封处的尾水压力变化而自动变化,不宜采用固定操作压力的方式。

(2)如果密封环的刚度不高,可磨损部分就不宜太高,否则将导致密封环在不同水压作用下不均匀变形,影响密封效果。

(3)密封设计应考虑在水压作用下变形的影响。

(4)密封磨损率应作为考核密封性能的重要指标。

10　结语

天荒坪抽水蓄能电站主轴密封经过多次改造,终于获得成功,达到了设计技术规范的要求,提高了机组的启动成功率、运行可靠性、稳定性和可用率,降低了设备故障率,为天荒坪电站机组的安全运行提供了可靠的保障。目前在建和拟建的抽水蓄能电站越来越多,希望天荒坪机组的主轴密封改造能够为它们的运行管理人员提供参考。

高水头抽水蓄能机组主轴
密封的对比探讨

华东天荒坪抽水蓄能有限责任公司　孔令华

[摘　要]　本文对国内高水头抽水蓄能电站在用的两种主轴密封结构型式进行了介绍,并对两种主轴密封型式从受力、检修等角度进行了对比分析。同时,还介绍了一些事故情况,并提出了一些建议。

[关键词]　主轴密封;轴向力分析;磨损速度;故障检修

1　简述

抽水蓄能电站在我国的发展呈现加速的趋势,近年来建设并投入运行的大型抽水蓄能机组有广州抽水蓄能电站(简称广蓄)、十三陵抽水蓄能电站(简称十三陵)、天荒坪抽水蓄能电站(简称天荒坪)。三个电站共同的特点:一是上、下水库落差大,水头高,天荒坪570m、广蓄535m、十三陵430m;二是水泵水轮机吸出高度大,天荒坪 – 70m、广蓄 – 70m、十三陵 – 50m。由于高落差、高水头的发展趋势,抽水蓄能电站的吸出高度也越来越大,而且厂房在地面以下较深处,所以要求无论机组在停机状态或运行状态,主轴密封均应投入运行,主轴密封故障是可能导致水淹厂房的主要原因之一。由于抽水蓄能机组运行工况复杂,启动频繁,发电和抽水时,密封腔内的介质是水;水泵工况压水启动及水轮机调相工况时,密封腔内的介质是压缩空气,这种密封介质的变化是对密封的严重考验,因此高水头抽水蓄能电站水泵水轮机主轴密封的设计制造、安全运行就显得特别重要。

2　两种结构型式的主轴密封介绍

常规水轮机主轴密封一般采用轴向平面密封,高水头水泵水轮机大轴密封也大多采用这种密封,如广蓄、十三陵、天荒坪等抽水蓄能电站。国外抽水蓄能电站也有采用径向或斜向密封的型式。广蓄、十三陵采用密封环在上的自平衡型式轴向平面密封,其主轴密封结构如图1(a)所示;天荒坪原采用密封环在下并旋转的非平衡型式的平面密封,压环上部形成操作腔,其主轴密封结构如图1(b)所示。

广蓄、十三陵抽水蓄能电站采用的结构型式,见图1(a),主要由密封环1、密封腔2、密封环支架3、弹簧4、抗磨环5、固定环6、供水回路7及检修密封等部件构成。密封环与其支架一起作上下运动,与旋转的抗磨环构成摩擦副。弹簧作用力使摩擦副保持一定的压力,润滑水经过4个供水孔进入密封环中间槽,润滑摩擦面。

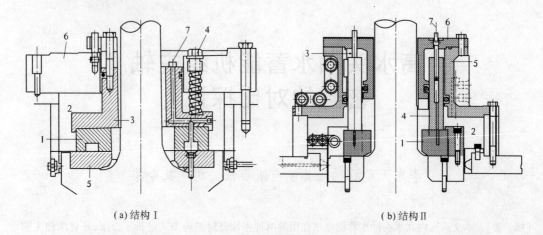

（a）结构Ⅰ   （b）结构Ⅱ

图1　主轴密封结构

　　天荒坪抽水蓄能电站原采用的是图1(b)的结构型式,主要由密封环1、密封腔2、操作腔3、压环4、外环5、内环6、润滑供水回路7和检修密封等主要部分构成。内环6与外环5及压环4,构造操作腔3,由减压阀减压供水,压力恒定。压环由两个导向键与外环相连,作上下方向的运动。密封环1与大轴连接在一起,随大轴一起旋转,上表面面积比压环面积大,密封环开有5mm宽的槽,润滑水穿过压环内的4个供水孔到该槽,起到润滑作用。密封腔2经过转轮减压孔与尾水相连。

　　两种结构明显不同之处就是结构Ⅱ密封环固定在大轴上与大轴一起旋转,而结构Ⅰ与固定部分软连接,仅上下移动。结构Ⅱ中设计的操作腔与密封腔独立,压力不相通,结构Ⅰ无操作腔,密封腔压力直接作用在密封环上。结构Ⅰ的密封环磨损后保持原来的形状不变,而结构Ⅱ的密封环磨损后,中间形成凹槽,压环插入其中,两个侧面形成两个摩擦副。

　　两种结构型式的密封大轴直径几乎相同,旋转速度500r/min,密封压力1.2MPa,两种密封PV值均为29MPa·m/s左右。

3　两种密封结构轴向力分析

　　假设两种结构密封摩擦副是流体润滑状态,对作上下移动的密封环1(结构Ⅰ)和压环4(结构Ⅱ)进行轴向力分析(两者简称静环),静环的受力情况如图2所示。

　　根据公式 $F = P_1 \cdot A_1 - P_2 \cdot A_2 - P_3 \cdot A_3 - P_4 \cdot A_4 + W + Fsp \pm Fr$ 可算出静环轴向力。对于变化的密封腔压力,可以作出一条轴向力分布线,根据不同的润滑水供水压力,可以计算出一组轴向力分布线,作出对应于密封腔压力变化和不同润滑水压力的轴向力变化分布图。两种轴向力变化如图3所示。

　　由于结构Ⅰ无操作腔,密封环上部作用压力与密封腔压力相同,因此静环轴向力与密封腔压力变化成正比,即密封环与旋转环之间的水膜压力变化与密封腔压力变化成正比。结构Ⅱ操作腔压力是恒定的,不随密封腔压力的变化而变化,因此轴向力变化与密封腔压力变化成反比,即水膜压力变化与密封腔压力的变化成反比关系。

　　由图3两种结构型式的轴向力变化比较可以看出,对于水膜压力,结构Ⅰ比结构Ⅱ可

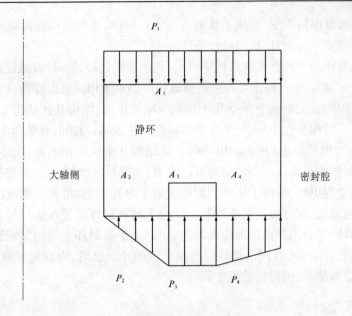

图2　静环的受力情况

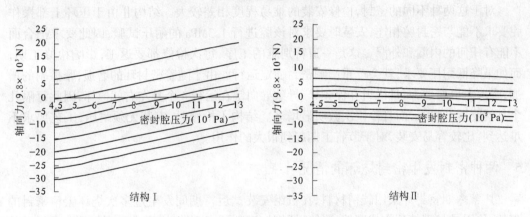

图3　两种轴向力变化曲线

以更好地跟随密封腔压力的变化,机组的实际运行也说明了这一点。天荒坪下库水位正常运行时变化30m,再加上工况转换时大轴法兰的离心力作用,结构Ⅱ的密封腔压力最大变化范围在0.3~1.2MPa之间。当机组从抽水调相工况转抽水工况或机组停机至发电工况时,密封腔压力从1.2MPa左右快速降至0.5MPa左右,这时操作腔压力仍然不变,水膜压力增加,密封温度上升,密封环磨损加快,若不及时手动调节就可能导致跳机事故。而抽水调相压气的瞬间,密封腔压力上升,作用在压环向上的力增大,压环就可能被抬起。由于操作腔压力不能自动跟随密封腔压力变化恒定,就导致操作腔压力非常难以调节:压力调节大一些,密封温度上升;压力调节小一些,压环可能被抬起,压缩空气快速漏掉,调相失败。这种压环被抬起的情况曾经经常发生,影响机组启动成功率。

结构Ⅰ的密封腔压力变化在0.5MPa左右,虽然变化比结构Ⅱ小一些,但由于其密封腔与操作腔相连(或者说没有操作腔),密封腔压力减小时,密封环上部作用力亦减小,因此水膜压力基本可以保持不变,无须手动调节压力。所以,这种结构密封环不易被抬起,工况转换时密封温度不会上升,机组运行平稳。

广蓄二期密封环是一种合成耐磨树脂材料,天荒坪密封环是一种纤维浸渍合成材料,其抗压强度高达 65MPa,前一种比后一种稍微软些。但对于相同机组容量、相同机组转速及其相同 PV 值的平面密封,而且承受几乎相同的尾水压力,结构 Ⅱ 比结构 Ⅰ 的密封磨损速度要快几十倍。结构 Ⅱ 在 1999 年 6 月份磨损速度达 35mm/120h,而结构 Ⅰ 能正常运行 5 年不换密封环,磨损速度小到 1mm/10 000h。从结构 Ⅱ 密封环在下方、压环(不锈钢环)在上方,密封环面积大于压环面积的结构可以看出,当密封环磨损时,压环将插入密封环,理论上密封效果变得更好,但由于压环侧面也变成了摩擦副,润滑水更难流出,因此水膜变薄,磨损速度也加速,运行温度更难控制。结构 Ⅰ 的密封环即使在运行很长时间后,仍然保持原来的形状,不会出现磨损加快的情况,相反由于密封环上部均匀安装弹簧,密封环磨损时弹簧伸长,压力减小,水膜增厚,磨损速度减小。这时,密封漏水量可能有所增大,但密封环不会被抬起,密封仍然稳定运行。

4 检修难易程度对比

对于这两种不同的密封,检修安装的难易程度相差较大。结构 Ⅱ 由于压环上部操作腔要求不能与密封腔相连,安装时要求对该腔进行 1.3MPa 的耐压试验,因此要求把合面不能有任何的内漏和外漏。这是一道特别难的工序,每次检修都要返工,影响检修工期,而如果降低耐压要求,就会严重影响密封稳定运行。由于随着密封环的磨损,摩擦副的增加,摩擦力也增加,而且机组开停频繁,导致导向键在运行 4 个月左右就撞坏,因此每隔几个月就要拆开检查,而且检修次数明显增多。结构 Ⅰ 检修时,安装无须耐压,工艺要求不难达到,比较容易安装,对于节省工期起到很大的作用。

5 两种密封发生密封烧坏的情况

广蓄一期密封环采用碳精材料,在机组安装试运行期间发生过多次烧坏碳精密封的事故,原因是与碳精环构成摩擦副的不锈钢抗磨环硬度不够、润滑水质不好等。后经国外制造商(简称外方)对抗磨环进行硬度处理、采用新配方的碳精材料、调整弹簧压紧量,并对密封润滑水系统进行改造后,密封运行情况得到明显的改善。广蓄二期 8 号机组发生过两次密封烧坏的情况,据分析是由于润滑水供水旋流器问题和密封外侧润滑水排水困难造成的。天荒坪电站主轴密封运行也曾一直不稳定,更换了 20 多套密封环。外方虽然更换了操作腔外环材料,外环、支撑环进行了加厚,整个密封刚度、强度均增加不少,解决了原不锈钢外环把合面变形漏水的问题,但仍需要运行人员及时手动调节。外方曾经改变密封环的形状,但由于润滑水膜遭到严重破坏,密封磨损速度加快,后又全部换了回来。由于密封结构上的不合理,密封磨损快,运行不稳定的问题一直没有改进,最后重新进行设计改造。

6 一些建议

通过以上的分析对比可知,密封结构 Ⅰ 比结构 Ⅱ 更适用于密封腔压力变化大的电站,而结构Ⅱ适用于密封腔压力稳定的电站。抽水蓄能电站机组设计时应尽量减小水头变化幅度,减小转轮联结螺栓的离心力作用,以减小工况转换时的密封腔压力的变化,无疑对主轴密封的稳定运行有好处。

由于摩擦副水膜的厚度取决于润滑水水质和水压,考虑抽水蓄能电站主轴密封的重要性,设计时能最好考虑水压稳定、水质较好的独立供水系统。

根据密封腔压力的变化,合理选择密封环的宽度,使润滑水压力在水膜压力的合成中占主要的部分,将有效地改善水膜弹性润滑能力,更好地适应密封腔压力的变化。

高水头抽水蓄能电站机组转速高、振动大,主轴密封 PV 值很高,因此要求密封结构构件应有足够的强度,保证制造安装精度。

广州蓄能电厂 A 厂主轴密封问题处理探讨

广州抽水蓄能有限公司　谈进昌

[摘　要]　本文介绍广州蓄能电厂 A 厂水泵水轮机主轴密封的结构和存在问题，并对其出现故障原因进行分析，探讨如何通过改进或改型来消除目前机组存在的隐患，以满足机组安全、稳定运行。

[关键词]　主轴密封；黏着性烧损；缺陷处理

1　概述

广州蓄能电厂 A 厂安装了 4 台单机容量为 300MW 的可逆式水泵水轮机组。机组由法国 NEYRPIC 公司制造，首台机组于 1993 年 6 月投入运行。由于设计上的先天不足，自投产以来，主轴密封问题一直是影响广州蓄能电厂 A 厂机组可用率和机组安全运行的不稳定因素。虽然厂家对主轴密封进行了多次改造，但仍不能解决主轴密封运行过程中碳精烧损等问题。2001 年 1 号机组大修期间，对主轴密封的安装、调整进行了优化，问题虽有所改进，但未能得到彻底解决。2004 年，对主轴密封结构、强度、受力和变形等各方面因素进行了探讨，并经过有限元计算，提出了一系列的改进措施。

2　主轴密封的结构

广蓄 A 厂主轴密封安装在水导油盆盖上，主轴密封的形式采用平衡式流体静压径向双端面机械密封。其结构如图 1 所示，主要由活动环、固定环、碳精密封环、抗磨环、弹簧平衡装置、供水管路等部件构成。其中，碳精密封环是由 42 个 M12 内六角螺栓固定在活动环底面上，可以随活动环一起上下移动。抗磨环则是由 44 个 M12 内六角螺栓固定在水导轴承旋转油盆盖上，并随水导油盆一起运转。活动环通过六根导向螺杆和弹簧连接到固定环上，由弹簧、导向螺杆和压紧螺帽构成平衡装置对活动环有向下压紧的作用，同时活动环可以在轴向一定范围内自由平衡，这种结构有利于主轴密封环和抗磨环之间在径向接触面的紧密结合。碳精密封环采用碳精镶嵌结构，接触面为碳精材料（MY10），基体为不锈钢材料（法国牌号 Z20C13/中国牌号 2Cr13）。抗磨环材料成分亦为不锈钢材料（法国牌号 Z5CN16.03/中国牌号 0Cr16Ni3）。

3　主轴密封的工作原理

主轴密封相当于一个静压轴承，从主轴密封供水管来的水具有 $15 \times 10^5 Pa$ 左右的压力，尾水压力为 $(7 \sim 12) \times 10^5 Pa$ 之间。主轴密封供水腔的水压及密封水压使活动环向上浮起，碳精密封环和抗磨环滑动面间隙增大，密封供水流进碳精内外环与抗磨环之间的间隙，流进碳精密封内环的水将自漫过碳精密封的上部，通过顶盖上的碳精密封排水管将水

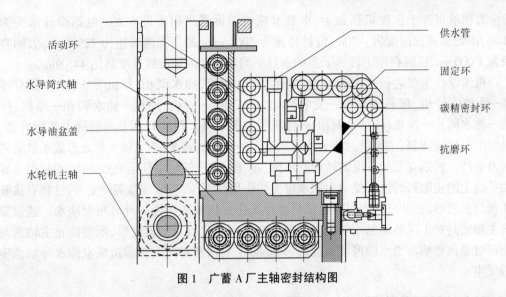

图 1　广蓄 A 厂主轴密封结构图

排至集水廊道;流进外环的水则与尾水相抵,压入尾水管内。这种类型的主轴密封的密封供水主要起润滑和冷却作用,不论机组在停机或运行状态都需要投入密封供水,并且对水质要求比较高。主轴密封的运行监视设有碳精温度、密封水压压差及水轮机顶盖水位等保护,其温度保护一级报警数值为 38℃,二级跳机温度为 40℃;密封环供水腔水压与尾水侧水压的压差整定值为 0.05MPa,延时 1min 停机。另外,如果机组经过长时间的运行,碳精密封环被磨损,则可以通过调节 6 个弹簧,以改变碳精密封环的压紧力,重新设定碳精密封环与抗磨环之间的间隙(见图 2)。

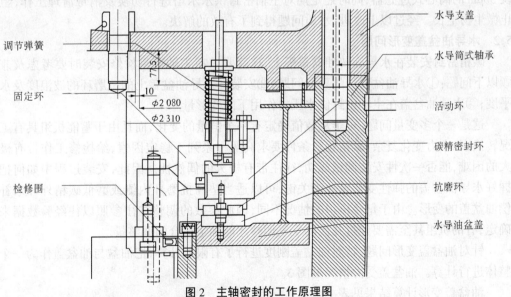

图 2　主轴密封的工作原理图

4　主轴密封的运行条件

广蓄 A 厂机组为竖轴、单级、混流可逆式,主轴有三个径向导轴承、一个推力轴承,其中推力轴承布置于水轮机顶盖上,水泵水轮机的拆装采用下拆方式。电站设计水头为514m,水轮机淹没深度为 − 70m,设计转速为 500r/min,最高飞逸转速为 725r/min,大轴直径为 1 000mm,机组在额定转速下主轴密封平均半径处的切向线速度高达 44.09m/s。

机组设计主要运行工况有发电、抽水、发电调相、抽水调相、停机等 5 种工况,有停机—发电—停机、停机—发电—发电调相(一发电)—停机、停机—抽水调相—停机、停机—抽水调相—抽水(一抽水调相)—停机等工况转换。作为日调节型的抽水蓄能机组,机组工况转换频繁,主轴密封每天均要承受多种工况的转换,在主轴密封处形成了复杂的水力条件。特别在调相工况的转轮回水排气阶段,由于转轮室气压突然变小,安装在水导油盆盖上的主轴密封由于受重力和水推力的作用往下压,造成油盆盖的变形,这将直接破坏密封水膜形成的厚度,有可能造成活动环无法复位或碳精密封外环短时缺水。这就要求主轴密封在工况转换的短时间内必须适应压力变化以及油盆变形,既要防止主轴密封压得过紧而影响润滑水膜厚度而烧损,又要防止主轴密封向上抬起造成水淹水导轴承事故发生。

5 存在的问题及处理探讨

5.1 水质问题

机组试运行初期,由于水质不纯,造成抗磨环严重磨损,碳精环大面积出现裂纹甚至崩块,检查发现密封腔及过滤器滤芯里遗留有较大的颗粒杂质及贝壳类微生物。

针对水质方面的问题,为改善供水水质的纯度,减少管道锈蚀以及颗粒杂质、贝壳微生物对主轴密封影响,将主轴密封供水系统全部改用不锈钢管路,并在密封供水管路上装设 $50\mu m$ 的离心式过滤器;同时还定期对主轴密封供水水塔进行切换及消毒清理工作,阻止微生物生长。经过以上改进,水质问题得到了有效的解决。

5.2 水导油盆盖变形问题

碳精密封安装在水导旋转油盆盖板上,这就要求在主轴密封检修安装时要考虑及兼顾以下问题:①水导油盆自身的重量问题;②安装在水导油盆盖上的抗磨环的波浪度及水平度;③水导油盆盖在主轴密封供水压力作用下的变形量。

这是一个多变量问题,很难从数值确定有一个恒量的变化,而且由于蓄能机组具有工况转换多、水力变化复杂、碳精运行条件要求高等一系列不稳定因素,给检修工作带有极大的困难,能否一次性安装调试成功,往往带有极大的偶然性。因此,安装过程中如何把握好水导油盆盖的弹性变形量尤为关键,可以适当垫高抗磨环内侧或磨低碳精外环来补偿油盆盖的变形。由于每台机组的情况不同,因此参数的调整往往参照以往经验数据来确定,有的机组甚至需要经过几次的反复调整才能确定适合的调整量。

针对油盆盖变形问题,特对油盆盖刚度进行了有限元计算,把油盆与油盆盖作为一个整体进行计算。油盆盖受力情况见图3。

油盆盖变形计算结果见表1。

可见,在运行压力稳定情况下油盆盖的变形量达到 0.094mm,在静态时变形量仅有0.035mm,如此大的变形差值确实给检修工作带来了困难。为了降低油盆盖的变形差值,改善碳精密封运行条件,准备在今后的 2 号机组大修中更换刚度较好的油盆盖。

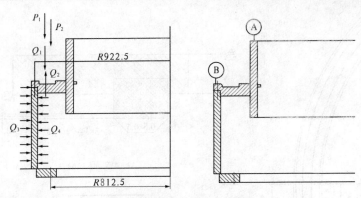

图 3 油盆盖受力情况示意图

表 1 油盆盖变形计算结果

工况				A 点 （mm）	B 点 （mm）	A − B （mm）
运动状态	密封水压 （MPa）	尾水压 （MPa）	旋转油压 （MPa）			
静止	1.5	0	0	− 0.192	− 0.076	− 0.116
静止	1.5	0.7	0	− 0.073	− 0.038	− 0.035
转速为 500r/min	1.5	1.0	0.3	− 0.156	− 0.062	− 0.094

5.3 碳精密封材质问题

碳精密封环主要成分是碳精,而碳精特点是材质脆而且坚硬,要求与摩擦副接触精度较高,对于新安装碳精密封需要长时间的磨合才能达到要求,特别是对于水泵或调相工况往往需要两个星期或更长时间的磨合才能投入使用,否则极容易因缺少冷却润滑水而使碳精密封环与抗磨环摩擦副之间出现干摩擦,导致碳精密封出现崩裂或发生黏着性烧损,这种条件对于作为蓄能机组来说过于苛刻,达不到调峰调频及事故备用的作用。

为了解决碳精外环崩裂及润滑不足问题,我们对碳精密封环安装前进行加工,为了补偿旋转油盆盖变形,将碳精密封外环磨低 1.5mm,为了防止碳精密封环与抗磨环之间出现干摩擦而崩裂,将碳精外环两边进行倒角(内侧为 3mm×3mm,外侧为 1.5mm×1.5mm),同时在碳精外环径向上按均等分磨出 12 道 2mm×1.5mm 泄水槽(见图 4),以增加碳精外环漏水量,避免因缺少冷却润滑水而使碳精密封环与抗磨环摩擦副之间出现干摩擦,而导致碳精密封发生黏着性烧损事故出现。

另外,针对碳精密封材质问题,参考了国内外有关一些做法,提出两点改进措施:

(1)参照自润滑方式,对抗磨环(动环)进行改造,在抗磨环本体上增加自润滑材料,减轻摩擦副双方之间的摩擦,避免碳精密封环因缺水或干摩擦而出现黏着性烧损。

(2)同时改变主轴密封摩擦副双方材质,抗磨环本体镶上自润滑材料,碳精密封环换成高硬度氟橡胶材料(氟橡胶材料的性能:其硬度(HV) > 90;强度 $1.3 \times 10^7 Pa$,耐热 200 ~ 260℃,线速度 50 ~ 60m/s)。其优点是摩擦副相互之间具有形状随型性,跑合性较好,在边界摩擦不会发生黏着性破坏,材料本身没有熔化性破坏且具有相对耐热性。

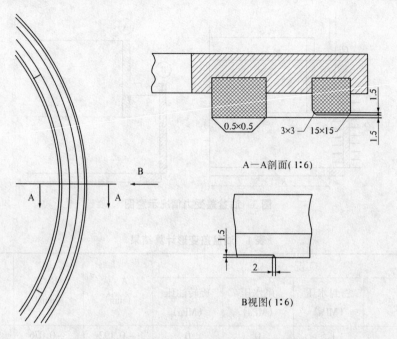

图4 碳精密封环安装前进行的加工图 （单位：mm）

6 结语

A厂的主轴密封问题一直是影响机组安全稳定运行的隐患。为了消除隐患，满足机组安全、稳定运行的需要，一方面通过不断优化以往安装、调整方法，另一方面为了彻底解决A厂主轴密封的问题，提出了新的改进方案并与有关研究机构进行了分析和研究，但其可行性有待进一步验证。希望本文能为在建或待建的抽水蓄能电站的主轴密封相关设计提供参考。

水泵水轮机"S"型特性及其影响

华东天荒坪抽水蓄能有限责任公司　游光华　孔令华

[摘　要]　天荒坪抽水蓄能电站水泵水轮机为高水头、大容量、单级混流可逆式,运行水头变幅大,在低水头发电空载运行时,机组易进入"S"型特性区,造成并网困难或并网后产生逆功率,或甩负荷后不能进入空载稳态,采用了导叶不同步预开装置(MGV)后,基本解决了此类问题,改善了机组运行稳定性。

[关键词]　全特性;"S"型特性区;导叶预开装置(MGV);水泵水轮机

1　概述

　　天荒坪抽水蓄能电站为日调节纯抽水蓄能电站,安装 6 台 300MW 单级、立轴、混流可逆式水泵水轮机组,水泵水轮机及其辅助设备由 GE NORWAY 公司(原 KVAERNER 公司)提供,机组运行水头(扬程)高、变幅大(达 84.2m),为单转速双向旋转,且转速快,转轮进口尺寸较小,运行工况复杂,在国内外已建电站中较为罕见,国内外也无成熟的设计制造经验,制造厂对水泵水轮机的全特性中的"S"型特性(针对流量特性)缺乏足够的重视。因此,在前期未采取有效的防范措施,投产前期出现了低水头发电同期困难和水轮机工况甩负荷后达不到空载稳态的情况。

2　水泵水轮机有关参数

　　水泵水轮机有关参数如下:

最大毛水头(扬程):610.2m　　　　　最小毛水头(扬程):518m

水轮机工况设计水头:526m　　　　　轴输出(入)功率:336MW

额定转速:500r/min（双向）　　　　转轮进/出口直径:4 030mm/2 045mm

导叶数目/高度:26 只/262mm　　　　非同步导叶数:2 只

设计蜗壳中心最大水击压力: 8.7MPa　设计最大稳态飞逸转速:680r/min

3　天荒坪抽水蓄能电站水泵水轮机的"S"型特性

　　由天荒坪抽水蓄能电站的模型试验可知,在电站正常水轮机工况运行范围内(对应水头为 518~610.2m、单位转速 n_{11} 为 42~46r/min,机组各开度下的单位自由转速线附近或以上区域)时,存在"S"型特性,即运行不稳定区,水头越低,空载开度附近越易进入不稳定区。受其影响,在调试初期出现了低水头机组并网困难、甩负荷后不能达到空载等不稳定情况。为此制造厂复核了四象限特性(即全特性)第一象限内的试验,并试图通过在机组调速器内增加压力反馈以提高调节系统稳定性、改变球阀开度影响水头损失和进入机组流态、在5#、18#导叶上加装不同步预开装置(Misalignment guide vanes,简称 MGV,下同)改变"S"型特性等三种方式来解决上述问题,其中不同步导叶预开方案分别做了导叶预开18°、22°、26°三种方式。模型试验表明,采用导叶不同步预开的方式效果较明显(见图1),且不同步导叶的开度越大(但不能超过设计最大开度)越稳定。加装 MGV 后不仅改变了机组的"S"型特性,使弯曲变得平顺,而且可使"S"型区域离开正常的运行范围,特别是在空载时,投入 MGV 后的主接力器行程也较不投入 MGV 时要小,进一步增强了空载运行的稳定性。此外,加装 MGV 的方案改造起来较简单,安装调试也方便。

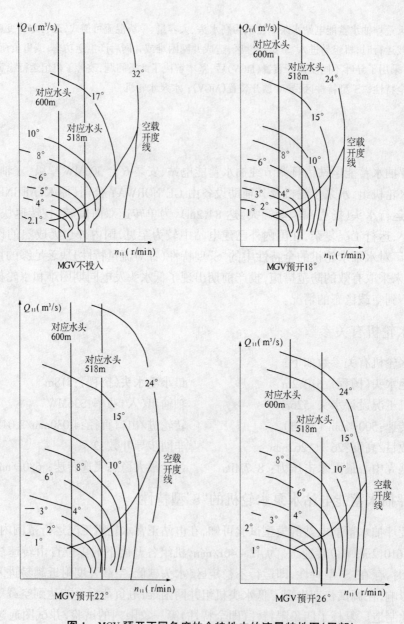

图1 MGV 预开不同角度的全特性中的流量特性图(局部)

4 "S"型特性对机组稳定性的影响

4.1 对发电空载运行的影响

当调速器不参与自动调节转速的情况下,水头低于535m(因机组而异),机组空载(导叶开度在4°~6°)时,在"S"型区域内,则机组将在水轮机工况、水轮机制动工况甚至反水泵工况来回转换,表现为机组转速来回摆动,水头越低,出现摆动的转速越小,摆动幅度越大,进入不稳定区越深。

当调速器参与自动调节时,调节系统扰动将影响转轮进口的水压脉动,加上机组或水力惯性影响。除上述情况外,若机组在接近"S"型区域运行且裕量不足时,也将出现机组转速摆动,且调速器与机组的"S"型特性相互影响,导叶来回调节,表现为机组调节系统不稳定,受其影响,机组出现运行不稳定的水头将提高到560m左右,并网困难或甩负荷后造成机组不能达到空载稳态而跳机,影响机组对系统的响应性。

由于各台机组的输水管长度不同、流道形状存在差异、制造安装上也存在误差,因此在同一水头下,不同的机组进入"S"型特性区的运行深度也不相同。

4.2 对带负荷的影响

当机组并网后或发电调相转发电时,或者发电转发电调相时导叶开启/关闭过程中,如果工况点经过"S"型特性区或其附近,为了维持机组与电网同步、机组转速不变,机组将从系统吸收较大的功率。如果吸收功率整定值及其延时较小,将导致逆功率保护动作跳机。

4.3 对甩负荷时水击压力、机组转速上升率影响

天荒坪抽水蓄能电站水轮机工况采用分两段导叶关闭规律。从甩负荷时测量压力和转速上升曲线(见图2)可以看出,压力钢管内的压力上升有两个较大峰值,其中第一个峰值由导叶开关引起,第二个峰值均发生在机组最大转速后约1s。原因是水力矩与转动力矩达到平衡时,机组达最高转速,此时转轮离心力也最大,导叶开度也较小,由于转轮"S"型特性影响,造成类似阀门或导叶突然关小的效果,导致进入机组的流量突然减小,从而形成压力管道内的第二次水击波,且其峰值比第一次大。

5 "S"型特性引起的运行不稳定与调速系统不稳定的异同与相互联系

5.1 相同点

"S"型特性引起的空载转速不稳定与调速系统的不稳定表现形式相同,即都表现为机组的转速来回摆动。

5.2 不同点

(1)"S"型特性是水泵水轮机转轮的固有特性;调速系统的不稳定属于自动控制系统的不稳定,与调速系统的各时间常数、系统各参数有关。

(2)"S"型特性引起的运行不稳定性只在某一范围内才出现,离开此运行环境即表现为稳定,而调速系统的不稳定贯穿整个调节过程,只要有调节,就可能不稳定。

(3)调速系统不稳定可以通过改变调节系统的各参数或相应的反馈回路来增加其稳定裕量,从而增强调速系统的稳定性;"S"型特性引起的不稳定则要通过改变机组的设计

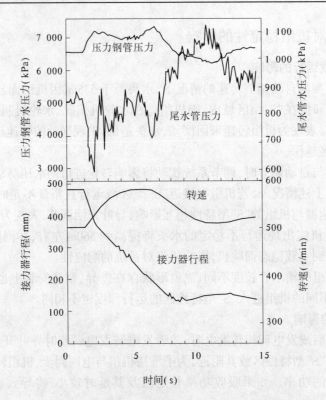

图 2　甩负荷典型曲线图

水头、转轮的叶型、流道形状、导叶的开启规律、机组的水力特性等来解决。

　　"S"型特性引起的运行不稳定性与调速系统的不稳定性既相互独立又相互影响,当机组在"S"型特性区附近运行时,调速系统的超调量过大或系统的扰动,将导致机组进入"S"型区,使机组转速来回摆动,调速系统的测频回路相应摆动,导叶来回调节,从而加剧机组的不稳定,使机组跳机。天荒坪抽水蓄能电站就曾发生过在机组启动过程中,转速达90%时,由于励磁系统的投入,机组测频回路发生扰动,从调速器上显示的频率曲线上反映出有一个明显向下的尖谷,使机组的导叶开度过分加大,机组进入"S"型特性区运行的情况。鉴于此,制造厂在调速器测频回路上加强了滤波来解决此问题。

6　MGV 的工作原理

　　有关资料[1]显示,可逆式水泵水轮机的不稳定的解决方法一般有三种,即慢速开启导叶法、快速开启导叶法、MGV 法。这三种方法在天荒坪抽水蓄能电站都曾经使用,其中前两种因为不能满足快速响应系统要求而未采用。运用 MGV 来解决"S"型特性问题是 VOITH 在比利时 COO II 电站上首先使用,根据转轮叶形、流道等不易改变的实际情况,本电站采用 MGV 较好地解决了由"S"型特性引起的机组运行不稳定缺陷。考虑到水力对称,预开导叶也对称布置且预开导叶数目不宜过多,一般为 2～4 个,天荒坪抽水蓄能电站导叶数目为 26 个,因此安装 2 个导叶不同步开启装置,分别布置在 5# 和 18# 导叶上。MGV 结构如图 3 所示。

　　MGV 只能在现有导叶开度的基础上,再增加设定的导叶开度(即 26°,在机坑里衬上安装有导叶最大开度限制装置,总开度不超过32°)。因此,导叶不同步装置只有开启和关闭两种位置,导叶开度只能随其他导叶一起由调速器来调节。MGV自动投入的条件为:机组发电且非调相工况运行、作为拖动机运行或线路充电方式运行时,水头小于550m、机组频率在25～55Hz之间、导叶开度处于1°～10°;或者发电工况甩负荷后立即投入,若此时机组空载运行时满足前款条件,MGV保持投入直至机组并网或停机,否则15s后,MGV将退出,该导叶与其余导叶同步运行。

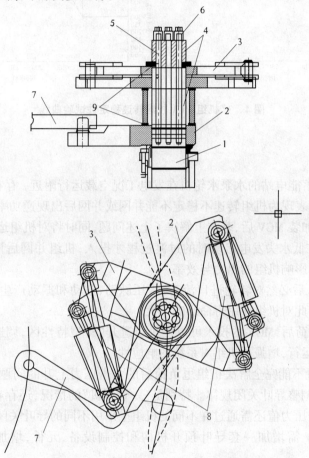

1. 导叶;2. 拐臂;3. 小接力器连杆;4. 摩擦装置压紧块;
5. 压紧双头螺栓;6. 压紧螺母;7. 连杆;8. 小接力器;9. 摩擦片

图3　MGV结构图

7　MGV真机使用情况

MGV于1999年3月首先安装在3#机上,试验表明,低水头空载稳定性明显提高,如图4所示,在毛水头519.71m下,手动开启导叶时,导叶接力器行程在188.2mm(对应导叶开度5°左右),机组转速出现摆动,对应转速接近500r/min;投入MGV后,机组在相同的毛水头下,接力器行程增加至202.8mm(对应导叶开度6°左右),转速达538.1r/min后仍能稳定。一旦MGV退出后,机组转速立即出现摆动。

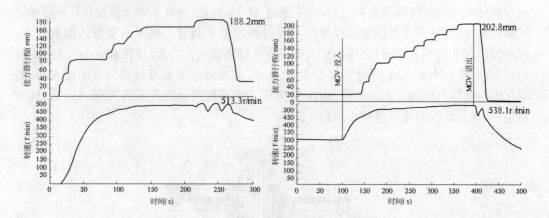

图 4   3# 机组 MGV 投退转速稳定性试验曲线

8   结语

天荒坪抽水蓄能电站的水泵水轮机在发电工况空载运行附近,存在"S"型特性区,且水头越低越明显,表现为机组转速不稳定不能并网或并网后出现逆功率、机组甩负荷后不能到空载运行。加装 MGV 后,基本上解决了上述问题,同时将对机组运行产生以下影响:

(1)MGV 只在低水头发电启动时的过渡过程才投入,机组并网后该导叶与其他导叶同步运行,因此不影响机组的出力与效率。

(2)MGV 投入后必然对转轮进口流态、水压脉动、摆动和振动产生不利影响,但只在开机过渡过程,因此对机组使用寿命影响不大。

(3)机组甩负荷后,MGV 的投入可以使机组避开"S"型特性区,调速器可以把机组调节至空载热备用运行,增强了机组对系统的响应性。

(4)MGV 装置不能完全解决机组甩负荷后的水击压力上升的问题,水击压力上升值的控制还需通过调整导叶关闭规律。特别是"一管多机"的情况,还存在水击压力波叠加的问题,最大水击压力值还需通过在不同的机组上采用不同的导叶关闭规律来解决。

(5)加装 MGV 需增加一套导叶预开机构和控制设备、元件,增加了控制系统的复杂性。

参 考 文 献

[1] 陆佑楣,潘家铮.抽水蓄能电站.北京:水利电力出版社,1992

[2] 游光华.天荒坪机组甩负荷试验压力上升分析.水电站机电技术,2002(2):76~78

[3] 游光华,刘德有,王丰,等.天荒坪抽水蓄能电站甩负荷过渡过程实测成果仿真分析.水电能源科学,2005(1):24~27

[4] 马明刚.机组低水头并网不成功分析及解决.水电站机电技术,2002(2):37~39

可逆式低比速混流式转轮密封装置的
泄漏量及其对机组运行的影响

华中科技大学　戴勇峰　王　海　张克危　郑莉媛

华东天荒坪抽水蓄能有限责任公司　朱兴兵　楼　勇　游光华　孔令华

[摘　要]　可逆式转轮(低比速混流式转轮)密封装置的泄漏量对转轮受到的轴向水推力有很大的影响,本文以天荒坪转轮为例,探讨了泄漏量的计算方法、影响泄漏量的因素以及对机组运行的影响。

[关键词]　可逆式转轮;密封装置;泄漏量;机组运行

1　问题的提出

参考文献[1]、[2]中的计算结果表明,密封装置的泄漏量对作用于低比速混流可逆式转轮上的轴向水推力有很大的影响。泄漏量的大小在机组运行环境一定的条件下,就取决于密封装置的几何参数了。所以为分析轴向水推力的数值,必须计算泄漏量的大小。本文作为参考文献[1]、[2]的补充,仍以天荒坪的转轮为例,讨论泄漏量的计算方法、影响泄漏量大小的若干因素以及这些因素对机组运行的影响。

通过对天荒坪转轮轴向水推力及密封装置泄漏量的研究,提出了低比速混流可逆水轮机组运行轴向稳定性的概念。

本文研究的结论,对可逆式(低比速混流式)水轮机组的设计和运行人员有一定参考作用,希望引起有关部门对密封泄漏量的重视。

2　间隙流动计算的难点

CFD技术以及大型CFD软件目前已经在水轮机的水力设计和流动特性的研究中获得了广泛的应用,但是关于密封间隙内部流动计算的报道还非常少,这是因为与过流通道内部流动计算相比,密封间隙内的流动计算还有一些困难。引起这些困难的根本原因是间隙的尺度与整个流场尺度的巨大差别。这一点在水轮机中表现得特别突出,因为水轮机的转轮、蜗壳等部件的尺寸非常大,而密封间隙却非常小。同时,这些困难主要表现在以下几个方面:

第一,CFD实施中技术层面上的困难,即网格划分的策略和方法问题。密封间隙的流动不是孤立的,密封间隙两端的压差取决于转轮内部的流动,如果将密封间隙与转轮作为一个整体进行计算,则由于间隙尺度相对于整个流场太小而使网格非常难以处理。虽然从理论上说,许多网格划分软件都可以在不同的区域给以不同的网格尺度限制,但是在计算实践中,在尺度相差过大的两个区域之间的过渡常常难以处理。其结果往往是,要么网格数太大,超过了计算机容量所能处理极限;要么间隙部分网格尺度过大,不能反映间隙内部的流动状况。

第二,间隙的几何参数难以精确把握。以天荒坪的转轮为例,密封间隙的设计值为 1mm,密封环直径为 2 000mm,即使按照 6 级精度加工,其公差相对于 1mm 的间隙值来说,也是不可忽略的。所以在计算时,难以把握间隙值的实际大小。另外一些结构细节也是相同的情况,例如对于直径 2m 的密封环来说,即使其端部有 0.5mm 的倒角或圆角,也还可以认为其边缘是尖锐的,但对 1mm 密封间隙来说,进口处如果有 0.5mm 的圆角,其泄漏量将发生明显的变化。还有,如果组成环形密封间隙的两个零件(即转轮和与其相配合的密封环)有偏心存在,也会影响泄漏量的大小。当计算时采用的几何参数与实际值不同的时候,计算结果就难以与实际值或试验值进行有意义的比较了。

最后,在流体力学理论方面,也有一些问题。虽然目前各种 CFD 软件都提供了相当多的湍流模型,但这些模型都只适用于各向同性湍流,而像水轮机转轮的密封这样狭窄间隙中的高速流动,其湍流结构显然已经不是各向同性了。当然这并不是说现有的湍流模型都不能用于间隙流动的计算,只是需要积累相当的算例,然后从中选择误差较小的模型或者积累一些经验系数对计算结果进行修正。不过考虑到前述两项困难以后,可知这并不是一件轻松的任务。

3 间隙流动的算例

为了考察现有的 CFD 软件计算泄漏量的精度,用 CFD 软件 Star – CD 计算了参考文献 [3] 中引用的两个实例,其几何尺寸如图 1 所示,间隙两端的压差为 $p = 0.98$MPa。为考察湍流模型和进口圆角的影响,分别采用 Star – CD 提供的两种湍流模型(标准 $\kappa - \varepsilon$ 模型和 $\kappa - \varepsilon$/RNG 模型)计算了不带倒角和进口带 0.062 5mm 倒角情况下的泄漏量,计算结果和实测结果的比较列于表 1 中。表 1 中计算数据一栏中表示为分数形式,分子为计算值,分母为相对误差值。

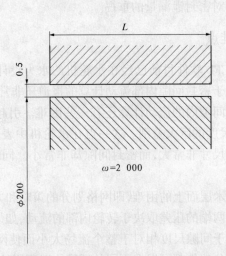

图 1 间隙流动算例 (单位:mm)

表1　算例的计算结果

间隙长度 L(mm)			200	40
实测泄漏量(L/s)			4.634	9.047
计算泄漏量（L/s）	无倒角	标准 $\kappa-\varepsilon$	4.774/0.03	8.177/-0.1
		$\kappa-\varepsilon$/RNG	5.019/0.08	8.679/-0.04
	倒角 0.062 5mm	标准 $\kappa-\varepsilon$	4.928/0.06	8.377/-0.08
		$\kappa-\varepsilon$/RNG	5.147/0.11	9.119/0.008

　　由表1的数据可见,不同的算例中,采用不同的湍流模式所得到的计算精度(与实测值对照)各不相同,最大相对误差为11%,最小相对误差为0.8%。误差的分布有一定的规律性,对于长度较大的间隙,计算值都偏大,而对于较短的间隙,则计算值一般偏小。这似乎说明现有的湍流模型在间隙流动的计算中所得的壁面摩擦(沿程损失)偏小,而进口局部损失则偏大。还可以看出,用 $\kappa-\varepsilon$/RNG 模型计算的泄漏量大于标准 $\kappa-\varepsilon$ 模型的计算结果。对于较长的间隙,后者精度较高,而对于较短的间隙,前者精度较高。

　　进口倒角的影响也是值得关注的,尽管算例中的倒角尺寸只有 0.062 5mm,但是已经对计算结果产生了可见的影响。与无倒角相比,计算所得的泄漏量增加了 2%~5%。由于不知道实测值是在什么样的倒角或圆角条件下得到的,所以表1中所列相对误差仅供参考,尚不能作为评定计算精度的依据。

　　这两个算例说明,现有的 CFD 软件计算间隙流动的误差的确比较大,但并不是完全不能应用,以 10% 的精度对泄漏量进行计算总比盲目设计要好得多。而传统的以圆管的阻力系数为基础的方法,其结果与试验值则相差甚远[3]。上述算例也说明,对于狭窄的间隙密封部件来说,结构上的非常细小的细节也会对密封工作产生影响,在设计或进行故障分析时,这些都是应该注意的。

4　天荒坪机组泄漏量的计算

　　图2为天荒坪机组上、下迷宫环密封装置的简图,根据其间隙的宽度与长度的比值来看,相当于上述算例中较短的间隙。

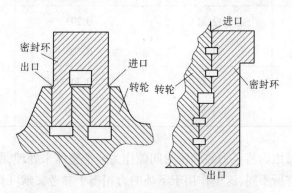

图2　上冠(左)和下环(右)的密封结构

为了处理计算域的边界条件,将密封间隙与参考文献[1]中的压力腔作为一个整体进行计算。作为示例,图3给出了上冠的计算域的简图。以压力腔的进口边界面和图2中的出口边界面作为整个计算域的进、出口边界(压力进口和压力出口),如图3所示。

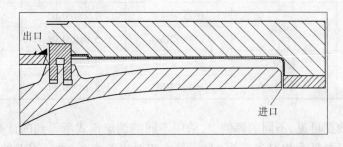

图 3　上冠的计算域

两部分分别生成网格,然后利用耦合(Couple)功能将其连接起来。在进口处,给定压力为5MPa,圆周速度为50m/s;出口处给定压力为1MPa。另外赋予转轮的表面一个旋转速度(500r/min)。

本来,根据前述算例,此处采用 $\kappa - \varepsilon$/RNG 湍流模式似乎更合适一些,但是这里为与其他计算统一,仍保留了标准 $\kappa - \varepsilon$ 模式。

为了减少计算量,仍然利用轴对称条件,只计算 0.36°的扇形空间内的流动情况。

为考察密封磨损的影响,分别计算了间隙宽度为设计值(1mm)和扩大 50%(1.5mm)以及转子处于正常位置和被抬起 5mm 的情况。各种情况下的计算结果如表 2 所示。

表 2　泄漏量计算结果

计算条件	部位	泄漏量 (m³/s)	作用力 (kN)
迷宫间隙 1mm	上冠	0.177	40 976
	下环	0.171	40 800
迷宫间隙 1.5mm	上冠	0.293	40 612
	下环	0.303	40 446
迷宫间隙 1.5mm, 转子抬起 5mm	上冠	0.348	40 298
	下环	0.260	40 387

需要说明的是,因为将压力腔和密封间隙作为一个整体来处理,所以这里得到的轴向力与参考文献[1]有所不同,这里作用于下环的力相当于参考文献[1]中的 $F_1 + F_2$,同理,作用于上冠的力相当于 $F_4 + F_5$。如果将它们分别处理,则所得结果与参考文献[1]相同。

5 对影响泄漏量的因素的分析

表2的结果显示了间隙值和转子的轴向位置对泄漏量以及轴向力的影响,有必要对这些因素进行较深入的分析。

5.1 间隙的影响

根据计算结果,泄漏量与间隙的大小关系非常密切。当间隙从1mm增加到1.5mm时,间隙值增加了50%,但是泄漏量却增加了66%~77%。这是因为除了过流面积与间隙值以同等比例增加以外,流动阻力也减小了,所以流量增加的比例比面积增加的比例要大。这个结果从另一个方面说明了间隙值的影响,也表明一旦密封部件磨损,会引起泄漏量较大的变化。根据参考文献[1]的分析,这将引起轴向水推力的相应变化。

5.2 转子轴向位置的影响

计算结果表明,上下密封对转子位置的变化的反应是不同的,当转子上抬了5mm时,上密封的泄漏量增加了19%,轴向力减小了314kN,而下密封的泄漏量反而减少了14%。值得注意的是,下密封泄漏量减少了以后,作用于下环的力不但没有如参考文献[1]所计算的那样增加,反而有所减小,不过减小的幅度非常小(59kN)。这个现象说明轴向水推力的大小还和压力腔的宽度(即转轮下环和底环之间的距离)有关。

分析密封间隙内的流动,可以说明转子轴向位置对上下密封的泄漏量有不同影响的原因。图4表示了转子抬起5mm以后,上下密封的结构,与图2比较可以看出,组成上密封的4个间隙的进出口断面都变大了,在进口处形成了一个收缩段,在出口处则形成了一个扩压段。显然,进口的收缩段将减小间隙的进口损失,而出口的扩压段必将回收一部分出口动能从而造成压力回升,损失减小,因此上密封的泄漏量加大。图5、图6所示的上密封的流动图形清楚地说明了上述结果。上述情况对组成上密封的4条间隙都是存在的,限于篇幅,这里只给出了最后一个出口的情况。

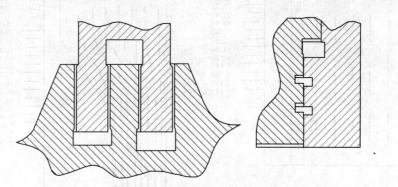

图4 转子抬起后的密封部位图

下密封则不同,转子抬升后并未形成进口的收缩段和出口的扩压段。图7、图8显示了组成下密封的若干空腔中的一个在转子抬升前后的速度分布,由此两图可以说明转子抬升后下密封的泄漏量不升反降的原因。

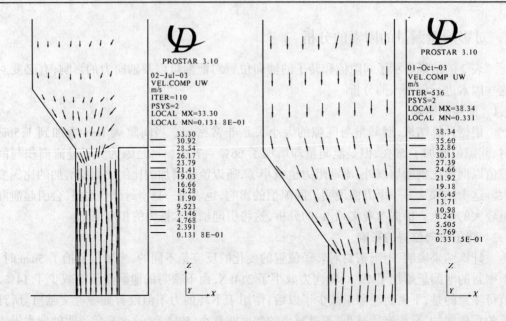

图5 转子位置正常(左)和抬升5mm时的间隙进口速度分布

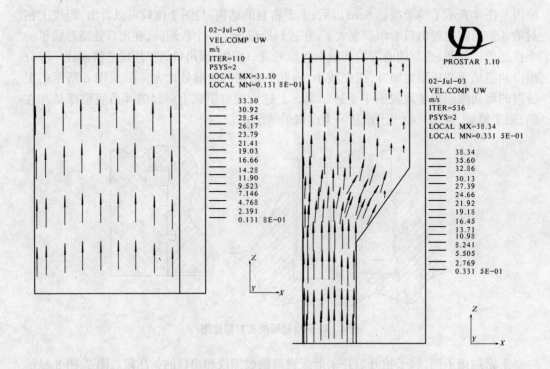

图6 转子位置正常(左)和抬升5mm时的间隙出口速度分布

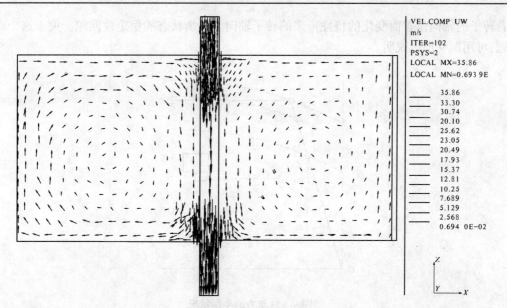

图7　转子抬升前下密封腔内速度分布

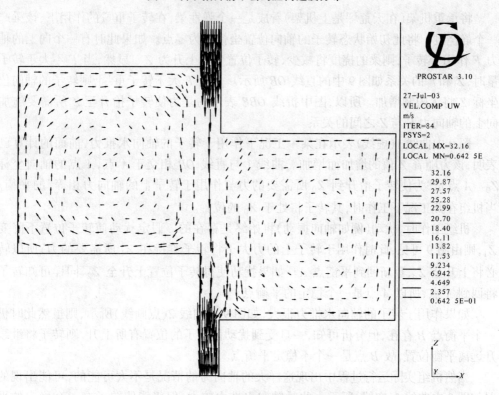

图8　转子抬升后下密封腔内的速度分布

6　转子轴向位置的稳定性问题

这里讨论的稳定性问题,不是水压脉动和振动、摆度等问题,而是由于轴向水推力随着转子的轴向位置而变化的特性带来的转子轴向力平衡状态的稳定性问题。关于这个命题,可用图 9 加以说明。

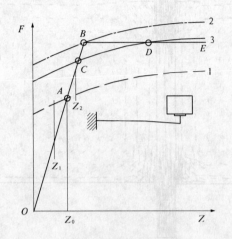

图 9　轴向力的平衡状况

将承重机架(在天荒坪是上机架)看成是一个弹性梁,在转子重量的作用下,该梁产生一个静挠度。将此初始状态转子的轴向位置坐标作为零点。如果此时有一个向上的轴向力 F 作用于转子,则梁的挠度将减少,转子位置坐标上升为 Z。显然,当 F 不大于转子重量时,Z 和 F 的关系如图 9 中的直线 OB 所示。一旦 F 大于转子重量,则转子的轴向位置坐标 Z 将无限制增加。所以,图中折线 OBE 表示的是为使转子抬升至 Z 所需要施加的向上的轴向力 F 与 Z 之间的关系。

图 9 中曲线 1(虚线)表示在某一工况下作用于转子的轴向水推力,前面的计算已经表明,该力随着 Z 值的增加而增加。曲线 1 与直线 OB 相交于 A 点,A 点的轴向坐标为 Z_0。A 点是"为使转子抬升到 Z_0 所需要的力与作用于转子上的轴向力相等"的平衡点。当机组在此工况下工作时,其转子将处于 Z_0 的位置。

机组工作时,扰动(例如轴向振动)将始终是存在的。假定扰动使转子位置下降变为 Z_1,则由图 9 可见,此时作用于转子上的力大于将转子维持在 Z_1 所需要的力,所以转子必将上升至 Z_0,重新回到平衡点 A。如果扰动使得转子位置上升至 Z_2,同样可知转子仍将回到 A 点,所以 A 点是一个稳定的平衡点。

如果作用于转子的轴向水推力很大,如图 9 中曲线 2(点画线)所示,则虽然此时仍有一个平衡点 B 存在,但分析可知,一旦受到扰动使转子的位置有所上升,则转子将继续上升远离平衡位置,故 B 点是一个不稳定平衡点。

当然机组实际运行过程中出现这样大的轴向力的情况是不太可能的,可能出现的情况如图 9 中曲线 3(实线)所示。此时轴向水推力较大,但仍能使转子有一个稳定的平衡点 C。如果扰动不是很大,则机组可以正常运行,但如果扰动很大,例如使转子的轴向位置超过了 D 点,则转子将失去平衡,此时将有可能发生抬机事故。为区别曲线 1 和曲线 3 所表示的稳定状态和不稳定状态,不妨将这个状态称为"亚稳定"状态。

机组处于亚稳定状态时,虽然在通常情况下可以正常运行,但是容易被忽略。因此,这种状态隐藏着事故隐患,必须引起高度的注意。

由前述分析可知,"向上作用的轴向水推力随转子位置上升而增加"这种特性是造成转子轴向位置不稳定的根本原因,而产生这种特性的原因则在于密封部件的设计没有考虑到轴向水推力的动态特性。由前面的分析还可以知道,如果改变上密封装置的几何形状,消除转子升高后形成的密封间隙进口收缩和出口扩压,则不会出现不稳定因素。

7 结语

(1)水轮机转轮密封泄漏量不仅仅对低比速转轮的效率有较大的影响,而且对机组的安全运行也是至关重要的。本文定量计算了密封装置的泄漏量,虽然其计算精度尚待进一步验证和提高,但对低比速转轮的结构设计和故障分析都有重要意义。

(2)研究了泄漏量与密封间隙以及转子轴向位置的关系,在参考文献[1]确定的轴向水推力与泄漏量关系的基础上,发现轴向水推力与转子的轴向位置有关,并根据这个关系提出了转子轴向位置稳定性的概念。

(3)在低比速转轮中采取的降低推力轴承负荷的措施是必要的,但设计中必须对泄漏量以及轴向水推力进行仔细的计算,防止出现向下或向上的水推力过大而导致机组运行中推力轴承负荷过大或抬机事故。对于机组轴向水推力的大小,仅仅根据模型试验的数据是不够可靠的。

(4)对于密封泄漏量和轴向水推力,不仅应进行静态的计算,而且还需要考虑其动态特性,以免造成转子轴向位置的不稳定。

(5)转轮密封间隙的几何形状设计不仅仅需要考虑减少泄漏量,而且需要考虑一旦转子位置发生变化,泄漏量将发生什么样的变化。

参 考 文 献

[1] 吴钢,等.低比速转轮泄漏量对水电机组抬机的影响.水力发电学报,2004,23(4):106~111
[2] 华东天荒坪抽水蓄能有限责任公司,华中科技大学.天荒坪抽水蓄能电站2#水泵水轮机组现场试验报告,2003年8月
[3] 徐林.湍流工况下泵的环状间隙密封内流场分析及泄漏量计算.水泵技术,2002(2)

天荒坪抽水蓄能电站机组甩负荷试验
压力钢管压力上升分析

华东天荒坪抽水蓄能有限责任公司 游光华

[摘 要] 本文介绍了天荒坪抽水蓄能电站的单机、"一管两机"甩负荷情况下压力钢管内的压力上升情况,分析了压力上升的原因,阐述了控制压力钢管内压力上升所采取的措施。

[关键词] 机组甩负荷;压力钢管压力上升;导叶关闭规律;导叶预开装置;水泵水轮机

1 概述

天荒坪抽水蓄能电站安装有 6 台 300MW 可逆式水泵水轮机组,电站最大毛水头为610.2m,最小毛水头为526.5m,异常低水头为518.5m,设计净水头为526.5m。

电站输水道长度与水头比为2.5,上游输水系统为一洞三机布置,下游尾水系统为一管一机布置,上游输水总管内径为7.0m。总管与高压岔管为钢筋混凝土衬砌,机组上游输水管为钢管,直径逐渐变小,至机组前直径为2.0m(内径),尾水管出口与机组中心距为16.0m,尾水事故闸门前尾水输水道用钢管衬砌,闸门后采用钢筋混凝土衬砌,尾水隧洞的内径为4.4m,由于输水系统比较短,输水系统未设调压井。

水泵水轮机由 GE Energy(Norway)制造,安装有 26 个导叶。因在低水头(小于560m)情况下,机组发电工况空载运行时,机组处于或接近水泵水轮机全特性的反"S"区,机组转速不稳定,同期困难,为此,在水泵水轮机的 5#、18# 导叶处各安装了一套导叶预开装置(Misalignment Guide Vane,简称 MGV 装置),解决了低水头下发电工况空载稳定运行的问题,同时亦解决了在机组发电工况甩负荷后稳定到空载运行的问题。

从天荒坪抽水蓄能电站的多次甩负荷情况可以看出,压力钢管内的最大压力上升值与设计调保计算值之值的裕度较小,而尾水管内的最大压力上升值、转速最大上升值能够满足设计保证值与安全裕量的要求。为此本文将着重分析甩负荷时压力钢管内的压力分布情况,以及水泵水轮机的全特性、MGV 等对压力钢管内的水击情况的影响。

2 天荒坪抽水蓄能电站调节保证要求

按合同保证值,天荒坪抽水蓄能电站的机组蜗壳中心线上的最大压力不大于8.7MPa,尾水管出口中心线上的最大压力不大于1.7MPa,输水系统中任何一点的最低压力不低于+2m水头,尾水系统中的任何一点的最低压力不低于+1m水头,机组最大瞬态转速不大于720r/min。

3 单机甩负荷试验情况

制造商在完成了转轮模型试验后,及时向我方提供了根据模型试验的四象限特性曲线计算的机组水力过渡过程的成果,但我方对此结果存有疑问,认为根据制造商的导叶关闭规律(先慢后快),机组甩负荷时的压力钢管的最大压力可能超过合同保证值 8.7MPa,在 1# 机组现场调试时,证实了此疑问。经过采用 7 种不同的导叶关闭规律 22 次甩负荷试验,决定采用先快后慢的关闭规律(如图 1 中的曲线 1)。按此关闭规律,单机甩 300MW 时压力钢管的最大压力上升值约为 8.0MPa,蜗壳最大压力上升值亦约为 8.0MPa,尾水管的最大压力上升值小于 1.4MPa,机组最大转速上升值约为 625r/min。由此可以得出结论,在此导叶关闭规律下,同一高压输水系统内的单机运行是安全的。

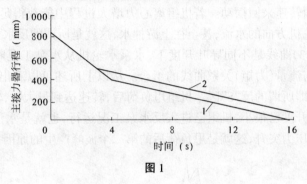

图 1

4 同一高压输水系统内的二机甩负荷试验情况

同一高压输水系统内的两台机同时甩负荷时,由其产生的压力波在高压输水系统中传播时可能相互叠加,也可能相互削弱。如果压力波相互削减,则对水力系统的安全有利,同时也为同一钢管内的三台机同时运行提供了安全保障;如果压力波相互叠加,则可能威胁水力系统的安全运行。为此有必要了解同一输水道内两台机同时甩负荷时机组转速最大上升值、压力钢管/蜗壳最大压力上升值、尾水管内最大压力上升值,特别在安全裕量不大的情况下尤为重要。

1999 年 3 月,在同一输水管内的 1#、2# 机组进行了同时甩负荷 300MW 试验。根据甩负荷的结果,采用相同的导叶关闭规律的情况下,两台机的压力波在高压输水道内传播时有叠加的现象,最大压力上升值达 8.4MPa,尾水管内的最大压力上升值反而有所下降,而最大转速上升值为 635r/min,比单机甩 300MW 负荷时上升不是很大。压力钢管内测得的最大压力上升值为 8.4MPa,与设计允许最大压力上升值 8.7MPa 之间的裕度已相差很小,同一输水管道内的三台机同时甩 300MW 时压力钢管内的最大压力就可能超过设计值,给输水道系统的运行造成很大的安全隐患。

5 甩负荷时压力钢管中的压力分布

从 5# 机单机甩 300MW 时测得的曲线(图 2),我们可以得出机组甩负荷后的压力钢管内的压力波分布情况:第一,甩负荷过程中,在压力钢管内产生了两个压力波峰,第一个压力波峰产生于导叶关闭规律的拐点处,说明该压力波峰是由于导叶的快速关闭而产生的;第二,第二个压力波峰产生于甩负荷后机组的最高转速上升值后,且紧随机组的转速最高值;第三,第二个波峰的峰值大于第一个波峰的峰值。

6　水泵水轮机全特性对压力钢管内的压力波的影响

水轮机在不同开度甩负荷后而导叶不关闭,水轮机应维持在该导叶开度下空载运行,即处于该开度下的飞逸状态,但对水泵水轮机就不同,因为其转轮由离心泵转轮发展而来,与相同条件设计出来的水轮机转轮相比,流道长而矮,直径大,叶片数目少,转动惯量大,因此随着机组的转速升高,其离心力增大,从而导致机组流量降低,而流量降低后,机组转速亦降低,离心力也下降,从而导致流量增加,机组的转速再次升高,这样机组就会出现导叶开度不变而转速来回摆动。若机组离心力增大过程中能获得足够大的动力时,机组就可能阻断水轮机方向的水流,甚至往上游抽水,这就是所谓的反水泵工况。而水泵水轮机的全特性(图3)曲线是不同导叶开度下,水泵水轮机从水泵工况断电至水轮机工况飞逸运行的转速与流量(力矩)关系曲线的组合。从以上所述可以看出,全特性曲线中存在一个不稳定区,即所谓的反"S"区。机组甩负荷后,转速达到最大时,转轮的离心力也最大,而此时导叶的开度已很小,机组已进入反水泵工况运行,也就是水流量迅速减少或中断,从而流道内的压力突升,这就是甩负荷后的第二个波峰产生的原因。

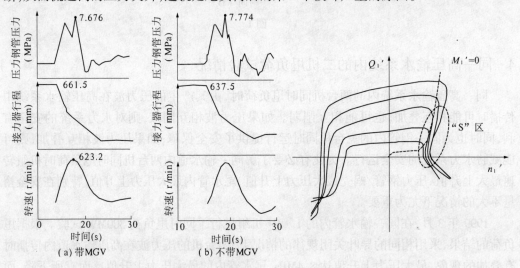

图2　$5^{\#}$机单机甩300MW时测得的曲线示意图　　图3　水泵水轮机流量全特性

7　降低甩负荷时压力钢管内最大压力上升值的途径

7.1　在机组甩负荷过程中尽快打开两个非同步预开导叶

模型试验报告和现场的真机试验证实,天荒坪抽水蓄能电站水泵水轮机在低于560m水头水轮机工况空载运行时,机组已进入或接近其全特性中的不稳定区运行。为解决此问题,在处于对称位置的$5^{\#}$和$18^{\#}$导叶各安装了一套导叶不同步预开装置(MGV),同时为使机组甩负荷后能够稳定在空载运行,原设计MGV在机组甩负荷后6s延时开启。机组甩负荷过程中尽快打开 MGV,可能相当调压阀的作用,可以削减一部分压力波波峰值。在 5# 机组上进行了 MGV 零延时开启和 6s 延时开启甩负荷试验,在相同的水头情况下,MGV 零延时开启甩 300MW 负荷时的第一个压力波峰与第二个压力波峰均比 MGV 延时6s 开启的压力峰值有所减少(试验测量记录如图2),因此各台机组的 MGV 均设定在甩负荷后零延时开启。

7.2　同一高压输水系统内的三台机采用不同的导叶关闭规律

同一高压输水道内的三台机采用不同的导叶关闭规律,使机组甩负荷时的压力波峰互相削减,从而满足设计调节保证的要求。首先,在 6# 机组上进行了拐点位置在主接力器行程 300mm、500mm(原拐点位置在400mm,如图1曲线1)的相同关闭速率的甩 300MW 负荷试验,拐点位置 300mm 时,因导叶关闭太快而导致第一个波峰值太大;而采用拐点位置在 500mm(关闭规律如图1曲线2)时,第一波峰值比拐点位置在 400mm 的第一波峰值有明显减小(试验测量记录见图4),且产生于拐点处,而第二个波峰的峰值虽未明显减小,但由于导叶提前慢关,关到相同导叶小开度的时间就越长,导致进入反水泵的时间滞后,第二个压力波峰亦滞后(约 1s),对照上述两组测量记录,拐点为 400mm 甩 300MW 负荷的第二个压力波峰正处于拐点为 500mm 的第一个与第二个压力波峰间的波谷处,且两者的第一波峰也不重叠,因此可以达到削减压力波峰的目的。另外,从测量记录中还可以看出,两者甩负荷上升至最大转速所需的时间不变,在机组未进入反水泵工况前,其转速下降缓慢。

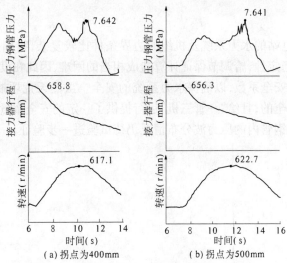

图4　6# 机单机甩 300MW 时测得的曲线示意图

7.3　同一高压输水道内的两台机在采取上述措施后的同时甩负荷情况

在采取上述两措施后,于 2001 年 3 月在同一高压输水道内的 5#、6# 机组上进行了不同导叶关闭规律同时甩负荷试验,试验测量记录见图5。从试验结果来看,采用了不同的导叶关闭规律后,两者的压力钢管内的压力波峰未相互叠加,最大的压力波峰值为7.8MPa,能够满足设计调节保证值 8.7MPa 的要求。目前,天荒坪抽水蓄能电站的 6 台机组已采取了不同的导叶关闭规律,即 3#、6# 机组采用了 500mm 拐点位置的关闭规律(图1

曲线 2），而其他机组采用了 400mm 拐点的导叶关闭规律（图 1 曲线 1）。

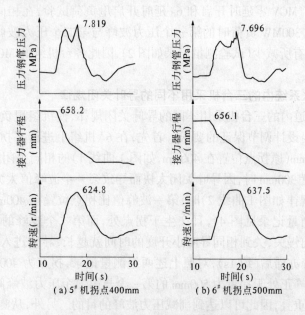

图 5　5#、6# 机双机甩 300MW 时测得的曲线示意图

8　结语

由于抽水蓄能电站的水力系统及机组的边界条件比较复杂，特别是水泵水轮机还存在某个区域内的不稳定性，给调节保证计算造成相当的困难，因此在设计压力钢管或隧洞衬砌时，应取较高的安全系数，以确保水力系统的安全。虽然天荒坪抽水蓄能电站在"一管两机"甩负荷是安全的，且给"一管三机"运行提供了一定的安全裕量，但真正的"一管三机"甩负荷后的压力钢管内的压力波分布情况仍待试验进一步验证。

天荒坪抽水蓄能电站甩负荷
过渡过程实测成果仿真分析

华东天荒坪抽水蓄能有限责任公司　游光华

河海大学　刘德有　王　丰

[摘　要]　介绍了天荒坪抽水蓄能电站"一管一机"和"一管二机"现场甩负荷试验实测成果仿真分析的技术路线,通过对蜗壳进口内水压力、机组转速等的现场试验实测曲线与数值仿真计算曲线的比较分析,论证了输水系统及机组各有关参数的可能误差对电站甩负荷过渡过程数值仿真计算结果的影响关系,同时校正了该电站甩负荷过渡过程计算软件的有关系数和基本参数,并对"一管三机"甩负荷过渡过程进行了预测计算分析。

[关键词]　过渡过程;现场试验;仿真计算;MGV装置;抽水蓄能电站

1　概述

　　天荒坪抽水蓄能电站共安装6台单机容量为300MW的可逆式机组,其输水系统共分两个独立的水力单元,每个水力单元的机组上游侧采用一洞三机布置,机组下游侧采用一洞一机布置。输水道平均长度1 428m,主管内径7m。上水库最高水位905.2m,最低水位863m。下水库最高水位344.5m,最低水位295m。机组额定转速500r/min,设计流量67.7m³/s,设计水头526m,安装高程225m。整个输水系统未设调压室,但上、下游闸门井均发挥了一定的调压室功效。

　　天荒坪抽水蓄能电站自1998年投运以来,曾做过大量的"一管一机"和"一管二机"(即一个水力单元一台机、二台机发电,其他机组停机)情况的现场甩负荷试验。根据已做的甩负荷试验实测成果得知,在"一管一机"和"一管二机"甩负荷过渡过程中,虽然机组转速最大上升值和尾水管进口最大、最小内水压力值能够满足设计保证值及其安全裕量的要求,但蜗壳进口最大内水压力值与设计调保计算值的裕度较小。其中,1#机甩负荷时的蜗壳进口最大内水压力H_{Cmax}为8.11MPa;1#机、2#机同时甩负荷时的H_{Cmax}达8.44MPa,与设计调保计算控制值8.70MPa已很接近,即如果发生"一管三机"同时甩负荷情况,其H_{Cmax}值可能不能满足设计调保计算要求。为此,在经过大量论证分析和现场试验的基础上,选定以下两项降低H_{Cmax}值的措施:①在机组发生甩负荷的同时,迅速投入导叶不同步装置(Misaligned Guide Vanes,简称MGV装置);②同一水力单元的机组在甩负荷时采用不同的导叶关闭规律,以使得各机组的水锤压力错峰。由此,5#机、6#机同时甩负荷时的H_{Cmax}降为7.83MPa,显然上述两项措施的降压效果是明显的。但对于"一管三机"

同时甩负荷情况,上述措施是否同样有效;其 H_{Cmax} 值是否能满足设计调保计算要求,以确保电站能安全可靠运行。为此,在进行"一管三机"同时甩负荷现场试验之前,我们针对已有的"一管一机"、"一管二机"甩负荷现场试验实测成果进行了仿真计算和论证分析,并在此基础上开展了"一管三机"同时甩负荷过渡过程的预测计算分析。

本文介绍了天荒坪抽水蓄能电站"一管一机"、"一管二机"甩负荷现场试验实测成果仿真计算分析的技术路线,论证了输水系统及机组各有关参数的可能误差对电站甩负荷过渡过程数值仿真计算结果的影响关系,给出了"一管三机"甩负荷过渡过程预测计算分析的主要成果和结论。

2 技术路线

近20多年来,随着我国抽水蓄能电站建设的快速发展,其双向水流输水系统及可逆机组的水力—机械系统过渡过程仿真分析问题也备受关注,不少学者在理论分析及计算方法等方面做了大量研究工作,并取得了若干重要研究成果。但由于抽水蓄能电站可逆机组的单机容量大、应用水头高且变幅大、工况转换多和水力特性复杂、产品标准化水平低等特点,因此至今关于抽水蓄能电站水力—机械系统过渡过程的数值计算结果与工程实际之间仍可能存在较大的误差,其中主要是因为数值计算中采用的若干基本资料和工况参数与工程真实情况可能存在较大的差异的缘故,对于天荒坪抽水蓄能电站还存在MGV 装置的合理模拟问题。为此,本项研究采用了以下技术路线:

(1)由于输水系统及机组的设计参数与工程现场真实参数可能存在一定的误差,因此根据已有的 30 多个工况"一管一机"和"一管二机"现场甩负荷试验实测的初始稳定运行工况资料,对现场各基本参数进行拟合计算分析,以确保数值模拟计算中的初始稳定运行工况数据具有较好的真实性。

(2)建立合理的系统数学模型(包括 MGV 装置模拟数学模型),校正相关仿真计算软件,根据已有的 30 多个工况现场甩负荷试验实测瞬态参数曲线(包括蜗壳进口压力、尾水管进口压力、机组转速及接力器行程等的变化曲线),进行仿真模拟计算及曲线特征参数(初值、最大值、最小值及其发生时间等)的比较分析,有效地改进和完善现有的模拟计算数学模型及计算软件。

(3)根据校正的输水系统参数及机组运行工况参数,对其可能存在的不确定性进行敏感性分析,考察各参数在可能范围内的误差对大波动过渡过程计算结果的影响关系,从而确保在各种过渡过程工况下,所采用软件的计算结果对现场实际都有较好的预测效果。

(4)考虑到现场试验实测资料可能存在一定的量测误差或整理误差,此外在数值模拟计算中,机组的模型全特性曲线数据、导叶开度与接力器行程的关系曲线数据、机组模型与原型相似关系等均可能存在一定的误差。因此,在对实测曲线资料仿真分析时,允许综合拟合误差控制在 1% 以下,并适当地使主要瞬态参数控制值略偏于安全。

3 仿真分析及结论

针对天荒坪抽水蓄能电站输水系统及机组的实际情况,进行各种工况的大波动过渡过程数值模拟计算分析,并对比相关实测值逐项分析各不确定参数:水头损失系数、管道

(隧洞)尺寸、水锤波速、机组 GD^2 值、机组初始流量(出力)、接力器行程(相应实际的导叶开度)、机组特性曲线形态及相应的参数精度,同时包括球阀动作、流速水头的计入与否以及 MGV 的模拟方法等。进行比较分析和多参数摄动情况的计算成果对比,以便核定各初始参数的实际值,并考察分析各参数在可能范围内的误差对大波动过渡过程数值计算结果(变化波形及其特征控制值)的影响情况。因各参数的仿真分析过程很复杂,本文仅给出经参数校正后的"一管一机"和"一管二机"各两个工况的仿真计算结果(见表 1 和图 1~图 6)以及下列汇总的仿真分析结论。

表 1　部分工况仿真计算结果与实测结果的比较

工况编号	上、下游水位(m)	甩负荷机组及其说明	导叶接力器行程关闭规律	参数/发生时间	计算值	实测值	说明
工况 1	889.1 336.9	$1^{\#}$机,全甩 300MW (一管一机)	$1^{\#}$机: $S_0 = 685.3$mm $S_m = 378.0$mm $t_m = 4.0$s; $T_s = 14.3$s	H_{Cmax}(MPa)/t(s) H_{Wmin}(MPa)/t(s) n_{max}(r/min)/t(s)	8.098/4.54 0.683/4.50 626.1/3.89	8.111/4.60 0.721/0.9~4.7 624.3/3.95	见图 1 见图 2
工况 2	892.97 335.19	$4^{\#}$机,全甩 225MW (一管一机)	$4^{\#}$机: $S_0 = 502.7$mm $S_m = 346.0$mm $t_m = 4.8$s; $T_s = 14.1$s	H_{Cmax}(MPa)/t(s) H_{Wmin}(MPa)/t(s) n_{max}(r/min)/t(s)	7.641/4.32 0.626/4.00 584.8/3.41	7.659/4.85 0.60/1.54~4.9 581.6/3.48	
工况 3	884.11 320.4	$1^{\#}$机、$2^{\#}$机同时全甩 250MW (一管二机) 不投 MGV	$1^{\#}$机: $S_0 = 546.6$mm $S_m = 380.0$mm $t_m = 5.18$s; $T_s = 15.1$s	H_{Cmax}(MPa)/t(s) H_{Wmin}(MPa)/t(s) n_{max}(r/min)/t(s)	8.131/4.64 0.596/4.08 611.9/3.68	8.089/4.96 0.641/1.9~5.0 606.4/3.90	见图 3 见图 4
			$2^{\#}$机: $S_0 = 547.3$mm $S_m = 417.0$mm $t_m = 4.0$s; $T_s = 15.7$s	H_{Cmax}(MPa)/t(s) H_{Wmin}(MPa)/t(s) n_{max}(r/min)/t(s)	8.139/4.84 0.637/4.20 612.0/3.79	8.099/5.36 0.70/2.1~5.5 609.7/3.93	
工况 4	888.11 327.7	$5^{\#}$机、$6^{\#}$机同时全甩 300MW (一管二机) 投入 MGV	$5^{\#}$机: $S_0 = 652.6$mm $S_m = 357.8$mm $t_m = 3.2$s; $T_s = 14.2$s	H_{Cmax}(MPa)/t(s) H_{Wmin}(MPa)/t(s) n_{max}(r/min)/t(s)	7.900/4.63 0.592/4.30 628.8/3.92	7.836/4.70 0.65/2.3~4.7 624.3/4.00	见图 5 见图 6
			$6^{\#}$机: $S_0 = 650.0$mm $S_m = 497.0$mm $t_m = 2.0$s; $T_s = 17.4$s	H_{Cmax}(MPa)/t(s) H_{Wmin}(MPa)/t(s) n_{max}(r/min)/t(s)	7.733/5.88 0.560/5.67 642.0/4.52	7.807/5.40 0.622/1.9~5.4 637.5/4.70	

注:(1)接力器行程关闭规律(两段折线):S_0 是初始行程;S_m、t_m 是中间拐点行程、时间坐标;T_s 是总关闭时间。

(2)参数 H_{Cmax} 表示蜗壳进口最大内水压力;H_{Wmin} 表示尾水管进口最小内水压力;n_{max} 表示机组最大转速。

(3)工况 4 两机均投入 MGV,其动作规律为:在 $t = 0 \rightarrow 10$s 内,MGV 附加接力器行程 SMGV $= 0 \rightarrow 217$mm(开启);在 $t = 10 \rightarrow 15$s 内,SMGV 保持不变;在 $t = 15 \rightarrow 28.6$s 内,SMGV $= 217 \rightarrow 0$mm(回复)。$t = 0$ 表示机组甩负荷时刻。

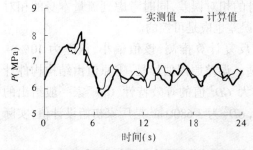

图 1　工况 1,$1^{\#}$机蜗壳进口内水压力变化曲线

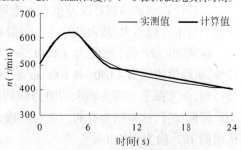

图 2　工况 1,$1^{\#}$机转速变化曲线

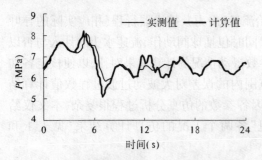

图 3　工况 3,1# 机蜗壳进口内水压力变化曲线

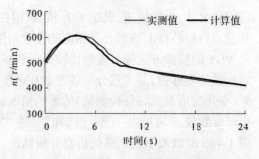

图 4　工况 3,1# 机转速变化曲线

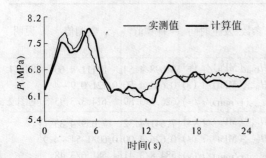

图 5　工况 4,5# 机蜗壳进口内水压力变化曲线

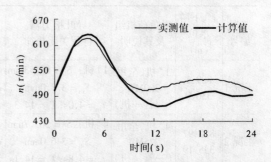

图 6　工况 4,5# 机转速变化曲线

(1)水头损失系数的误差只对机组工作水头与给定出力时的流量有影响。因该电站水头很高,则水头损失系数的误差影响权重很小。如果流量一定,则水头损失系数的误差对蜗壳进口最大内水压力 H_{Cmax}、机组最大转速 n_{max} 的影响几乎可以忽略。如计算工况 1(参见表 1),当取水头损失系数 $R = 0$ 时,H_{Cmax} 的变化仅约为 10kPa。

(2)管道(隧洞)尺寸的误差对计算结果的影响较为明显,需要根据工程实际核准。但其计算结果的相对误差小于管道(隧洞)尺寸的相对误差(即如从数学角度描述,则反映了该误差对计算结果精度的影响小于一级精度)。由于实际管道(隧洞)尺寸的误差(一级误差)一般都很小,所以确信由此产生的计算结果误差(二级误差)将会很小,不会因此而出现意外的情况。

(3)初始流量值会有一定的误差。因为糙率、机组特性参数输入、效率换算等的不确定因素,在给定出力时(实测出力也不会正好为给定的设计值),计算得到的初始流量 Q_0 不会很准确,而且其误差对计算结果的影响较为明显,因此应根据多工况的实测值认真校正。但其计算结果的相对误差也小于流量本身的相对误差,同时考虑到流量本身的相对误差的范围一般不大,故由此产生的计算结果误差也应是可控的。

(4)机组 GD^2 值,原值为 3 680t·m^2,经过反复计算推测,该值偏小,误差为 10% ~ 12%,实际值应取为 4 050 ~ 4 100t·m^2 较为合适。误差原因估计是:①原值由结构构件计算得到,而实际水和风及轴承的阻力矩均有加大 GD^2 值的等效特性;②厂家一般给出的 GD^2 值偏保守,这对结构有利。此后经确认知,GD^2 为 3 680t·m^2 是厂家初始设计值,实际机组的 GD^2 确为 4 100t·m^2。

(5)水锤波速的工程实际精确值较难得到,但根据实测成果曲线反推得到其总平均近似值为 1 000m/s，其小幅值误差对计算结果影响很小，而对计算结果的参数特征值的发生时间略有影响。

（6）接力器行程关闭规律的误差是不可避免的。因为实际机组甩负荷工况的接力器行程关闭规律不可能与原设定规律完全一致，但根据 30 多个工况的实测成果看，该项误差均很小。其对计算结果的影响有时较大有时很小，主要与该关闭规律至拐点时对应的机组特性有关。相对来说，关闭规律误差对 H_{Cmax} 控制值计算结果影响较小，而影响 H_{Cmax} 值的关键是机组的"S"型特性。

（7）球阀在 60s 内的全关动作对计算结果影响很小，H_{Cmax} 值的变化小于 10kPa。

（8）流速水头是否计入对计算工况的参数初值及计算结果的参数变化过程曲线的影响较为明显，但对 H_{Cmax} 值计算结果影响很小。

（9）机组特性曲线的形态及其参数值对计算结果有明显影响，其中关键是"S"型区的参数及线型。由于机组模型试验本身在该区域的精度较低，厂家也难以控制。为了验证其影响的量级，保证现场一管三机甩负荷试验的安全进行，本项研究计算中人为地将"S"型区的曲线形态及数值做了 4 种改动，从弯曲明显的"Z"型逐步过渡到弯曲较小的"乀"型，经对计算与实测结果的对比分析得知：机组特性曲线的形态及参数值对 n_{max} 控制值计算结果的影响为 3% ~ 5%，对 H_{Cmax} 控制值计算结果的影响最大约可达到 8%，即约600kPa 的变化范围。当投入 MGV 装置后，该项误差对计算结果的影响明显减小。

（10）关于 MGV 装置的动态水力性能模拟，目前尚无成熟的参考资料。曾拟按"减压阀"模拟，但计算结果误差较大，且不可验证（即通过不同的原型实测结果整定得到的计算参数不具有重复性，差别较大）。外方厂家提供的含 MGV、$\alpha = 26°$ 的机组特性曲线不可应用于过渡过程计算，因为在过渡过程中 MGV 的开度是随时间变化的。另外，在导叶小开度情况下，MGV 的作用较大。本项研究将 MGV 按并联过流关系模拟，经计算结果与实测值的对比，拟合出有关系数。虽然该模拟方法也会有一定误差，但多工况的拟合重复性较好，误差均较小。计算结果表明，MGV 的投入对减小 H_{Cmax} 有较好的效果，最大可减小 H_{Cmax} 为 300 ~ 400kPa，但会使 n_{max} 略有增大。

4 "一管三机"甩负荷过渡过程预测计算

在完成"一管一机"、"一管二机"现场甩负荷试验实测成果仿真分析的基础上，利用经校正的系统参数和仿真计算软件，进行天荒坪抽水蓄能电站"一管三机"同时甩负荷各种过渡过程控制工况的仿真计算，以便确定各瞬态参数的最大、最小控制值及其变化规律，分析"一管三机"现场甩负荷试验的可行性，并为电站今后的安全发电运行提供理论依据。

一管三机同时甩负荷 3 个主要工况的过渡过程计算结果见表 2 和图 7 ~ 图 12。其有关计算条件说明如下：①本文各计算工况均针对 2# 水力单元的 3 台机组（即 4#、5#、6# 机组）。②各计算工况均考虑投入 MGV 装置。在机组甩负荷过渡过程中，MGV 的动作规律为：在 $t = 0 \rightarrow 10s$ 内，MGV 附加接力器行程 SMGV = 0→217mm；在 $t = 10 \rightarrow 15s$ 内，SMGV 保持不变；在 $t = 15 \rightarrow 28.6s$ 内，SMGV = 217→0mm。$t = 0$ 表示机组甩负荷时刻，即机组甩负荷后 MGV 迅速投入。③机组导叶接力器行程关闭规律为：4#、5# 机采用规律 I（即 $S_{0max} = 835mm$, $S_m = 375.7mm$, $t_m = 3.3s$; $T_s = 14.2s$）；6# 机采用规律 II（即 $S_{0max} =$

835mm, $S_m = 459.0$mm, $t_m = 2.0$s; $T_s = 17.4$s)。

由表 2 可见,工况 6 是出现机组最大转速和蜗壳进口最大压力的控制工况(该工况机组初始流量为 72.2m³/s)。在该工况下,蜗壳进口最大压力已达到设计调保计算值,因此当上、下游水位差在 565m 及以下时,应限制 3 台机组同时超出力发电运行的情况。

表 2　"一管三机"同时甩负荷 3 个主要工况的过渡过程计算结果

工况编号	上、下游水位(m)	甩负荷情况说明	机组号	计算参数/发生时间	计算值	说明
工况 5	905.0 295.3	4#机、5#机、6#机同时全甩 337MW,超出力发电全甩荷工况(投入 MGV)	4#机	H_{Cmax}(MPa)/t (s)	8.498 4/5.86	见图 7 见图 9 见图 11
				H_{Wmin}(MPa)/t (s)	0.389 5/4.20	
				n_{max}(r/min)/t (s)	663.10/4.35	
			5#机	H_{Cmax}(MPa)/t (s)	8.464 1/5.81	
				H_{Wmin}(MPa)/t (s)	0.390 9/4.00	
				n_{max}(r/min)/t (s)	662.60/4.34	
			6#机	H_{Cmax}(MPa)/t (s)	8.120 7/5.88	
				H_{Wmin}(MPa)/t (s)	0.256 0/6.88	
				n_{max}(r/min)/t (s)	679.60/5.10	
工况 6	890.0 325.0	4#机、5#机、6#机同时全甩 337MW,超出力发电全甩荷工况(投入 MGV)	4#机	H_{Cmax}(MPa)/t (s)	8.705 0/5.58	见图 8 见图 10 见图 12
				H_{Wmin}(MPa)/t (s)	0.518 8/5.20	
				n_{max}(r/min)/t (s)	686.79/4.45	
			5#机	H_{Cmax}(MPa)/t (s)	8.661 6/5.47	
				H_{Wmin}(MPa)/t (s)	0.501 3/5.19	
				n_{max}(r/min)/t (s)	685.91/4.43	
			6#机	H_{Cmax}(MPa)/t (s)	8.435 4/5.84	
				H_{Wmin}(MPa)/t (s)	0.396 3/7.03	
				n_{max}(r/min)/t (s)	682.29/5.05	
工况 7	890.0 325.0	4#机、5#机、6#机同时全甩 300MW,额定出力发电全甩荷工况(投入 MGV)	4#机	H_{Cmax}(MPa)/t (s)	8.309 6/5.48	
				H_{Wmin}(MPa)/t (s)	0.668 3/4.25	
				n_{max}(r/min)/t (s)	651.03/4.26	
			5#机	H_{Cmax}(MPa)/t (s)	8.278 5/5.47	
				H_{Wmin}(MPa)/t (s)	0.658 8/4.19	
				n_{max}(r/min)/t (s)	650.33/4.24	
			6#机	H_{Cmax}(MPa)/t (s)	7.992 4/5.94	
				H_{Wmin}(MPa)/t (s)	0.467 6/6.88	
				n_{max}(r/min)/t (s)	659.57/4.71	

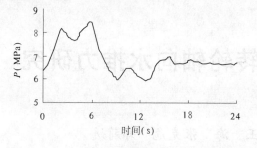

图7　工况5中4#机蜗壳进口内水压力变化曲线　　图8　工况6中4#机蜗壳进口内水压力变化曲线

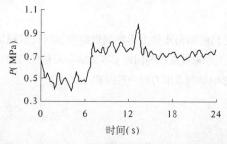
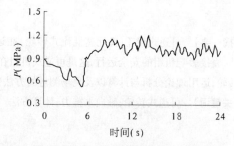

图9　工况5中4#机尾水管进口压力变化曲线　　图10　工况6中4#机尾水管进口压力变化曲线

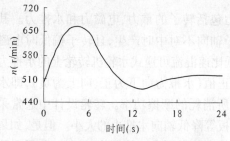
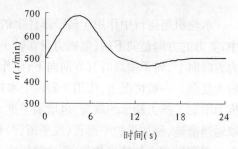

图11　工况5中4#机转速变化曲线　　　　　图12　工况6中4#机转速变化曲线

5　结语

(1)经对"一管一机"、"一管二机"现场甩负荷试验实测资料的仿真分析,校正了系统参数和仿真计算软件,使得各过渡过程工况的模拟计算结果与实测结果均很接近,各瞬态参数的变化过程曲线也得到了较好的逼真,且多工况、多参数同时达到了良好的仿真效果。

(2)计算结果表明,本文提出的技术路线和分析结论是合理的,所采用的数学模型(包括 MGV 装置的模拟数学模型)及计算软件是正确、有效的,由此得到的"一管三机"甩负荷过渡过程预测计算结果是可信的,可作为工程现场试验和实际运行的参考依据。

(3)"一管三机"同时甩负荷现场试验应注意确保 MGV 装置的有效投入,应注意甩负荷机组的导叶关闭规律的正确整定。综合上述分析认为,天荒坪抽水蓄能电站"一管三机"同时甩负荷工况是安全的,不会发生意外的事故,相关现场试验工作在做好充分准备的情况下可以开展。但当上、下游水位差在 565m 及以下时,应限制 3 台机组同时超出力发电运行的情况。

可逆式低比速混流式转轮轴向水推力研究

华中科技大学　戴勇峰　王　海　张克危　郑莉媛

华东天荒坪抽水蓄能有限责任公司　游光华　孔令华　朱兴兵　楼　勇

[摘　要] 可逆式转轮(低比速混流式转轮)在运行中受到的轴向水推力影响到机组的轴向位置稳定性,直接影响机组的安全运行,这是可逆式机组在运行中至今未被重视的问题。本文结合天荒坪可逆式转轮,运用理论分析与计算以及现场测量的方法研究了影响轴向水推力的一些因素。

[关键词] 可逆式转轮;轴向水推力;计算方法

1　问题的提出

　　水轮机组运行中作用于转子部件上的轴向力包括转子的重力、电磁力和水推力。其中,重力的方向是向下的;电磁力只在转子与定子轴向不对中时产生,且转子偏低时电磁力方向向上,转子偏高时其方向向下;而作用在低比速混流可逆式水轮机转轮上的水推力较为复杂。一般情况下,作用于转轮上水推力为正值(水推力向下为正、向上为负),即水推力增加了推力轴承的载荷,也增加了推力轴承所消耗的摩擦功率。转轮设计中通常采取适当措施,例如设置平衡孔(或平衡管)和减压板等降低轴向水推力的大小。但是,如果无法得到轴向力的精确数值,则这些措施的效果就难以得到合理的评价。而且,如果采取的减小轴向水推力的措施不当,轴向水推力有可能为负值(方向向上),若超过转子重量,则有可能造成运行中出现机组抬起现象,直接影响机组安全运行。

　　目前通常采用公式

$$F_W = K \frac{\pi}{4} D_1 H_{max}$$

估算轴向水推力的大小,其中的系数 K 由模型试验获得。但是,由于难以保证模型与真机的完全力学相似,所以该公式所得的结果并不总是可靠的。

　　由于作用于可逆式(低比速混流式)转轮上的轴向水推力的数值对于水轮机的设计和运行都是一个不能忽视的重要数据,无论是在转轮的设计阶段还是运行阶段,获得轴向水推力的确切数值以及影响轴向水推力的因素都是非常重要的。华中科技大学与天荒坪抽水蓄能电厂对天荒坪机组的轴向水推力进行了真机试验研究及理论计算方法的研究。研究结果证明,用实测水压数据进行的轴向水推力分析计算的结果与水推力实测数据十分接近。

　　本文是这项研究的小结,其研究结果,对可逆式(及低比速混流式)转轮的设计和运行人员有一定参考价值,希望能引起设计和运行部门对机组运行轴向稳定性的重视。

2 转轮的受力分析

通过图 1 进行转轮的受力分析,该转轮是一个可逆式转轮,低比速混流式转轮的形状也与此类似。将整个转轮连同其中的水作为一个整体(图中粗线框),研究作用于其上的水压力。由于作用于各部位的压力不同,为便于计算将其分为以下几个部分分别处理:

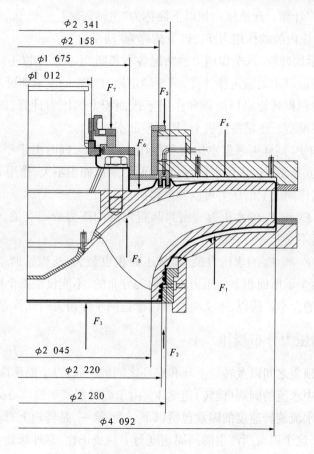

图 1　转轮的受力分析　(单位:mm)

(1)作用于转轮下环外表面从密封环(2 280mm)到外径(4 092mm)之间的圆环面上的作用力 F_1。在这个面上的压力是变化的。这个承压面积以下简称"下环面"。

(2)作用于下迷宫内部台阶(从 2 220~2 280mm)上的作用力 F_2。这个面积上的水的压力可以认为就等于测量的下迷宫水压。这个承压面积以下简称"下迷宫"。

(3)作用于转轮出口断面(ϕ2 220mm 的圆面积)上的作用力 F_3。此处水的压力为测得的泄流环水压。这个承压面积以下简称"转轮出口"。

(4)作用于转轮上冠外表面上迷宫以外的部分(2 341~4 092mm)的作用力 F_4。与 F_1 类似,要计算此作用力需计算此空腔中的压力场。此承压面积以下简称"上冠面"。

(5)作用于上迷宫(2 158~2 341mm)的作用力 F_5。此作用力将根据测量的"上迷宫水压"计算。此承压面积以下简称"上迷宫"。这个面积实际上是由三个承受不同压力的环面组成的,测量的"上迷宫水压"可以看成是这三个面积上压力的平均值。

(6)作用于上迷宫与主轴法兰之间的环面(1 675～2 158mm)上的作用力 F_6。此力将根据测得的"内顶盖水压"计算。此承压面积以下简称为"内顶盖"。

(7)作用于主轴法兰(从主轴密封处的 1 012～1 675mm)上的作用力 F_7。此力可根据"主轴密封腔压力"计算。此承压面积以下简称为"主轴密封"。

(8)作用于转轮内腔的作用力 F_8,以下简称"动反力"。

对于图 1 所示的转轮,八个作用力的情况各不相同,本文将给以不同的处理。

动反力 F_8 可以利用动量定律计算,只要给定通过转轮的流量即可求出。

作用力 F_3 可根据转轮出口面积和作用于该面积上的压力计算,该压力主要取决于尾水位,不管是在模型上还是在真机上,其测量都不困难。

作用力 F_6 和 F_7 同样可根据水压力和作用面积计算,同时由于平衡管的作用,该两处的水压力大小也主要取决于尾水位,而且这两个承压面积不大,作用力相对较小。对于运行中的机组,其作用面上的压力可以测量得到。

形成作用力 F_2 和 F_5 的水压力与密封装置内部的压力分布有关,情况比较复杂,将另行讨论,本文暂不对此进行分析。

形成作用力 F_1 和 F_4 的水压力最大,承压面积也最大,所以这两个力的数值是很大的。同时,在这两个承压面积上的压力不是均匀分布的,不能仅根据个别测点所得到水压力计算总作用力的大小。所以,本文将着重讨论这两个作用力的计算方法。

3 压力腔中的压力分布规律

转轮上冠和顶盖之间以及转轮下环和底环之间的空间(以下简称压力腔)内的压力分布主要取决于其中水流的圆周(旋转)速度 V_u,由于旋转所产生的离心力造成了沿径向的压力梯度。影响水流旋转速度的因素包括以下三个:第一,是转轮上冠下环的外表面的旋转带动水流旋转,这个因素所产生的圆周速度与半径成正比,靠外缘处大,靠轮毂处小;第二,是顶盖和底环的静止表面的摩擦阻止水流的旋转;第三,是通过该空间的泄漏水流,在进入该空间时本身已经具有一定的旋转速度(转轮进口的 V_{u1}),这些水流在沿半径方向运动时还要遵循动量矩定律。动量矩定律使得圆周速度与半径成反比,其分布规律与第一个因素产生的规律正好相反。图 2 是压力腔中圆周速度和压力沿半径的分布示意图。图中右边为速度分布,当泄漏流量 q 为零时,第三个因素不起作用,泵腔中的圆周速度为线性分布(实线),其旋转角速度可视为转轮转速的一半。当泄漏量为无穷大时,只有第三个因素起作用,圆周速度沿半径呈双曲线分布(虚线)。实际上,泄漏量既不可能为零,也不可能为无穷大,所以实际的圆周速度分布曲线将介于二者之间,为图 2 中点画线所示。与此速度分布相适应,压力分布为图 2 左边所示。

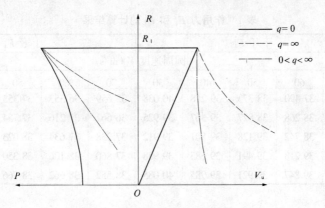

图2　压力腔中的速度与压力分布

　　根据上述速度与压力分布规律,压力腔中的压力与泄漏量以及其进口处水流的圆周速度密切相关。不过以上只是定性的分析,实际上压力分布的具体数值还与压力腔的几何尺寸与形状有关。为求得上述作用力 F_1 和 F_4 的具体数值,需要对压力分布进行定量的计算。过去,由于无法进行定量的计算,故常常采用 $q = 0$ 的假定。在这个假定条件下,压力腔中的水流像刚体一样旋转,其角速度为转轮转速的一半。当前,CFD 计算技术为解决这个问题提供了一个有力的工具,故本课题将尝试进行定量的计算。

4　轴向水推力的数值计算

　　取转轮和顶盖以及底环之间的环形空间为计算域,为减小计算量,利用该空间内流场的轴对称性质,取其中一个夹角为 0.36° 的扇形进行计算,计算是利用大型 CFD 软件 STAR – CD 进行的。取转轮外缘与抗磨板之间的环形缝隙为进口边界,迷宫环处为出口边界,进口边界采用速度边界条件。计算中给定圆周速度(V_u)和轴向速度(V_z,根据泄漏流量 q 确定),径向速度 V_r 取为零。为了表达泄漏量和进口圆周速度对轴向水推力的影响,在泄漏量 $q = 0.257 \sim 0.9 \mathrm{m^3/s}$ 和圆周速度 $V_u = 30 \sim 70 \mathrm{m/s}$ 的范围内给定不同的数值。计算域两个径向平面边界为周期性边界条件,其余边界为固壁边界,其中转轮的表面为旋转的。计算时给定进口边界的压力为 5MPa,由于上、下两个空间给出的压力相同,所以此数值的大小并不影响两个作用力的差值。

　　详细的计算过程已经另文发表[2],这里只给出计算结果,以便于后面的讨论。表1为计算的结果数据,图3则直观地表示了进口边界条件对轴向力的影响。计算结果表明,作用力 F_1 和 F_4 的数值与进口边界条件有很大的关系,其值随 V_u 和 V_z 的增大而减小。在所计算的范围内,变化值超过了 3 500kN。在相同的边界条件下,两个作用力并不相等,下环的作用力比上冠的作用力大 1 000kN 左右。

　　对于上述结果的更详细的分析见参考文献[2],这里只想强调指出,计算轴向力时如果忽略泄漏量和进口处圆周速度的影响,将会引起一定的误差。单纯从上冠或者下环上的作用力来看,这个误差似乎并不大。在上面的算例中,这两个因素的影响使轴向力的绝对值变化了 3 500kN,与总作用力(约 38 000kN)相比,不到 10%。但是这个机组转子部件的重量为 4 600kN,轴向力 3 500kN 的变化,对于机组的运行是绝对不应该忽视的。所以,

表 1　作用力 F_1 和 F_4 的计算结果　　　　　　　　（单位:kN）

泄漏流量	下环 F_1					上冠 F_4				
$q(\text{m}^3/\text{s})$	圆周速度 $V_u(\text{m/s})$									
	70	60	50	40	30	70	60	50	40	30
0.9	36 565	37 490	38 373	39 218	40 038	35 659	36 553	37 353	38 147	38 907
0.643	37 682	38 268	38 827	39 367	39 925	36 662	37 216	37 754	38 281	38 800
0.514	38 321	38 742	39 128	39 501	39 912	37 238	37 634	38 023	38 407	38 790
0.386	39 023	39 218	39 491	39 685	39 958	37 860	38 106	38 350	38 592	38 836
0.257	39 742	39 847	39 921	39 985	40 085	38 552	38 662	38 766	38 896	38 940

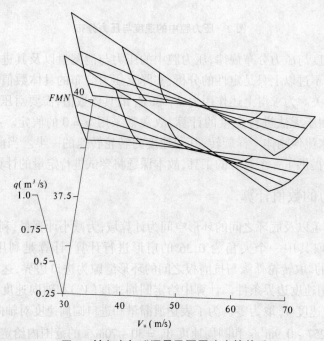

图 3　轴向力与泄漏量及圆周速度的关系

不论在设计阶段还是运行阶段,考虑轴向水推力的时候,泄漏量和进口圆周速度是必须考虑的因素。

为了确定泄漏量的大小,需要对密封间隙中的流动状况进行分析和计算,这是一个困难的任务。本课题在这方面进行了有益的尝试,限于篇幅,将另文讨论。

5　轴向水推力的测量及其与理论计算值的比较

除理论计算以外,还对天荒坪机组各部位的水压力和总轴向力进行了测量,以便利用测量结果来验证理论计算。

5.1　轴向力测量方法与结果

受机组结构的限制,无法直接测量作用于转子上的轴向力,所以通过测量承重机架(上机架)受力时的变形量来测量轴向力。为此,首先标定上机架的刚度系数,利用高压油顶起转子的装置在转子上加力,同时记录传感器的输出(电压 mV 和位移 μm)。根据活塞直径(126.7mm)和数量(24 个)以及油压值(MPa)计算轴向力。图 4 为标定曲线,可见上机架挠度与轴向力之间呈线性关系。根据标定数据求得上机架的刚度系数为 4.553 4kN/m。

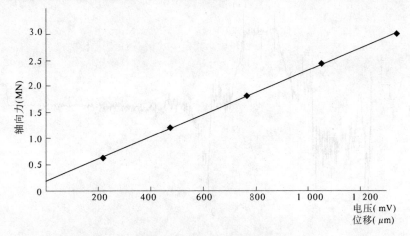

图4 上机架刚度标定曲线

天荒坪机组的结构特点是上机架的端部支撑在发电机的定子外壳上,而不是机墩的混凝土上,所以发电机的温度就对测量结果有很大的影响。温度变化导致定子机座长度变化,从而使上机架整体发生铅直方向的位移,这个位移量又被传感器作为挠度值记录下来,结果是挠度的测量结果出现误差。

为减小温度漂移对测量精度的影响,轴向力的测量是在一个尽可能短的测量周期中完成的,以便将测量过程中的温度变化值控制在一定的范围内。这个周期包括了从静止状态开始,经过开机、带负荷、满负荷直到停机的全过程。图 5 和图 6 分别是测量过程中导叶开度和上机架挠度传感器的输出曲线。两个图中都用数字标明了几个控制点(时间)。其中,1 为初始状态,球阀和导叶都尚未开启;2 为撤下风闸后;3 为球阀打开以后;4 为导叶初次开启到一个较大的开度时;5 为导叶开度稍稍减小至空载开度时;6 为满负荷运行时;7 为停机以后(风闸投入)。

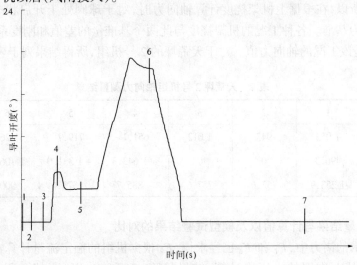

图5 导叶开度变化过程

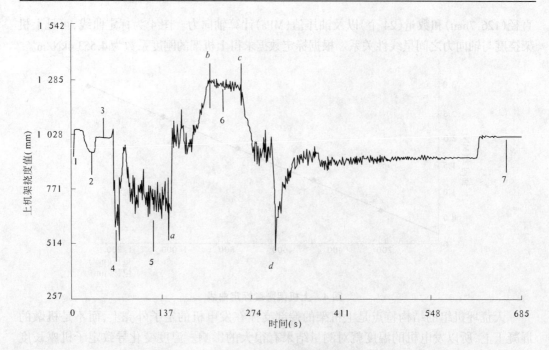

图 6　上机架挠度变化过程

对照图 5 和图 6 可以看出,撤销风闸后(时刻 2),由于风闸作用于转子上的轴向力消失,转子下沉了一定距离。此时转子的受力比较单纯,转轮内部连同上冠和下环上下的压力腔中的压力可视为处处相同(静水压力),故转子所受到的水压力仅仅为尾水压力作用于主轴(ϕ1 012mm)的横截面积所引起的(参见图 1),其大小为 757.6kN。此时转子所处的位置将作为一个基准,用于计算其他球阀处于关闭状态的时刻的作用力。开启球阀后,开启导叶前(时刻 3),转子又向上抬起一定距离,这是因为球阀打开后蜗壳压力上升,导致蜗壳涨开,使发电机整体升高。这个升高并不是上机架挠度变化产生的,转子的受力也没有变化。所以,在根据上机架挠度计算轴向力时,对于球阀处于开启状态的其他时刻,将以此时刻为基准。各种工况的机架挠度与此两个基准量的差值和刚度系数的乘积加上757.6kN 就是该工况的轴向力值。对于天荒坪的 2 号机组,所得结果列于表 2。

表 2　天荒坪 2 号机组轴向力测量结果

时刻	1	2	3	4	5	6	7
挠度值(μm)	1 052	943	1 012	651.1	719.7	1 263	1 020
轴向力差(kN)	496.3	0	0	− 1 643.3	− 1 331.0	1 106.5	350.6
轴向力(kN)	1 253.9	757.6	757.6	− 885.7	− 573.4	1 900.5	1 108.2

5.2　现场测量结果与计算值以及模型试验结果的对比

图 1 所示的诸力中,F_1 和 F_4 已经求得,F_8 根据机组的额定流量计算,其余的力根据承压面积及其上作用的水压力计算,结果是除 F_1 和 F_4 以外,其余所有力的合力为

1 422kN,方向向上。

因为 F_1 和 F_4 都随着泄漏量和进口处的圆周速度变化,而泄漏量和进口圆周速度无法直接测量,所以无法直接与测量结果比较,而且泄漏量还与密封间隙及密封部件的结构细节有关,为给上述计算结果树立一个参照系,采取了下列措施:

(1)根据水头值估计进口处的圆周速度值。天荒坪电站的水头为 520～605m,这里取其平均值进行估算。设平均水头额定功率工况接近最优工况,转轮出口满足法向出口条件,此时可根据水轮机的基本方程估计 V_u 值为

$$V_u = \frac{gH_{th}}{u_1} \approx 52\text{m/s}$$

考虑引水管路的损失以后,计算中取 V_u 的值为 50m/s。

(2)泄漏量的计算。泄漏量的计算比较复杂,限于本文的篇幅,将另文讨论,这里只给出结果。测量时上迷宫环为新近更换的,故其隙值取为设计值,半径方向为 1mm;下迷宫环间隙检修时的测量值为直径方向 3mm 左右,计算时取为半径方向 1.5mm。由此计算得到 F_1 = 39 966kN(向上)、F_4 = 39 413kN(向下)。

这样,计算所得所有力的合力为 1 975kN(向上),与实测值(1 900kN)相当接近。因为密封间隙值以及圆周速度的值都有一定的估计成分,所以上述比较不是严格的计算与实测数据的对比,但是还是可以从一个侧面说明计算的结果有相当的可信度。

对于天荒坪机组,供货商根据模型试验结果给出的轴向力数值为 50kN,方向向下。此值与现场测量的结果相差甚远。从以上的讨论中可见,轴向水推力与许多结构细节有关,例如平衡装置、机组安装高程(影响尾水压力)、密封装置的结构及尺寸等,在这些方面,模型试验条件很难保持与真机相似,所以模型试验的结果与现场测量的结果不一致应该说是正常的。

6　讨论与结论

(1)本文指出了一些尚未引起普遍重视但对低比速水轮机轴向力影响很大的一些因素,我们认为这些因素对机组的安全运行具有不可忽视的影响,希望此文能够引起更多的业内人士对这些因素的关注。

(2)用 CFD 计算转轮的轴向水推力是可行的。目前,我国主要的水电设备制造企业已经掌握了 CFD 技术和软件,并且在水轮机的水力设计中发挥了很好的作用。本文的实践证明,CFD 还可以在结构设计中发挥很好的作用。

(3)低比速混流式转轮和可逆式转轮密封环以外的承压面积很大,水流的压力也很高,故作用于这两个承压面上的轴向力的绝对值非常大。只要其数值发生很小(例如5%)的变化,就足以对机组的运行产生重大的影响,所以在设计阶段应对其进行仔细的计算和测量。

(4)密封泄漏量和转轮进口处水流的圆周速度对轴向水推力有很大的影响,故计算轴向水推力时不应继续采用水流旋转速度为转轮转速之半的假定。

(5)由于密封泄漏量对轴向水推力的影响,当迷宫环磨损以后,泄漏量发生变化,轴向力也随之改变。如果轴向力变化的结果是向下的作用力减小或向上的作用力增加,就有

可能造成抬机。在设计和运行时,都必须密切关注这个问题。

(6)由于无法保证结构细节的相似,所以模型试验所得的轴向水推力的数据可靠程度不高。水轮机制造者应该在设计阶段就根据具体结构计算轴向水推力;而电站运行人员则应该密切关注影响轴向力的因素(例如间隙值)的变化情况。

参 考 文 献

[1] 华东天荒坪抽水蓄能有限责任公司,华中科技大学.天荒坪抽水蓄能电站2#水泵水轮机组现场试验报告,2003年8月
[2] 吴钢,等.低比速转轮泄漏量对水电机组抬机的影响.水力发电学报,2004,23(4):106~111

天荒坪抽水蓄能电站 2# 机组转动部分抬机现象及原因分析

华东天荒坪抽水蓄能有限责任公司　孔令华

[摘　要]　本文对天荒坪抽水蓄能电站 2# 机组在增负荷时发生部分抬机的现象进行了介绍,分析了可能发生的机组转动部分在运行中抬起的几种可能的原因。

[关键词]　转动部分抬机;故障分析;水泵水轮机

1　2# 机组抬机现象描述

2003 年 1 月 4 日 17 时 30 分 2# 机组启动发电,启动正常,带 200MW 负荷正常。发电 200MW 运行 7min 左右均正常。17 时 39 分时发电负荷增加到 300MW,增加负荷过程正常。17 时 50 分左右检修人员听到水车室异常响声,并且发现上迷宫环压力在 0 ~ 1.5MPa 之间剧烈变化,其他压力(下迷宫环压力、转轮与顶盖底环压力)脉动没有异常,水车室地板振动很大,顶盖垂直振动值 8.4mm/s。发电 300MW 又运行了大约 15min 后,水车室仍然发出异常的声音。运行人员把负荷减到 200MW 运行 4min 左右,发现仍然有异常声音,因此作停机处理。停机直到导叶全关闭后异常声音才消失。

对发电机推力轴承温度趋势分析。17 时 40 分时推力、各温度呈下降趋势,直到 17 时 50 分温度开始上升,这之间的 10min 推力油温降至 24℃,各推力瓦温降至 25℃左右且分布均匀,钢瓦与铜瓦温度几乎一样。

事件记录从 17:50:21 开始发电机上下导推力、空冷冷却水流量均在 ALARM 与 NORMAL 之间来回报警,直到 18:07:26 来回报警才消失,各流量正常。

从振动趋势分析,17 时 40 分开始,推力 – Y 方向摆度有所下降, – X 方向变化不大;上导 – X、– Y 方向变化不大;下导 – X、– Y 方向摆度陡增;17 时 50 分左右,顶盖 – V 方向振动陡然增大,直到停机都维持较高的水平;顶盖 – X 方向也有较大的增大。

运行人员在机组并网后,记录的主轴密封密封腔的压力是 0.5MPa,5# 机组同一时间密封腔压力是 0.65MPa,上、下库水位为 890.31、330.41m,即 2# 机组 200MW 运行时主轴密封密封腔压力比 5# 机组低 0.15MPa。

从事件记录可以看出,GCB CLOSED(关闭)AT 17:31:46,GCB OPEN(打开)AT 18:07:25,机组负荷运行时间 35min。

从以上的现象可以看出,机组转动部分在 200MW 转 300MW 时抬起,运行约 10min 后自动落下。发电机冷却水流量在转动部分回落后出现来回报警,直至停机结束摆动;下导摆度在转动部分抬起时开始增大;转动部分下落后回复正常。顶盖振动在转动部分下落后明显增加,特别是顶盖 – Y 方向陡增, – X 方向较大增加。

2　停机检查及试验的情况

2003 年 1 月 4 日发生 2# 机组转动部分抬机后,检修人员连夜进行了主轴密封的检查和抢修。主轴密封检查时发现内外环之间有两处漏水(原来不漏)。拆开检查两个导向键没有破裂,ENDSEAL 没有破裂,检修密封也没有发现异常。检查水导也没有发现摩擦的痕迹。

1 月 5 日在各种检查没有发现异常后,机组复役,下午做手动 SNL 试验。第一次手动开机转速接近 97% 时水车室传出低闷的摩擦声音,立即停机。速度慢慢增加时,上、下迷宫环压力均增加,90% Nr 时上迷宫环压力已经大于显示刻度 2.5MPa,下迷宫环指示压力 2.15MPa。其余压力没有发现异常。

第二次开机前更换了上迷宫环压力表(0 ~ 10MPa)量程。开机慢慢增加速度,各压力指示慢慢稳定上升,95% Nr 时,上迷宫环压力 3.0MPa,下迷宫环压力 2.15MPa。转速增加到 97% 时,压力脉动增大,水车室发出摩擦异响。压力钢管压力 6.38MPa。见表 1。转速降下来后,声音消失。第三次开机做 SCP 试验,启动成功,水车室没有异常声音发出。

表 1　检修人员做手动 SNL 时各部位压力的试验数据

转速 (% Nr)	转轮底环内 侧间(MPa)	转轮底环外 侧间(MPa)	转轮顶盖内 侧间(MPa)	转轮顶盖外 侧间(MPa)	上迷宫环 (MPa)	下迷宫环 (MPa)	尾水管 (MPa)
0	1.1	1.0	1.0	1.0	1.0	0.98	1.00
15%	2.3	2.4	1.2	1.6	1.2	1.2	0.99
50%	1.9	2.2	2.0	2.3	1.6	1.5	0.99
60%	2.4	2.81	2.43	2.95	2.0	1.74	0.98
80%	3.0	2.6	3.0	3.7	2.4	1.92	0.98
85%	3.2	4.0	2.3	4.1	2.6	2.2	0.97
95%	3.58	4.4	3.6	4.4	3.0	2.15	0.98
98%	压力表指示摆度大,水车室发出摩擦声音						

试验做完后立即隔离机组检查。检查前给冷却水系统充水,打开上下迷宫环供水阀,给上下迷宫环冲洗了约 1.5h,没有发现异物。检查的部位有蜗壳、导叶、转轮及其高程、上下迷宫环间隙、尾水隧洞、发电机等,均没有发现异常。这次检查注意到转轮叶片下部、泄水锥、转轮上冠外缘有很多的白色物质。在 2002 年 12 月 4 日 2# 机组开始检修时,检修人员发现大量的白色物质在转轮上,检修人员钻入叶片内衣服上粘上许多白色的物质,并且转轮"滴滴嗒嗒"不停地漏水。12 月 31 日 2# 机尾水管充水,中间转轮上"滴滴嗒嗒"不停地漏水。取样化验白色物质的主要成分是碳酸钙、硫酸钙、硅酸钙等钙的化合物。由以上物质的化学特性可知,若水中含有这些物质,一旦水流速度变慢、温度低,碳酸钙、硫酸钙、硅酸钙就沉淀析出,积聚成层。垢样主要化学成分见表 2。

表 2　垢样主要化学成分

碳酸钙	磷酸盐	硫酸钙	硅酸钙	絮状物
40%	20%	15%	10%	15%

2003 年 1 月 6 日在各个部位检查没有发现异常情况后,第四次手动 SNL 试验。试验前,检查调速器静态特性及油回路均正常。与前两次开机情况一样,机组在转速升到约 97% Nr 以上时,压力脉动增大,水车室发出摩擦声音;速度降到 95% Nr 以下,压力脉动几乎消失,水车室摩擦声音也消失,转速升上来后,水车室又发出摩擦的声音。试验时尾水压力稳定几乎没有变化,上、下迷宫环压力与前两次一样。

1 月 7 日根据制造商的意见经会议讨论决定,拆除水导、主轴密封、检修密封以检查上迷宫环两个齿是否断裂。主轴密封拆开检查,在外环内壁上发现一层很厚的白色钙质。内环及其压环上面也有白色的钙质附着。发电机做了定转子交流阻抗检查,均正常。用内窥镜检查平衡管、泄水锥没有发现异常,检查转轮下环时发现下环表面有上面提及的分片的白色物质。转轮上冠边缘仍有大量的白色物质,但由于内窥镜探头直径大,无法检查转轮上冠表面。

1 月 21 日转轮与底环一起落到地面上,发现上迷宫环确实已经磨损。转轮上冠表面分散一层薄薄的白色物质(转轮上冠干燥后)。下迷宫环没有发现异物。

发电机推力轴承盖板加强筋焊缝发现 3 只开裂,推力头表面有明显的划痕。

3　2# 机组转动部分抬机可能的原因分析

3.1　关于水压力脉动

根据有关文献,若发电时尾水压力脉动大,抬机的可能性是有的。机组增加负荷时速度过快可能引起压力脉动,但正常情况是机组增加负荷后,压力脉动变小。2002 年 12 月份 2# 机组小修时,调速器液压系统仅清洗主油阀过滤器、ACTUATOR(电液转换器)供油联体过滤器。机组调试时没有任何报警或异常。正常时,机组负荷从 0 增加到 160MW 约 22s 的时间,即 7.6MW/s 左右;从 200MW 增加到 300MW 约 16s,即 6.25MW/s。2003 年 1 月 4 日傍晚发电启动、带负荷过程均正常,200MW 增加到 300MW 及 300MW 减到 200MW、200MW 减到 0 也没有异常的情况。第二次 SNL 试转前,调速器静态线性关系检查没有发现异常情况。检查电调 PID 参数、POWER RAMP TIME 、FREQUENCY REFERANCE、Bp 均没有发生变化。因此,调速系统增加负荷导致压力脉动的原因可能性较小。

机组负荷增加时,机组各部压力见表 3。

(单位:×10⁵Pa)
表 3　负荷变化引起的压力变化

负荷	钢管压力	蜗壳压力	转轮/底环	转轮/顶盖	上、下迷宫	泄流环压力	尾水管压力	主轴密封密封腔压力
200MW	66	65	40/49	48/40	2.6/1.23	9.3	9.5	5.7
300MW	65	64	42/51	50/42	2.6/1.25	8.1	8.6	5.0

3.2 关于发电机磁拉力

对发电机上、下机架基础螺栓、导向键检查没有发现异常。定子机座、上机架与定子间的导向键、螺栓、焊缝检查没有发现异常。转子磁极内窥镜检查没有发现异常。发电机推力轴承盖板打开检查，推力头表面发现由于盖板加强筋焊缝开裂盖板下落有磨损的痕迹，这应该是由于机组抬起后推力头磨到盖板导致磨损。镜板、瓦架、瓦均没有发现异常。发电机定转子交流阻抗检查正常。没有证据能说明是由于磁拉力向上偏心导致转子向上抬起。

3.3 关于流道

机组检修时上库 1# 引水隧洞录像检查发现隧洞壁上有大量的白色物质。机组停下来后，进尾水隧洞检查，没有发现塌方的地方，包括小修时尾水隧洞灌浆的地方。尾水闸门提到流道以上的闸门槽内，每次提门时也是正常的。尾水道比较干净，没有泥浆等杂物。尾水出口拦污栅潜水检查没有发现有东西堵住。从负荷曲线可以看出，机组带200MW 负荷及 300MW 负荷趋势平稳，没有带负荷困难的情况。1 月 4 日傍晚，尾水闸门洞值班人员没有听到异常的声音。尾水事故闸门本体检查没有发现弯曲、破裂等破坏的情况。因此，流道问题的可能性也不大。

3.4 关于转轮迷宫环

1 月 5 日我们立即与制造商进行了联系。制造商认为很可能是钙质引起的。底环表面的钙质沉淀及其腐蚀表面增大了底环与转轮下环间压力水的摩擦力，水的动能减小，压力升高。压力的升高导致向上的水推力增加，然后导致抬机。制造商的另外一个观点认为，如果转轮位置较高，即转轮下环外缘高于抗磨环，将增加转轮与底环间高压水的流量，水压力升高，水推力增大导致抬机。制造商的分析虽有一定的道理，但我们停机检查并没有发现大量的钙质在底环上。

转轮轴向水推力对迷宫环公差和迷宫环漏水量非常敏感。转轮的轴向位置对轴向水推力产生重要的影响。转轮的轴向位置和迷宫环漏水量将影响转轮出口静压力分布和转轮与上、下盖板之间水流速度及压力分布。

虽然在底环上没有发现大量的钙质，在转轮上冠外缘一周发现一层钙质。如前面所述由于停机前无法检查上冠表面，不知道上冠是否有钙质。若有大量的钙质积聚，发电时堵住上迷宫环，最坏的情况是上、下迷宫环一起堵住或漏水不畅，上迷宫环内侧漏水减小，压力降低，向下的水推力减小，导致抬机。实际运行人员记录的主轴密封、密封腔压力0.5MPa，确实比正常时低，所以这种抬机的原因也是有的。从模型试验报告可以知道，平衡管打开可以降低水推力 40% 左右，即打开平衡管减小转轮上方的压力，转轮平压孔也可以减小转轮上方的压力。而转轮上方的压力与上迷宫环的漏水量有直接的关系，若上迷宫环漏水不畅，转轮上方压力减小，向下水推力减小。实际机组运行时，负荷增加时水推力也是减小的，机组 200MW 增加到 300MW 时，推力轴承温度下降 3℃ 左右，如图 1。若两种情况正好叠加，转动部分向上加速度较大，机组抬起。

转轮上冠外缘一周发现大量的钙质，且难以刮掉。设计转轮上冠外缘与抗磨环的间隙是 7.5mm，钙质的积聚将减小这个间隙。转轮上冠直径 4.092m，额定线速度 107.1m/s，线速度很大，间隙的变化将直接影响往上冠的漏水量。漏水量减少，上冠压力减小，增加负荷时就可能抬机。

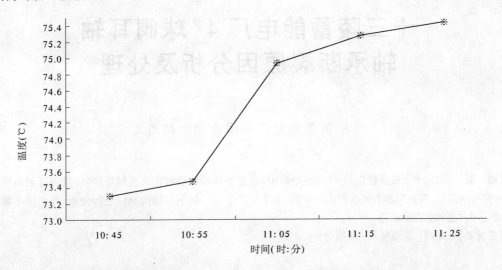

图1　1月5日实测机组负荷从300MW减少到200MW时推力轴瓦温度的变化

十三陵蓄能电厂 4# 球阀耳轴
轴承断裂原因分析及处理

十三陵蓄能电厂　潘春强　胡新文

[摘　要]　北京十三陵蓄能电厂 4# 机组小修中,在更换球阀驱动端止水密封填料时,发现耳轴轴承沿轴向有一裂纹,并在局部有碎裂掉块的缺陷,本文对产生这一缺陷可能的原因进行分析,并介绍了具体的处理方法和采取的措施。

[关键词]　球阀;耳轴轴承;原因分析

1　引言

　　北京十三陵蓄能电厂安装 4 台球阀,由美国 VOITH 公司供货,球阀为油压单接力器操作,操作压力是 7.0MPa,主要参数如下:

球阀直径:1 750mm　　　　　　传动机构尺寸:500mm × 1 475.3mm

旁通阀:ø 200mm　　　　　　　额定压力:7.0MPa

油箱容积:6 000L　　　　　　　最大工作水头:531m

开启时间:61s　　　　　　　　关闭时间:65s

　　4# 球阀于 1997 年 6 月投产,球阀转子机构运行较稳定。随着运行时间的增加,球阀驱动端及非驱动端耳轴部分有少量渗水,尤其是驱动端侧漏水量逐渐加大,2003 年初驱动端的漏水量加大,并呈喷射状。因此,决定在 3# 机组大修过程中,将 2# 水道放空,对 3#、4# 机组的球阀进行大修,计划对球阀两端轴套进行彻底检查,并对止水密封填料进行更换,将渗漏的问题彻底解决。

2　轴承断裂情况及原因分析

　　2005 年 4 月 18 日,在 4# 球阀更换驱动端密封过程中,打开密封压盖后,发现驱动端耳轴轴承轴向有断裂,径向有 70mm 左右的裂纹,并且在安装密封填料的底端有碎裂掉块,但现场未发现掉下的合金铜块,具体位置和形状见图 1。根据目测所见到的情况,无法判断耳轴轴承的损坏程度,但用铅丝沿着裂纹能深入 300mm 左右,说明轴承有沿裂纹脱开的现象。

　　耳轴轴承为精密加工部件,其加工尺寸内径为 721.82 ~ 721.85mm,与转子轴配合值为 0.65 ~ 0.54mm,属于间隙配合;外径为 770.38 ~ 770.35mm,与阀体配合值为 0.35 ~ 0.43mm,属于过盈配合。安装时是在阀体分瓣的情况下,用干冰冷缩后,将轴承压入,然后再安装转子,将轴穿入,从而保证轴承的正确装入。

图1　轴承断裂具体位置和形状

由于轴承与阀体为过盈配合,在运行过程中其始终是受压力作用,不可能产生轴向裂纹,并且在拆开密封压盖时,并未发现轴承上的掉块,因此耳轴轴承出现裂纹和掉块的缺陷初步认为是在组装时出现的。

3　处理措施

通过初步分析原因及目前球阀的运行状况,决定对球阀耳轴轴承进行更换,并按照图纸给定尺寸订购备件。

根据 VOITH 提供的资料,需将球阀吊出,对球阀分瓣,抽出转子后,才能对耳轴轴承拆除和安装,但是由于工期较紧,并且没有拉伸螺丝的专用拉伸器,因此对球阀进行整体的拆卸条件不具备,因此决定就地拔出轴承。

利用耳轴轴承的端面 4 个对称的 M12×1.75 的螺孔,用 4 根丝杠借助一个自制的圆盘拔轴承,但由于轴承与阀体为过盈配合,并且转子的自重压在上面,没有拔动,即 4 根丝杠的作用力不足,因此在端面均匀钻孔,增加 8 个 M12×1.75 的丝孔,共 12 根丝杠进行拔轴承工作。在拔的过程中,发现轴承沿着裂纹处开始断裂。通过这 12 根丝杠,将轴承沿着裂纹断裂部分拔出来,出来部分的高度从 65mm 到 175mm 不等,沿轴向的断口全开,见图 2。

图2　耳轴轴承轴向断裂状况

从整个断面来看,只有大约40mm为新断裂面,从其他断面的颜色、锈迹情况判断,断裂已经很长时间,而且端面很不规则。说明在这种状况下,球阀已运行了较长时间,而没有出现异常。从此情况来看,最初的分析判断还是比较客观的,即球阀耳轴轴承是在球阀组装时出现的裂纹。

3.1 方案选择

从目前轴承断裂的位置情况及目前转子轴与轴承的磨损和配合情况,形成了3套处理方案:第一种方案是球阀吊出解体,将剩余部分拔出,更换新耳轴轴承;第二种方案是就地处理,利用各种办法,拔出剩余部分耳轴轴承,更换新轴承;第三种方案是将剩余在里面的耳轴轴承仍然保留,对断裂面进行处理,使其形成一个平面,并根据现有位置尺寸,订购一个短轴承,进行安装。

第一种处理方案,需要较长的检修时间,要订做解体的专用液压拉伸工具,还要有一个专用的检修场所,考虑到工期的限制及检修场所、装配工艺的特殊要求等情况,第一种方案不具备实施条件。第二种方案要拔出留在阀体里面耳轴轴承,耳轴轴承与阀体的配合是过盈配合,过盈量较大,在这种位置要拔出留在阀体里面耳轴轴承很难,破坏掉留在里面的部分难度也很大,因为这种高强度铜合金材料既有硬度又有韧性,在轴与阀体间这样小的空间很难使用工具,第二种方案也很难实施。经过讨论决定采取第三种方案,把留在里面部分的断面处理好,订做一个新的备件进行安装。

3.2 处理方法

由于耳轴轴承为高强度铜合金材料,其既有硬度又有韧性,施工空间很狭窄,,并且断裂面不齐整,因此对其进行加工和处理难度较大。通过测量断裂面的深度从65mm到175mm不等,以最深处175mm为基准点,对高于175mm的断面部分进行处理,使其在深175mm的平面上。

采取的方法是,用磁力钻沿着周向在耳轴轴承上钻孔,直径为18mm(耳轴轴承厚度为24.5mm),在特制的长钻头上安装有护套,保证钻头的晃量不伤及转子轴和阀体配合面,而且钻的孔要尽量密,深度一致,均为175mm。利用此方法能够最大限度地将需要处理的部分进行机械切削,对残留下的部分用扁铲剃除残渣,然后再用直磨机打磨处理后的断面的侧面和底面。

钻孔完成后,用扁铲进行剔除,但轴承材质为高强度铜合金,剔除非常困难。在剔除过程中采用了各种工具,用风铲、风镐,并利用烤枪和电焊将其熔化,这样才将其剔除干净。但在使用这些工具时,不可避免地会伤到配合面,因此在完成剔除工作后,对配合面进行了打磨,并对涉及到密封的地方进行了补焊打磨,确保密封部位的密封性能。

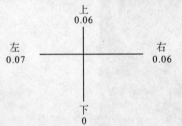

图3 原轴承间隙测量数据 (单位:mm)

3.3 新轴承的安装

由于轴承的安装需同时考虑轴承与转子轴、阀体的配合要求,因此在具备安装条件后,对原轴承的间隙进行测量,测量数据如图3所示。

经过测量发现转子轴与耳轴轴承的间隙分布不均匀,球阀经过多年的运行,轴承的磨损和受力变形使转子轴下沉,即轴与轴承左上方的间隙大一些,下方的间隙是零。

新订购的耳轴轴承是按照原图纸给定的尺寸进行加工的,并且目前是在不抽出转子的情况下进行安装,既要考虑到轴承与阀体的过盈配合,又要考虑到轴承与转子轴的配合,因此用干冰冷缩安装的方法无法将轴承装入,综合考虑将耳轴轴承的内径和外径进行削减,耳轴轴承外径车下 0.16mm,内径车下 0.10mm,保证在常温下能够将轴承压入。同时考虑到外径减小后,其过盈量不足会导致轴承在受力后旋转的情况,在上游侧和下游侧对称铰两个销钉孔,打入分瓣键,防止轴承转动。

通过对轴承的加工处理后,用液压千斤顶对称均匀地把新耳轴轴承压到阀体内,直到安装到位为止,并打入分瓣键,之后回装密封填料、压盘等部件。

4　处理后球阀运行情况

耳轴轴承安装完成后,全面对球阀进行恢复,并在无水情况下,对球阀进行开启和关闭操作,无异常情况。球阀充水后,检查无渗漏情况,并对球阀进行了多次开启和关闭操作,运行正常。

通过近两个月的运行观察,球阀运行无渗漏和卡涩等现象,目前球阀运行状况良好。

十三陵蓄能电厂球阀控制系统的改进

十三陵蓄能电厂　杨占良

[摘　要]　本文总结了十三陵蓄能电厂球阀控制系统从运行至今所发生的故障,在进行了认真分析的基础上,针对每个故障采取了相应的改进措施。

[关键词]　球阀控制系统;故障处理;下游密封;PLC

1　概述

1.1　球阀结构

　　十三陵蓄能电厂的球阀为卧轴液压操作球阀,内径1 750mm,阀体采用铸钢制造,活门采用钢板焊制,工作油压7.0MPa,制造商为美国VOITH公司。球阀主要结构由阀体、阀芯、上游密封、下游密封、旁通阀以及液压操作机构组成。其中,上游密封为检修密封,下游密封为工作密封。

1.2　球阀作用

　　(1)开停机时开启或关闭球阀,接通或关断水流(先关导叶后关球阀)。

　　(2)机组检修时隔离机组与上游水道,保证检修安全与其他机组的正常运行。

　　(3)当机组发生故障时(导叶无法关闭),在动水情况下截断水流,防止机组发生飞逸事故。

1.3　球阀的动作顺序

　　开启阀门时,旁通阀先打开,等球阀两侧平压后,下游密封打开,最后球阀阀芯打开;关闭阀门时,球阀阀芯先关闭,下游密封再投入,旁通阀最后关闭(参见图1)。球阀的动作顺序靠电磁阀Y010(总控制油压)、Y020(控制转子动作油压)、Y030(控制顺序阀动作油压)以及KA029、KA035、KA045实现,由小接力器液压操作顺序架带动KA029、KA035、KA045,实现转子、下游密封和旁通阀的顺序动作。液压系统由压力开关送出报警及跳闸信号,并且控制两台油泵的启停。

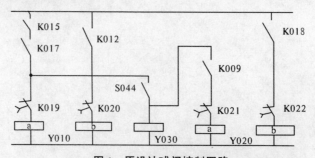

图1　原设计球阀控制回路

K015为监控检测信号;Y010a励磁油回路通;K017为球阀开命令;Y010b励磁油回路断;S044为差压开关接点;

Y030励磁顺序架油路通;K009为下游密封位置接点;K018为关球阀令;Y020a励磁开转子油路通;Y020b励磁关转子油路通

2 故障分析

十三陵蓄能电厂球阀在实际运行中,曾经出现的问题如下:

(1)十三陵蓄能电厂机组自投产以来,在球阀的关闭过程中曾经多次出现问题,$1^{\#} \sim 4^{\#}$ 机组球阀的下游密封都曾被损坏,造成下游密封封闭不严,漏水严重。这一问题对电厂和机组的安全运行构成威胁,同时抽至上池的水白白地浪费掉,影响了电厂的经济运行。

(2)球阀控制回路上自动元件动作不可靠,造成球阀不能按顺序打开。

(3)压差开关不可靠,导致球阀不能按顺序打开。

(4)压力开关动作不可靠,造成机组误跳。

3 原因分析

(1)在球阀开、关过程中,由于多种原因致使球阀不能按正确的顺序动作,阀芯和下游密封同时关闭,造成阀芯和下游密封相撞,球阀也不能正常开关。原因如下:球阀在关闭过程中,只是靠阀门顺序架控制阀芯、下游密封和旁通阀的动作顺序,一旦阀门顺序架可调螺杆上的螺丝由于经常动作而松动或顺序架所带动的液压阀出现问题,球阀的各个部分将不再按照设计的顺序动作,造成球阀部件的损坏。出现上述情况的原因是在原设计球阀关闭回路中,只有机械闭锁而无电气闭锁。阀门顺序架与 KA029、KA035、KA045 液压阀接触部分加工精度不够或有杂物,使球阀已经开启而无关闭命令时,自行开、关球阀,造成机组负荷波动。

(2)球阀开启过程中,监控发出的命令是脉冲信号,脉冲宽度一定,而随着机组运行时间的推移,导叶漏水量和限位开关的延迟特性则不是一成不变的,原设计控制回路不能避免上述不定因素的影响,使球阀不但不能按照顺序打开,反而造成球阀不按顺序关闭。原控制逻辑由继电器组成,因继电器损坏及接点粘连和二极管击穿等问题,造成球阀不能按顺序开关。

(3)球阀的压差开关 S044 是保证球阀两侧平压后再作用于开阀芯,但由于此元件本身结构和管路布置上不合理,造成开关可动活塞部分漏水,开关内部锈蚀,使开关动作不灵活或拒动,导致球阀不能按时打开。

(4)球阀油罐压力信号由 8 个压力开关引出,由于开关内弹簧断裂,引起机组误跳。因为定值易变而需要经常进行校验,拆装时涨口容易损坏导致漏油。

4 球阀控制回路的改进

(1)针对原控制回路存在的缺陷,我们对控制系统进行了 PLC 改造,在电气控制回路上增加电气闭锁条件(见图 2),在球阀关闭过程中使电磁阀 Y020b 线圈先励磁,接通阀芯关闭的排油回路,作用于关闭阀芯,阀芯全关的接点接通之后再加几秒钟的延时,使电磁阀 Y010b 励磁,撤去顺序阀的操作油压,下游密封和旁通阀顺序关闭。这样可有效地防止由于螺丝松动或液压阀出现问题造成的误动故障,同时有效地避免了导叶漏水量和限位开关的延迟特性影响所造成的误动。

(2)为了确保球阀的顺序动作,我们在下游密封开启油回路上新增电磁阀 Y040,并设计了电气控制回路(见图 3)。增加此回路的目的是球阀关闭时,只有在阀芯全关,并加一定的延时后,下游密封才可以关闭;球阀开启时,只要下游密封打开的接点返回,同时下游密封开的水路有水压,就切断下游密封动作的油路。同时,我们根据阀芯全关和全开所需的时间,增加了监控发出命令的脉冲宽度,这样来达到控制阀芯和下游密封顺序动作的目的。

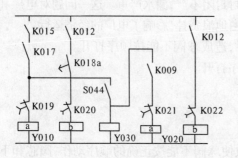

图 2　增加电气闭锁后的球阀控制图

K012 为球阀全关位置接点;Y010a 励磁油回路通;K018a 为关球阀令延时;Y010b 励磁油回路断;K017 为开球阀令;Y030 励磁顺序架油路通;K019、K020、K021、K022 为电磁阀延时断开接点;Y020a 励磁开转子油路通;Y020b 励磁关转子油路通

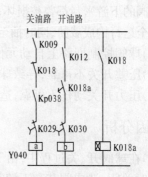

图 3　新增电磁阀部分控制回路

K009 为下游密封接点;K018 为关球阀的命令;Kp038 为压力接点;K018a 为关球阀令延时;K012 为阀芯全关接点

(3)在原设计回路中(见图 1),开启球阀时,电磁阀 Y020a 线圈励磁 1s 后,靠机械保持电磁阀的油回路,作用于关阀芯的排油回路在球阀开启之后仍然存在,此排油回路的通断就取决于液压阀 KA029 的动作。4# 机组在运行过程中曾经发生球阀自行关闭的故障,原因是顺序架上不干净,加上机组振动的影响,导致液压阀 KA029 误动,使机组负荷在 120~200MW 之间波动,相当于动水关球阀,对机组危害很大。考虑到上述情况,我们经反复研究,认为拆除 KA029 上的排油管路(此回路是原设计中关转子的排油回路,加上电气闭锁后已不起任何作用),可以杜绝类似情况的发生。另外,我们在顺序架上增加了防尘罩,防止杂物进入。

(4)针对差压开关存在的问题,我们用压差变送器作测压元件,输出 4~20mA 的模拟量,送入 PLC 经过与定值比较,判断是否满足条件,再执行下一步操作。这样既实现了原设计目的,又解决了开关动作不灵活和拒动的问题,还减少了检修维护量。

(5)压力开关改造,将其改成由 PLC 控制,两个压力变送器的值送入 PLC,经过计算比较,送出各有关信号,并且在 PLC 内部设计了自检程序,任何一个变送器损坏均可报警,保证了及时消缺。

5　总结

通过对机组球阀控制系统和下游密封油路的改进,球阀的开、关成功率大大提高,安全性能得到提升,因为使用 PLC 代替继电器完成逻辑控制,提高了系统的稳定性和灵活性,同时为故障的快速查找提供了先进的手段。

广州蓄能电厂 B 厂主球阀引发
水力振荡的分析及处理

广州抽水蓄能有限公司　谈进昌　刘玉斌

[摘　要]　本文叙述了广州蓄能电厂 B 厂主球阀引发水力振荡的经过、相关试验及检修情况,并对引发水力振荡的原因进行了初步分析。

[关键词]　水力振荡;检修密封;工作密封;球阀

1　概述

广蓄("广州蓄能电厂"简称)二期工程引水系统采用一管四机方案,由低压引水隧洞、上游调压井、高压隧洞、高压钢支管、尾水钢支管、下游调压井和尾水隧洞组成(见图 1)。上游调压井(带上室)阻抗式;高压隧洞长 1 114.954m,管径 8.5m;渐变管长 62.848m,管径 8/3.5m;1# 支管(单管)长 156.578m,管径 3.5m;尾水钢支管长 78.515m,管径 4m;下游调压井带上室阻抗式。安装了 4 台单机容量为 300MW 的可逆式机组(5#、6#、7# 和 8# 水泵水轮机组),每台机组设有进水主球阀和尾水事故闸门。

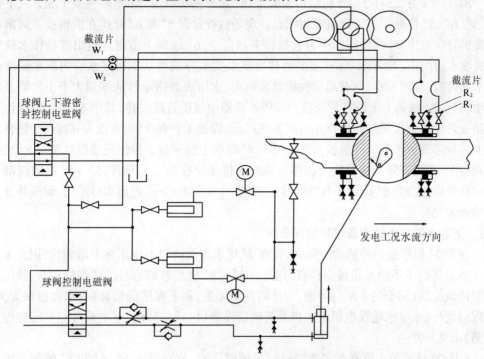

图 1　主球阀控制接力器及上下游密封供水管路图

主球阀通径 2 100mm、双面止水,采用水压开关的单拐臂接力器。该球阀能快速启闭,同时取消了传统的旁通阀和旁通管,球阀的蜗壳充水通过适度打开球阀下游工作密封来实现。主球阀上游密封(检修密封)和下游密封(工作密封)结构及工作原理基本相同(见图2),为可拆卸式。固定密封环为铜材料制作,把合在活门上,可方便拆卸;动密封环为不锈钢材料制作的滑动式结构,当主球阀关闭后动密封环滑动与固定密封环密切压紧,当主球阀开启前动密封环滑动离开固定密封环。动密封环与固定密封环间、固定密封环阀体间采用 O 型密封盘根密封。主球阀操作接力器和上下游密封的操作采用上游侧压力钢管中水作为操作介质。

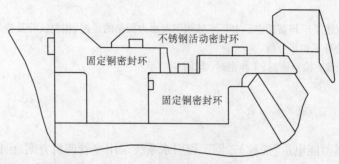

图 2 球阀上游密封结构图

2 事件经过及问题分析

2.1 初次发生水力振荡

2003 年 8 月 22 日 23:08 机组声音异常,6# 球阀振动明显,当时 7# 机泵工况方式下运行,5#、6#、8# 机处于正常停机备用状态。现场检查发现 5# 和 6# 球阀在沿轴线方向窜动及发出异常响声,球阀操作水压力表指针来回摆动,6# 球阀上游密封退出腔操作水软管爆裂喷水;7# 主变冷却水系统(主变负载冷却水供水方式为从本机尾水管内取水的单元供水)管路在剧烈振动,伴有周期性的异常响声,水压表盘指示针从零到大于正常值来回摆动;5# ~ 8# 球阀上下游密封及接力器供水管路中带压管路发热,其中 6# 机球阀操作水管路发热较其他机组球阀操作水管路发热严重,约 80℃。停 7# 机并投入其球阀上游密封后上述异常现象消失。相继投入 5#、6# 和 8# 球阀上游密封。操作完成后对 5# ~ 8# 机组球阀与上/下游钢管连接螺栓及阀体与基座连接螺栓检查未见异常,5# ~ 8# 机球阀都有纵向移位痕迹,5#、6# 球阀还有横向移位痕迹;对 B 厂上/下库进出水口闸门、调压井及支洞检查未见异常。

2.2 下游水道排水检查及试机情况分析

在对 7# 机组进行停机检查期间,发现 7# 尾水事故闸门不能正常下落到位,因此 8 月 23 ~ 26 日进行了下游水道排空检查,此间对 5# ~ 8# 机组各部进行了详细的检查,除尾闸下限位块脱落(属于尾水闸门问题,与球阀振动无关)和下库闸门爬梯(与水力振荡无关)出现问题外,水泵水轮发电机组主机及其辅助设备(包括主球阀、尾闸及其相互闭锁控制回路)未见异常。

8 月 29 日下游水道充水完成后进行了球阀试验,分别退出 5#、6# 和 8# 球阀上游密封,球阀操作水压力有波动但很快衰减稳定,未见异常;退出 7# 球阀上游密封时球阀操作水压力出现波动。

2.3 7# 球阀上游密封投退试验及检测数据分析

8月29日经讨论决定退出 7# 球阀上游密封后,退出 7# 机球阀下游密封以观察其振荡现象。但退出 7# 球阀上游密封后,下游密封退不出,于是投入 7# 球阀上游密封,据此情况分析振荡源在 7# 球阀系统。试验中我们记录了上/下游调压井及 5# 机球阀上游的压力变化。

2.4 5# 机球阀上游侧的压力

5# 机球阀上游密封退出后,压力开始波动并不断增大(见图 3),约 2min 内其振幅达到 ±15m,振荡周期约 0.5s。2min 后投上 7# 机球阀上游密封,波动迅速衰减。

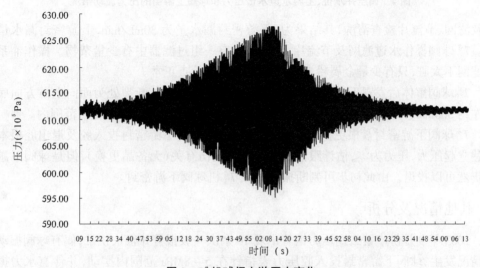

图 3 5# 机球阀上游压力变化

2.5 调压井水位、上游水道水击压力和球阀上游侧的压力波动情况

其中调压井水位波动周期 $T=97s$,上游水道水击压力波动周期 $T=5s$,两者振幅变化不大。

由于球阀上游侧的压力波动频率远高于调压井水位及上游水道水击压力波动频率,可以判断球阀振动与调压井水位及上游水道主序水击压力波动无关;而球阀上游侧的压力波动周期(约 0.5s)与岔管至球阀间的次序水击压力波动周期接近(见图 4)。因此,初步估计本次事故是由于球阀下游密封漏水产生振动并与岔管至球阀间的次序水击压力发生共振引起的。

2.6 下游调压井处测量结果

下游调压井处未测到水锤压力,测量结果是一条光滑的曲线(上/下游水道间因球阀下游密封投入及导叶关闭而隔开)。

3 7# 球阀下游密封检修

为确定 7# 机球阀密封振动原因,于 2003 年 9 月 1 日进行 7# 机上下游密封漏水量检

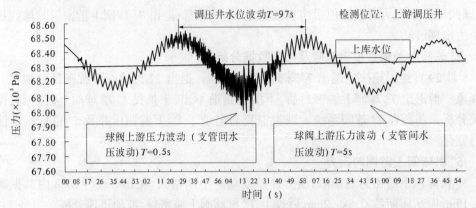

图 4   调压井水位、上游水道水击压力和球阀上游侧的压力波动情况

查及滤网、节流片检查清洗,其结果为:下游密封漏水量为 30mL/min,上游密封漏水量为零。7#球阀操作水过滤网及节流片无堵塞,但有一组过滤器中有少量杂物。操作油系统过滤网不太脏,只有少量金属粉末。7#球阀管路经检查正常。

7#球阀解体后发现下游密封投入腔密封盘根已经断裂,断裂处为面向上游方向底部偏左约 300mm,另外投入腔铜环最下侧有刮伤痕迹,密封盘根断裂也在该范围内。

7#球阀下游密封盘根更换后,做打压试验。该球阀下游密封投入腔及退出腔根本不能建立起压力,压力为零,估计跟铜环最下侧有刮伤有关(无备品更换),但是球阀下游密封仍然可以投退。由此初步可判断振荡源在 7#机球阀下游密封。

4   其他情况及分析

2003 年 9 月份广蓄二期压力钢管出现 10 余次一级报警并很快正常,偶有球阀振动异常情况发生,球阀下游密封投入腔压力表指针在 5～8MPa 范围内摆动,并伴有水力振荡的声音。其中 9 月 22 日晚 11:19,4 台机停机备用,6#机球阀下游密封又发生水力振荡,压力变化范围(38.2～88.5)×10⁵Pa,接力器带压管路发热。运行人员投入上游密封,振荡强度逐渐减弱直至消失。当有关人员到达现场后,退出上游密封,振荡再次发生,随即打开下游密封,振荡停止,当再次投入下游密封后,振荡不再出现,但下游密封投入速度很慢,下游密封投/退控制阀有持续水流声音,下游密封退出腔内有水压 10×10⁵Pa。投入上游密封或打开下游密封退出腔排水阀时,下游密封退出腔内水压消失。推断下游密封退出腔密封漏水,并由于 φ4mm 节流孔(为防止下游密封操作软管损坏而设)排水不畅引致下游密封退出腔积压,这也可能是造成水力振荡的原因之一。球阀下游密封投入腔压力表指针在 4～8.5MPa 范围内摆动,并伴有水力振动的声音。

5   问题分析及处理

5.1   5#球阀、6#球阀解体大修及 7#球阀下游密封检修

2003 年 10 月广蓄二期开始进行上游水道排水检查及 7#机大修工作。根据测量结果,5#～8#球阀下游密封均出现不同程度的漏水,而 5#和 6#球阀上游密封(检修密封)也发生漏水情况。因此,对 5#球阀和 6#球阀进行了解体大修,对 7#球阀下游密封进行

了检修。同时考虑到固体 D 型橡胶密封除具有耐磨及抗挤压性能外,抵抗扭转性能更加优越,特别适用于机械液压系统的旋转部分,因此向厂家定购了 D 型橡胶密封来替代原来的 O 型密封盘根,同时,定购球阀上下游密封铜环作为备件。

经解体检查发现,5#球阀和 6#球阀上下游密封均出现了密封铜环刮伤和密封盘根损坏,因备件定购及检修工期的原因,本次更换了 7#球阀下游密封投入腔铜环备件、6#球阀和 7#球阀下游密封使用新型的 D 型橡胶密封,对刮伤严重的密封铜环进行了喷涂加工处理,其他密封盘根则更换原备件。

检修工作完成后检测球阀上下游密封的密封及工作性能,5#~8#球阀的上下游密封漏水量为零。进行各台球阀的上下游密封投/退试验及开机试验均正常,无水力振荡情况发生。

5.2　球阀下游密封供水管路截流片问题

球阀上下游密封供水管路的回转部分使用柔性软管,以避免受到冲击发生损坏。柔性软管两侧均装有截流片(截流片 W 和 R 的详细位置见图 1)。其截流片的具体尺寸和安装情况见表 1。

表 1　球阀下游密封供水管路截流片的具体尺寸和安装情况

密封	5#球阀	6#球阀	7#球阀	8#球阀
工作密封	$W_1 = 4mm$	$W_1 = 4mm$	W_1(未装)	$W_1 = 8mm$
	$W_2 = 4mm$	$W_2 = 4mm$	W_2(未装)	$W_2 = 8mm$
	$R_1 = 4mm$	$R_1 = 4mm$	$R_1 = 4mm$	$R_1 = 4mm$
	$R_2 = 4mm$	$R_2 = 4mm$	$R_2 = 4mm$	$R_2 = 4mm$
检修密封	无	无	无	无

厂家说明球阀下游密封供水管路截流片的作用是控制球阀下游密封活动环的运动速度,不是保护柔性软管(Anamet Inc 生产的软管,生产厂家确认该软管的工作压力约 $90 \times 10^5 Pa$,极限压力约 $370 \times 10^5 Pa$),而且只有广蓄二期球阀有此密封速度控制装置,该厂生产的其他球阀均无此设计。

因球阀下游密封损坏而漏水,供水管路上安装的截流片可能导致供水不足及排水不畅等问题,可能是造成水力振荡原因之一。我们试着拆除截流片,但柔性软管被拉长甚至爆裂。

6　结语

根据以上球阀实际振动情况、试验数据及检修情况分析,此次发生的水力振荡的振源位于 7#球阀下游密封(工作密封),由 7#球阀下游密封漏水产生振动与其他球阀下游密封漏水所产生振动及岔管至球阀间的次序水击压力发生共振引起。但是,此次发生的水力振荡是否与球阀下游密封供水管路截流片有关及水力振荡的具体原因仍需进一步研究。

球阀工作密封压力开关故障导致
3 号机发电启动失败的原因分析及处理

华东天荒坪抽水蓄能有限责任公司　郭建强

[摘　要]　本文分析了天荒坪抽水蓄能电站 3 号机发电启动失败的原因,并提出了处理故障的方案和建议。

[关键词]　球阀;工作密封;压力开关;分析处理

1　事故现象

　　天荒坪 3 号机发电启动,程序执行至第五步(STEP5),因球阀开度 > 20% 条件不满足,于是检查球阀系统图画面,发现 3 号机球阀旁通阀全开、球阀工作密封退出,但球阀开度为 0,此时机组因程序故障而跳机,导致发电工况启动失败。

2　原因分析

　　机组开停机过程由机组现地控制单元 LCU 内的顺控程序控制,但对于开球阀过程,机组 LCU 只给球阀 PLC 一个开球阀命令,而具体开启步骤由球阀 PLC 控制。我们知道,球阀开启过程为退出球阀接力器锁定→开启球阀工作旁通阀→退出球阀工作密封→打开球阀阀体→关闭球阀旁通阀。其球阀阀体打开的 PLC 流程如图 1。

图 1　球阀阀体打开的 PLC 流程

　　由图 1 可知,当球阀工作密封退出,压力开关 = 03U + SL20 - S0400 动作(即 X37),继电器 = 03U + IV01 - K4 励磁,输入信号至 PLC,球阀阀芯方可打开。而我们从监控系统画面当中观察到的工作密封退出信号,是来自球阀工作密封位置开关 = 03U + IV10 - S0422/S0432,它们只作为显示,不参与顺控。但由此可知,工作密封实际应已退出,球阀却没有相继开启,因而可断定球阀 PLC 未收到工作密封压力开关动作(即 X37)信号,而最大可能为继电器 = 03U + IV01 - K4 未励磁,致使机组启动失败。继电器 = 03U + IV01 - K4 未励磁的原因有两种可能:其一, - K4 继电器故障;其二,工作密封压力开关 - S0400 故障。

3　原因查找

3 号机到停机稳态后,将其控制方式切至 LOCAL/STEP 方式,选择发电工况,单步开机。逐步确认至打开球阀命令发出,监视球阀开启过程如下:

(1)球阀接力器锁定已退出。

(2)球阀旁通阀已全开。

(3)检查球阀工作密封退出位置信号(= 03U + IV10 - S0422/S0432)已收到,但球阀阀体仍未打开。

(4)至现地检查球阀液压柜上工作密封压力表读数为 0,确认工作密封已退出。

(5)打开球阀电气柜 = 03U + IV01,检查发现继电器 = 03U + IV01 - K4 未励磁,随即更换一备用继电器,但该继电器也不励磁。由此可以断定系工作密封压力开关 = 03U + SL20 - S0400 故障,须进一步检查处理。

4　故障处理

当机组处于停机稳态时,球阀全关,工作密封投入,密封投入腔接高压水(约 6MPa),密封退出腔无压。而球阀工作密封压力开关 = 03U + SL20 - S0400 直接接于工作密封投入腔,若须处理该压力开关,须当工作密封退出,且投入腔确保无压时方可进行。因此,根据这一工作条件,我们向总调度室汇报故障情况,并申请机组紧急消缺。在获得许可后,我们制定并执行以下隔离措施:

(1)检查 3 号机在停机稳态;

(2)拉开 3 号机组安全锁定开关 = 03U + UC02 - S1000;

(3)投入球阀闭锁开启电磁阀 = 03U + SL20 - VP006;

(4)投入球阀检修密封;

(5)检查球阀检修旁通阀已关闭;

(6)关闭球阀工作密封投入腔隔离阀 = 03U + IV10 - VH014;

(7)关闭球阀工作密封退出腔隔离阀 = 03U + IV10 - VH015;

(8)关闭球阀工作密封投入腔隔离阀 = 03U + IV10 - VH018;

(9)打开球阀工作密封手动取水阀 = 03U + IV10 - VH006;

(10)打开球阀工作密封投入/退出隔离阀 = 03U + IV10 - VH016;

(11)打开球阀工作密封手压泵取水阀 = 03U + IV10 - VH020,进行泄压;

(12)检查球阀工作密封压力表压力读数为 0,确认工作密封已退出。

上述操作执行完毕,由检修人员拆下工作密封压力开关 = 03U + SL20 - S0400,发现其内附着有很多污物,造成压力开关不能正确动作。将污物清除并清洗干净,重新接入回路。然后恢复上述隔离措施,再次单步开机,球阀工作密封压力开关 = 03U + SL20 - S0400 正确动作,继电器 = 03U + IV01 - K4 励磁,球阀正常开启,机组恢复备用。

5 建议

由于球阀工作密封投入时,密封投入腔压力高达 6.4MPa,若出现 3 号机类似故障时,须进行复杂的操作,将工作密封泄压。这样既麻烦,又耽搁事故处理速度。建议将工作密封压力表手动隔离阀 SL20 – VM400 位置前移,这样不仅方便表计和压力开关校验,还能在出现故障时较方便地进行隔离,从而缩短事故处理时间。

球阀工作密封 O 型圈损坏原因分析

华东天荒坪抽水蓄能有限责任公司　楼　勇

[摘　要]　本文对天荒坪抽水蓄能电站球阀采用的密封结构型式进行了介绍,分析了球阀工作密封损坏的原因,对处理的方法提出了一些建议。

[关键词]　球阀;O型密封圈;故障检修

1　概述

天荒坪抽水蓄能电站安装有 6 台球阀,球阀为横轴双面密封球阀,采用双接力器油压操作,通径为 2m。在上、下游侧设有两道金属密封,其中上游为检修密封,下游为工作密封,均为水压操作,水压取自上游压力钢管,以便机组停机时切除上游输水道压力,减小漏水,球阀为油压操作,操作压力为 5.4 ~ 5.7MPa。球阀起着机组正常停机和事故停机截断水流的作用。球阀的开、关程序由 PLC 控制液压系统完成。

1#球阀于 1998 年 5 月投运(机组首次启动),2#球阀于 1998 年 9 月投运,3#球阀于 2000 年 2 月投运,4#球阀于 1999 年 9 月投运,5#球阀于 1999 年 11 月投运,6#球阀于 2000 年 11 月投运。自从机组投产以来,球阀工作密封曾发生多次 O 型密封圈损坏事故,制造商在保证期内认为损坏的主要原因是 O 型密封圈的硬度太低、接头不良,因此 O 型密封圈的肖氏硬度从 70 增加至 85,接头也由平接头改成了 45°的斜口接头,但从运行情况来看,并没有完全解决 O 型密封圈损坏的问题。

2　球阀工作密封主要缺陷及检修情况

球阀设备的液压操作系统运行相对稳定,但其本体而言缺陷问题较多,主要是球阀工作密封盘根损坏,导致工作密封无法操作。据统计,从机组投产以来因球阀工作密封盘根损坏而停机消缺检修的累计达 15 台次,这个问题已影响到机组的正常安全、经济的运行。下面就球阀下游密封的运行、维修情况作简单的介绍。

工作密封随进水阀的开关而退出投入,采用可拆式结构,由动、静金属密封组成。静密封用螺丝固定在球阀阀芯上,动密封为滑动式,均由不锈钢材料制造。动密封由 6.3MPa 的高压水操作,在动密封的滑动面上由 φ13 盘根密封腔体,结构如图 1 所示。

支撑环(安装在壳体上)、阀门壳体、活动环通过 O 型密封圈⑧、⑨、⑪构成投入腔,壳体与活动环通过 O 型密封圈⑨、⑩构成退出腔。当活门处于关闭状态,活动环投入腔导入压力水,退出腔接通大气,于是活动环与活门接触压紧阻断压力钢管水压;退出时,投入腔接通大气,退出腔导入压力水,活动环即退出。从图 1 可以看出,O 型密封圈⑧号是静密封(不存在问题),⑨、⑩、⑪做往复运动,设计断面直径13mm,肖氏硬度70,其整圈内径均大于2m。因最早时安装采用现场手工平头黏结的方法,出现⑨、⑩、⑪号密封圈接头脱落,或出现剥皮问题,针对以上的情况,在1999年制造商采用硫化丁腈橡胶,肖氏硬度85左右,并且厂家采用熔结的方法把接头接好。在一段时间内确实感觉效果较好,但2000年至今,仍然有多台球阀下游密封漏水无法工作,其中11号密封圈均是严重扭曲甚至断裂,同时发现⑩号密封圈仍然存在剥皮现象,⑨号密封圈偶有剥皮现象。可以说,采用加大密封圈强度及成型接头后,在一定程度上可以解决密封圈接头质量不良及剥皮损坏的缺陷问题,但是造成⑩、⑪号密封圈出现新的扭断现象。

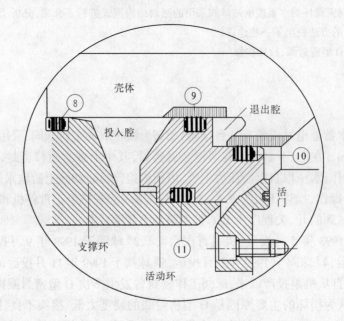

图1　球阀工作密封结构图

3　历年来有关球阀工作密封O型圈损坏情况

据统计,自机组投产以来,球阀工作密封的O型圈总共损坏13次,其中1#球阀3次,2#球阀2次,3#球阀3次,4#球阀2次,5#球阀1次,6#球阀2次,平均每1~2年损坏一次。最短为3#机,为1年,最长为4#球阀,达3.5年。历年球阀工作密封O型圈损坏情况见表1。

从历年来的球阀工作密封检修情况来看,⑧⑨⑩⑪四道盘根,⑧号盘根为静密封,检修未发现有损坏的情况;⑨号盘根和⑩号盘根的损坏情况相似,盘根有被剥开的现象,同时沿被剥开的方向有一条明显的被挤压的痕迹,⑩号盘根总有一段被挤扁(基本上是靠近密封的下端部),橡皮剥落但均未出现断开的现象,但⑨号盘根损坏次数比⑩号盘根少;⑪号盘根在2001年2月前损坏主要原因为其黏结口断开漏水,此后制造商采用45°斜接口替代原平接口,接口在厂家黏结成型。采用斜接口后只有6#机出现脱胶,其余在近两年来先后有3台机组出现扭曲断裂情况。

表1　历年球阀工作密封 O 型圈损坏统计表

球阀号	损坏日期	损坏 O 型密封圈位置号
1#	1998 年 5 月 2000 年 10 月 2002 年 3 月	314703 – ⑩ 销钉损坏，更换肖氏硬度 85
2#	2001 年 4 月 2004 年 4 月	314703 – ⑩ 314703 – ⑨,⑪(肖氏硬度 85)
3#	2001 年 4 月 2003 年 1 月 2004 年 5 月	314703 – ⑨,⑩,⑪ 314703 – ⑩(肖氏硬度 85) 314703 – ⑪
4#	2000 年 10 月 2004 年 2 月	314703 – ⑪
5#	2001 年 5 月	314703 – ⑨,⑩
6#	2001 年 2 月 2003 年 6 月	314703 – ⑩ 314703 – ⑩,⑪

4　球阀工作密封损坏可能原因

　　制造商保证期结束后，O 型密封圈仍多次发生损坏，平均每 1~2 年损坏一次，我们也曾多次讨论分析，从球阀工作密封盘根损坏情况统计看，⑨,⑩盘根都有被剥开的现象。工作密封的投退就是通过压力钢管的压力水作用于活动环上的投退腔来实现。投退腔依靠 314703 – ⑧,⑨,⑩,⑪四道盘根来密封，其中⑩盘根槽的宽度为 17mm，深为 10mm，⑨号盘根槽宽度为 15mm，深为 9.5mm，也就是说 φ13 的盘根最大压缩后两侧还没有碰到。另⑩号盘根槽靠阀体侧一端比另一侧要低 0.30~0.50mm，并且单侧厚度较薄，去掉倒角只有 2mm，⑨盘根槽靠阀体侧厚度也较薄，去掉倒角只有 2mm。同时可能由于工作密封环自重造成⑨、⑩号盘根与阀体的配合间隙发生变化，一侧变大一侧变小，在投退密封活动环来回移动过程中或单侧受压时⑨、⑩号盘根容易被挤进密封环和阀体间的间隙，虽是一小部分，运行时间长了，就会渐渐被剪切咬伤，而且一旦密封破损，将加剧密封的剥开。我们分析认为损坏主要原因有以下几个方面：

　　(1)球阀工作密封环与球阀阀体的间隙不合理(经测量工作密封环与球阀阀体内侧间隙为 0.60~0.65mm，在设计范围内)，且密封环存在自重也可造成间隙不均匀；

　　(2)球阀工作密封的 O 型密封圈槽尺寸偏大；

　　(3)球阀工作密封动作频繁，对比上游检修密封就未发生此现象(更换上游密封的 O 型密封圈需排空上游输水道)；

　　(4)球阀工作密封动作速度过快。

5　建议及措施

　　球阀 O 型密封圈整改后观察效果的周期较长,且密封损坏后更换的时间也较长,损失较大。球阀是水泵水轮机较为重要的安全隔离部件,我们曾经提出整改方案(如在密封圈槽内增加补偿垫等)交制造商确认;复核测量球阀工作密封的有关尺寸,传真给外商分析;对密封损坏情况做好统计分析和记录。加强 O 型密封圈或其他相关备品备件的准备工作,做好抢修准备。

　　应进一步分析其原因、结构形式是否合理,改变密封的型式(如采用 U 型或 X 型)和材料,在密封回路上增加节流片,以控制其动作速度。

天荒坪抽水蓄能电站水泵水轮机
导叶推力装置改造

华东天荒坪抽水蓄能有限责任公司 倪晋兵

[摘 要] 本文介绍了天荒坪电站水泵水轮机导叶在初期运行时出现端面磨损的问题,以及对导叶推力装置所做的改造。

[关键词] 导叶;端面间隙;装置改造

天荒坪电站水泵水轮机为可逆式抽水蓄能机组,既可以抽水也可以发电。水泵水轮机工作水头在 525~610m 之间,流量变化范围为 40~80m³/s。天荒坪电站 1# 机组在投产运行一年后,检查发现 1# 水轮机 26 个导叶上、下端面及顶盖、底环抗磨板存在严重的刮伤及磨损,尤其是导叶上端面与顶盖抗磨板的磨损最为严重,26 个导叶全部返厂修补,顶盖与底环抗磨板在现场进行补焊打磨处理。

1 水轮机导叶机构

如图 1 所示,水轮机导叶机构主要由导叶、上下套筒、导叶推力装置组成。导叶的高度为 262mm,单个导叶重 700kg。改造前导叶上、下端面合成间隙为 0.30~0.60mm,其中导叶上端面与顶盖抗磨板之间间隙 0.10~0.20mm,导叶下端面与底环抗磨板之间间隙 0.20~0.40mm。

导叶推力轴承改造前的结构如图 2 所示,它主要由端面防沙密封 A、导叶下托盘 B、间隙调整螺栓 C、锁定螺母 D 及连接螺栓组成。其设计思路是导叶在自身重力作用下,具有向下移动的趋势,导叶推力轴承的作用主要是防止导叶在机组运行中下移,造成导叶与底环抗磨板的碰撞。从

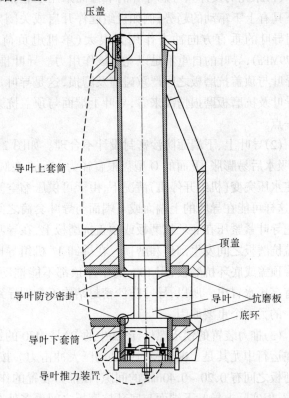

图 1 导叶机构图

实际的运行情况来看,导叶推力轴承并未起到很好的效果,导叶上、下端面与底环、顶盖抗磨板之间均存在严重的碰撞及磨损。

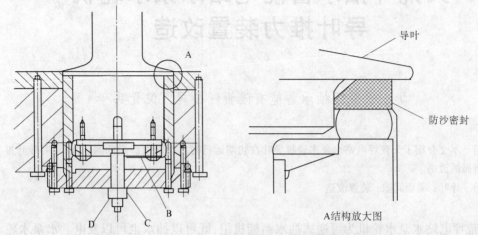

图2　改造前的导叶推力轴承

2　原因分析

(1)原先的设计只考虑导叶的下移而采用了止推装置。实际上导叶在复杂的运行工况下具有上下窜动的趋势,例如机组起停开启或关闭导叶时,水流的作用力十分复杂,水流对导叶的垂直方向冲击作用力很大(单机甩负荷水轮机蜗壳最大压力可以上升至7.779MPa),导叶的自重不足以克服该作用力。导叶推力装置又不能限制导叶的上移,导致导叶与顶盖抗磨板之间严重碰撞及磨损,这是导叶磨损的一个重要原因。从拆卸下来的导叶及抗磨板磨损情况来看,导叶上端面与顶盖抗磨板之间磨损最严重,可以充分说明这一点。

(2)导叶上、下端面防沙密封设计不合理。如图2中的A所示,防沙密封采用塑料材料,吸水后易膨胀,下面的O型盘根直径为12mm,在圆周方向有10mm的断口。该防沙密封在水压突变(机组开停机)情况下,由于可供压缩空间很小,它会被挤压成一个完整的密封,这样可能在导叶的上端面或下端面与导叶套筒之间形成一个高压水腔,该水腔作用力会把导叶紧紧压在底环抗磨板或顶盖抗磨板上,在导叶再次动作时,会导致导叶与底环或顶盖抗磨板之间发生刮伤和磨损。在拆卸1#机组导叶时发现很多导叶在排水后仍紧紧贴着顶盖或底环抗磨板,用100t的千斤顶都不能推动它,在拆开导叶套筒后发现该处确实有高压水冒出。所以,导叶防沙密封结构不合理导致了高压水腔的产生,这是导叶产生磨损的另一个重要原因。

(3)推力装置的锁定螺母(图2中的B)是M30的螺母,强度过于单薄,不足以承受导叶在运行中尤其是工况转换时受到的巨大冲击力。按照原先的设计,导叶下端面与底环抗磨板之间有0.20～0.40mm的间隙,在推力装置的作用下,二者之间不应该存在摩擦与碰撞,但实际上导叶下端面与底环抗磨板之间也多处有磨损现象,说明导叶也有下移的情况发生。在拆卸过程中,我们也发现很多导叶该锁定螺母有不同程度的松动。

3　解决办法

针对上述情况,我们在原先的结构基础上对导叶推力装置进行了以下改造,改造后的导叶推力装置如图3所示。

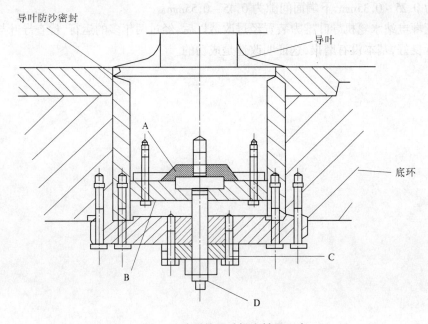

图3　改造后的导叶推力轴承示意

3.1　增加了导叶推力装置对导叶的下拉功能

即在导叶上移时利用挡块(图3中的A)与导叶下托盘(图3中的B)的相互作用把导叶往下拉。挡块通过联结法兰和螺栓与水轮机底环连接起来,导叶通过连接螺栓与下托盘相连,挡块与导叶下托盘的上、下端面间隙为0.2mm(用于平时调整导叶上、下端面间隙),也就是导叶上下移动的允许范围为0.20mm。同样,导叶下移时受到支撑法兰(图3中的C)向上的作用力,从而使导叶的上、下移动均限制在0.20mm范围内。

3.2　改进了导叶防沙密封

(1)密封材料由塑料改为青铜材料,新的密封材料不会吸水膨胀。

(2)防沙密封的外侧间隙增加至0.15mm,并在防沙密封的一周开了四条1mm×2mm的小槽,使导叶的上、下端面均与过流道相通,避免形成高压水腔。

(3)防沙密封下面的O型盘根直径由12mm减小为8mm,提供密封圈更大的膨胀空间,O型盘根断口接缝10mm增加至20mm,保证内外径间压力平衡。

新的防沙密封结构不会在水的冲击作用下使导叶的上、下端面形成高压水腔,减少了导叶的上、下端面磨损及刮伤。

(4)把推力装置原先的锁定螺母更换为支撑法兰(图3中的C)的型式,调整螺栓(图3中的D)的螺牙由粗牙改为细牙,从而改善调整螺栓的受力,增加了推力装置的抗冲击能力。

　　(5)增加了导叶上、下端面的合成间隙。原先的导叶端面合成间隙为 0.3～0.6mm,理论上此间隙虽然可以满足运行要求,但为了避免在实际的运行中,偶然的因素可能会导致导叶上下移动造成导叶的磨损,加大了导叶的端面合成间隙。通过在底环与座环连接螺栓加垫的办法,使导叶端面合成间隙增加为 0.6～0.8mm,并根据受力情况,调整导叶上端面间隙为 0.25～0.35mm,下端面间隙为 0.45～0.55mm。

　　天荒坪电站水轮机导叶推力装置经过改造以后,经过两年多的运行,检查导叶与抗磨板均运行良好,基本没有磨损,这证明改造是成功的。

广州蓄能电厂 B 厂接力器漏油问题

广州抽水蓄能有限公司 谈进昌

[摘　要] 本文主要对广州蓄能电厂 B 厂机组调速器接力器漏油原因进行分析并对其漏油情况提出各种改造方案,最终得到了解决。

[关键词] 接力器漏油;轴封磨损;缺陷改造

1　概述

广州蓄能电厂 B 厂采用单导叶接力器,每个接力器驱动一个导叶,共有 20 个,接力器一端与拉锚环(固定环)铰链式连接,另一端与导叶拐臂连接,接力器可以在一定范围内摆动。接力器主要由缸体、活塞、推拉杆和前后端盖等组成,活塞由螺帽把合在推拉杆上,推拉杆与导叶拐臂连接,前端盖处轴封由铜环、压盖与密封盘根组成。接力器结构图如图 1 所示。

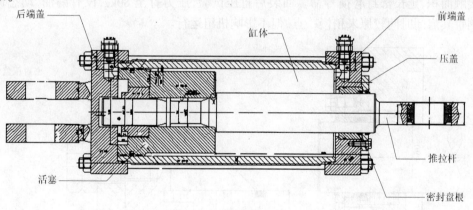

图 1　接力器结构图

接力器主要技术参数:

活塞直径:	200mm
推拉杆直径:	90mm
接力器最大行程:	280mm
操作油压:	$6.4 \times 10^6 Pa$

2　接力器漏油原因分析

B 厂机组投产后,调速器接力器个别开始有渗漏。2001 年,调速器接力器漏油情况加剧,特别是5#、6#机漏油的情况比较严重,严重时调速器每天需补油一次,对接力器外观检查时发现其前端轴封处大量漏油,为了进一步了解漏油情况,拆出接力器进行解体检查,检查发现:

(1)接力器两个腔内均有很多脏物,其中关闭腔比较多,脏物中有相当部分是铜末。

(2)导向铜环内环上方有明显的磨损,测量最大处有0.2mm的磨损量。

(3)铜环上的密封圈已经损坏,其中上方损坏尤为严重。

(4)接力器活塞杆上表面有一些磨损。

根据以上情况,分析认为,在机组运行时,接力器处在开启状态,接力器在重力和振动作用下,活塞杆与定位导向的铜环接触摩擦,铜环材料较软。因此,铜环内圈上部受到磨损,当磨损到一定程度后,活塞杆开始与不锈钢压盖接触摩擦,因为压盖与活塞杆硬度相当,使得两者都受到磨损,活塞杆的几个磨损比较严重的位置是处在几个常用的开度与压盖接触的位置,当活塞杆被磨损后,推拉杆表面摩擦系数增大,又进一步加剧对密封的磨损,出现恶性循环现象,最终导致密封损坏,接力器漏油。

3　处理方案及效果

考虑到原轴封仅靠一道盘根进行密封,其寿命是有限的,参照阀门填料密封的原理,重新设计加工出一套推拉杆轴封装置(见图2),同时将原来的铜套和压盖更换掉,该密封装置设置了4道O型密封盘根,利用压盘对4道盘根进行压紧,增加密封与接力器推拉杆的接触面积,延长密封磨损寿命。回装后打压试验,压力打至80kg,没有漏油,动态调试时测量其启闭时间较原来稍慢一点,但不影响机组运行。

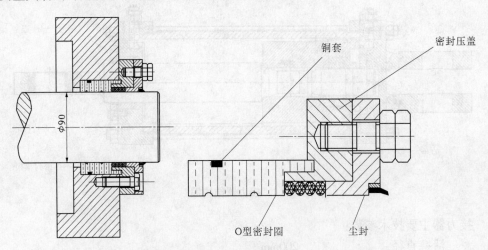

铜套　　　　密封压盖

Φ90

O型密封圈　　　　尘封

图2　新加工的一套推拉杆轴封装置示意

机组运行半年后,发现个别出现有渗油现象,考虑到作为日调节型的抽水蓄能机组每天接力器均要开启多次,接力器数量较多,常对密封进行紧固或更换,势必增加检修工作量及机组可用率。后与VOITH厂家磋商,研究决定对其进行彻底的改造。其改造方案如下:

(1)修复活塞推拉杆受损的表面,对其表面进行喷涂处理。

(2)对轴封进行彻底改进,增加密封的耐磨性及接触面积(见图 3)。

(3)利用几种不同类型及规格的密封(方型及 U 型)进行密封,提高新型轴封的可靠性。

(4)利用耐磨的三圈氟基橡胶密封套替代原铜套,减少因接力器在重力和振动作用下推拉杆的磨损,同时橡胶还有减振的作用。

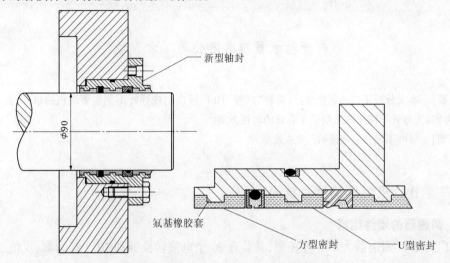

图 3　改进后的推拉杆轴封装置示意

通过此次改造,B 厂 4 台机组运行至今仍未发现接力器有漏油现象,彻底解决了接力器漏油问题。

4　结语

抽水蓄能机组担负电网调峰调频任务,其启动次数肯定较常规机组频繁,在设计上应充分考虑其差异,增加其设计裕量。广蓄 B 厂接力器漏油改造是成功的,本文希望能对具有同类型密封的设计、改造提供借鉴作用。

广州蓄能电厂 B 厂调速器导叶
不同步故障研究

广州抽水蓄能有限公司　方　竣

[摘　要]　本文分析了广州蓄能电厂(简称"广蓄")B厂屡次出现导叶不同步而跳机的事件,并提出了解决方案,为导叶不同步故障提供了有效的监视方案。

[关键词]　导叶不同步;调速器;实施效果

1　广蓄 B 厂机组调速器系统简介

1.1　调速器的硬件组成

广蓄 B 厂调速器为单导叶控制,共装有 20 个电液转换器和 20 个接力器,反馈装置也为 20 个,单导叶控制的优点主要有:

(1)取消剪断销;

(2)无接力环,元件小型化易于维护;

(3)水导轴承拥有足够的检修空间。

1.1.1　PLC 控制单元

广蓄 B 厂调速器控制单元共由 3 个 PLC 组成,其中 PLC1 和 PLC2 互为热备用,在任何情况下均可对其中的一个 PLC 进行停电维修,提高了可用率。PLC1 和 PLC2 主要有逻辑控制、PID 运算、系统管理等功能。PLC3 为单导叶控制,完成各电液转换器的开度输出和监视功能。

1.1.2　放大单元

PLC3 计算出导叶开度分别送至 20 个放大器单元 VCA3 中,由 VCA3 再经简单计算将弱信号放大至 0~300mA 电流信号送至电液转换器,电液转换器将电信号转换为接力器行程。

1.1.3　执行单元

由 20 个接力器分别驱动 20 个导叶,接力器的全行程为 262.50mm。

1.1.4　测量单元

(1)2 路齿盘测速信号,齿盘齿数为 12 个。

(2)1 路网频信号取自主变低压侧 PT。

(3)1 路功率测量由功率变送器而来。

(4)水头信号与机组 RTU 通信获得。

1.2　调速器功能框图

1.2.1　PLC1 与 PLC2

PLC1 与 PLC2 的功能完全相同,正常情况下 PLC1 主用、PLC2 备用,当主用故障时可自动切换到备用方式下运行。

调速器的 PLC 采用的是 32 位的微处理器,每块 CPU 卡使用两个 CPU 芯片协调工作,可运行不同的控制程序,PLC1 的 CPU0 主要进行 PID 计算,CPU1 主要进行逻辑控制;各 PLC 之间通过 RS485 进行数据的交换;PLC 与 RTU 通过 I/O 进行数据交换,模拟量采用 4～20mA信号。

1.2.2　PLC3

PLC3 与 PLC1 的 CPU 结构相同,也采用双 CPU 协同工作。它的主要功能有:

(1)完成导叶开度控制;

(2)完成导叶的同步控制;

(3)监视导叶的同步保护。

1.2.3　VCA3 放大器卡的主要功能

VCA3 放大器卡的主要功能包括:

(1)将 PLC3 的开度设定信号放大;

(2)驱动电液转换器;

(3)导叶同步信号校正;

(4)产生 125Hz 的振频信号,保护电液转换器;

(5)手动控制导叶的开关。

1.2.4　电液转换器的主要功能

电液转换器的主要功能包括:

(1)执行开度控制信号,驱动主配压阀工作;

(2)产生 125Hz 的频率信号,防止电液转换器和主配压阀阀芯卡塞。

1.2.5　导叶及导叶接力器

(1)接力器的全行程:262.5mm,压紧行程 1.7mm;

(2)导叶的转角为 26°(4～20mA);

(3)导叶的开关时间:全开 25s,全关 38s;

(4)关闭规律:采用一段关闭。

1.3　调速器的运行模式

调速器运行可分为以下主要几种方式。

1.3.1　速度控制

在发电工况和 SR 工况即旋转备用工况中使用。根据速度设定值来完成转速控制。在机组启动过程中采用了分两段开导叶的方法,在速度到达预定值时提前投入 PID 控制,速度控制的计算周期为 30ms。

1.3.2　负荷控制

完成机组负荷控制功能,在发电工况调速器接到负荷设定值时首先按照内部的负荷开度曲线查出导叶的开度值,打开导叶至预定值,同时投入 PI 控制,做到既快速又准确地完成负荷控制。

在水泵工况中调速器计算出水头信号再按照水头—开度曲线查出相应的开度值打开导叶,不做任何调整。

1.3.3 孤网运行

· 当机组并在一个小系统中,机组提供网络的大部分负荷。

1.3.4 B.T.B方式

机组作为拖动机拖动其他机组至同步转速,导叶按预设的曲线开启。

1.4 Control Loop 的构成

B 厂的导叶共有 20 个,为了精确控制每个导叶的开度,各导叶均有相应的独立精密元件,这些元件构成了 20 个闭环控制系统,任意一个独立元件故障均可导致控制环故障,而控制环故障又可直接导致机组的快速停机。各控制环主要由以下几个部件构成:

(1)PLC3 的开度设定值模拟量输出卡,该卡公用,采用电压并联方式送至 20 个 VCA3 卡;

(2)VCA3 卡(20 个);

(3)电液转换器(20 个);

(4)主配压阀(20 个);

(5)导叶接力器(20 个);

(6)导叶(20 个);

(7)导叶开度传感器(20 个);

(8)模拟量分配模块,将开度信号分配至 PLC3 的模拟量测量通道和相应的 VCA3 卡(20 个);

(9)PLC3 模拟量测量卡(20 个通道)。

2 调速器导叶不同步跳机

2.1 B 厂调速器设备目前的运行情况(存在问题)

B 厂调速器采用单导叶控制模式,通过控制单元、放大单元、执行单元和反馈测量单元形成 20 个闭环回路对导叶开度及机组转速进行控制。自 B 厂机组投产以来,4 台机组屡次出现导叶不同步而跳机的事件,但由于该调速器系统缺乏有效的监测手段对其内部的运行情况进行监测,以便在出现故障时能作为判断依据,技术人员一直无法确切找到导致导叶不同步的真正原因而采取有效的措施防止此类故障的再次发生。

2.2 调速器导叶不同步跳机现象分析

目前导叶不同步的判断标准是单个导叶开度与导叶开度平均值相比较,如果相差大于 3% 且持续时间超过 3s,PLC1 将产生 opening control loop failure 信号,该信号一路在 SAIA 程序中经或门产生 com.shutd.alarm 信号送 RTU 硬布线跳机;一路从 PLC1/2 输出与其他 4 个信号硬布线并接在一起产生 turb.Gov.fault(group signal)信号送 RTU 硬布线跳机。

2.3 调速器导叶不同步的具体原因分析

B 厂自投产以来,调速器就存在着一个遗留难题:导叶不同步跳机。这个问题困扰着机组的安全运行。据不完全统计,2002 ~ 2004 年间,7# 机发生 1 次导叶不同步跳机事件;

5#机发生两次;6#、8#机各发生 4 次;另外还有导致 P 工况启动失败的案例。这个问题严重地影响了电厂的生产指标的完成,因此解决这个问题势在必行。

经过对历年来 B 厂调速器导叶不同步跳机事件进行统计分析后,我们发现大部分跳机事件都发生在 P 工况运行几小时后。P 工况稳定运行时,导叶开度是恒定的,既然已运行了几小时,说明机械回路方面在这时候出问题的可能性相对就小了很多。由于导叶开度恒定,所以不存在机械回路发卡的问题;如果是压力回路漏油,只要控制回路是好的,它就会自动计算调整导叶开度直至正常。

调速器控制回路框图如图 1 所示:

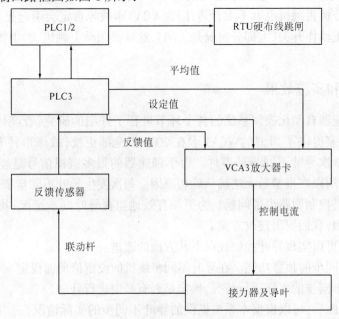

图 1　调速器控制回路框图

目前,我们已获知调速器导叶不同步唯一的一个判断数据就是反馈传感器得到的电流值,因此引起跳机的可能原因有二:一为反馈传感器误差,传感器误差又会引起 VCA3 卡计算误差;二为 VCA3 卡故障。

如果为反馈传感器误差所致,那么导致反馈传感器误差的原因不是振动使传感器部件松动,就是传感器本身电子元件误差。如果是电子元件误差,那么不应该绝大部分跳机都在 P 工况时发生;如果是振动导致传感器部件松动,比较水导振动值发电工况比抽水工况还大,应该发电工况更容易跳机,但事实不是这样,因此反馈传感器故障引起跳机的可能性小。

下面分析 VCA3 卡故障的情况。我们知道导叶在开启过程中有一个基本恒定的控制电流,在关闭过程中也有一个基本恒定的控制电流,在导叶开度不变时有一个平衡电流保证阀芯连杆处在平衡位置,这时开启和关闭油压回路都不导通,因此开度稳定。也就是说,在抽水工况下,只要是稳态,VCA3 卡发出的控制电流就一直为平衡电流。在这种情况下,一旦平衡电流发生突变,导叶开度将开大或关小,如果在 3s 之内不能恢复,机组就将跳闸。那么为什么 P 工况更容易跳闸呢？在 P 工况下机组负荷稳定,控制电流保持基本恒定,会造成 VCA3 卡中一些电子元件某些部位长时间过热,从而造成该部位电子元件的物理特性改变而引起控制电流突变,从而造成机组跳闸;更严重的甚至会造成电子元件损坏而导致 VCA3 卡故障。而发电工况时机组负荷是频繁变化的,哪怕是几兆的小变化,因此导叶开度会经常改变,VCA3 卡控制电流也就经常会在开启、关闭和平衡电流之间变化,这样造成类似前面所述损害的可能性就相对减小,因而跳机的几率也就比 P 工况低。经过上述分析,VCA3 卡故障引起跳机的可能性非常大。

如果真是因为 VCA3 卡故障引起的跳机的话,那么将导叶不同步信号引出来与其他信号进行综合分析再跳机也就不太合适,因为 VCA3 卡故障肯定会引起控制电流变化,从而导致导叶真正动作开关(大部分情况是关闭),这样必须马上跳机,否则就会造成对机械设备的损害。

3 解决方案和实施效果

我们对调速器自动化控制系统的各个环节进行了仔细的研究,曾经怀疑 VCA3 放大器卡有问题,厂家提供了新型的 VCA3 卡在 2003 年全部更换,故障事件有所减少,但是 2004 年仍发生 3 次导叶不同步的事件。由于调速器的很多监视信号是经过全部集成后才发送给 RTU,所以在报警后无法确认确切原因。每次发生导叶不同步事件后,很难确定是机械元件还是控制回路出了问题。为更加有效地监视导叶同步情况,找出引起导叶不同步的真正原因,我们提出技改方案。

通过技改,可以实现导叶控制在以下几方面的改进:

(1)导叶不同步的预警功能。在导叶不同步跳机的设定值前面设定一个报警值,用于提前知道导叶不同步的实际运行情况,确定是否有必要进行处理。

(2)项目实施后,可以根据本系统提供的导叶不同步的实际情况,适当修改导叶的开度不同步设定值,以提高机组的可靠性。

(3)把调速器集成的报警信号通过新的 PLC 送给 RTU。

(4)导叶不同步的各个环节的监视。对导叶监视的电气控制回路的设定值、平均值、反馈值以及发送给电液转换器的电信号进行监视,一旦发生故障时能根据这些信号确定故障所在。

本技改方案安全可靠,新加的 PLC 不会影响目前运行的调速器 PLC,也不会影响导叶的控制,目前已在 5#、8# 机组实施完成,为导叶不同步故障提供了有效的监视方案。

3.1 技术方案

技术方案系统框图如图 2 所示(以 5# 机为例)。

3.2 设计思路

在调速器系统现有的 3 个 PLC(型号为 SAIA PCD4.M445)基础上,增加一个新的 SAIA PLC,由这个新 PLC 通过 RS422 及原有的 RS485 接口将调速器的导叶开度值、平均值、开度差值、20 个导叶不同步跳机信号及其他报警跳机信号读出来,同时从 VCA3 卡中取导叶开关控制电压(转化为 2~10V),在这个新 PLC 中设置导叶不同步一级报警(2%)和二级报警(3%即跳机值),然后再通过以太网将上述所有变量送到 WINCC 显示打印报警。另外,通过硬布线从新 PLC 中输出导叶不同步一级二级总的开关量报警信号给机组 RTU,由 RTU 把该信号送给上位机的报警站。

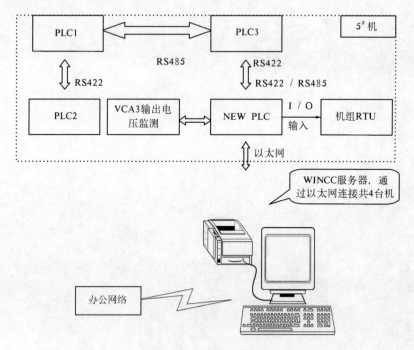

图 2　技术方案系统框图

3.3　实施效果

　　该技改方案在 5#、8# 机实施后,现在可以在上位机上看到导叶的开关情况及实时开度反馈值和开度差值。通过查看导叶开度差值我们可以清楚地获知导叶开度同步的好与坏,同时如果开度差值超过 2%,在 eventlog 上将会有报警值,这样就可以提前知道导叶的运行状况,为状态监测和日常维护提供了有效的依据。从目前的运行情况看,实施效果显著。

三、发电电动机及其附属设备

十三陵蓄能电厂 3 号发电机定子绝缘接地故障处理及分析

十三陵蓄能电厂　赵贵前

[摘　要]　本文介绍了十三陵蓄能电厂 3 号发电电动机定子铁芯硅钢片径向位移,深入槽内割破定子绝缘而产生定子接地故障;同时,也介绍了发电机抢修过程及所进行的试验,分析了可能导致故障的原因。

[关键词]　铁芯故障;定子接地;发电电动机

1　设备简介

十三陵蓄能电厂共安装 4 台 ELIN 公司制造的三相、立轴、空冷、半伞式可逆同步发电电动机,定子绕组为双层叠绕组,并联支路数为 3,定子槽数为 180。定子铁芯分 2 瓣,在现场组装,铁芯采用 1/2 叠片方式,沿圆周每片跨 12 槽,每层共 15 片。铭牌数据如下:

型号:SSV482/12 - 300　　　　视在功率:222MVA
有功功率:218MW　　　　　　功率因数:0.9(发电机),1.0(电动机)
额定电压:13.8kV　　　　　　额定电流:9 288A
转子电压:154V　　　　　　　转子电流:2 134A
额定转速:500r/min　　　　　飞逸转速:725r/min
定子温升:80℃　　　　　　　定、转子绝缘等级:F 级

此机组于 1996 年 12 月投入运行,为电厂的 3 号机组。

2　故障发生及查找过程

2002 年 10 月 4 日 13 时 12 分,发电机运行中定子 100% 和 80% 接地保护动作跳机。用 2 500V 摇表摇定子绝缘为零。在定子上施加电压,逐渐加大电流直至约 10A 时,在 113 号槽线棒的上端部,见到黑烟,确定短路点为 113 号槽的定子线棒接地短路。

3　故障处理过程

将定子从机坑中吊出,为了找到短路点的具体位置,要抬出线棒进行检查。为此,拆除部分上层线棒,直至能拆除 113 号槽的下层线棒。

对拆除的 113 号槽下层线棒进行检查,发现故障原因是下端部的环形压板滑动,深入槽内,切割线棒绝缘,为绝缘破坏所致(如图 1 所示)。由于每片硅钢片跨 12 个槽,因而与此关联的 12 个底层线棒都需要抬出,这样总共抬出了 12 根下层线棒和 24 根上层线棒。

经实际测量发现,最严重的 113 号槽,硅钢片伸出槽底约 2.5mm,而绝缘的厚度仅为 3mm。12 根下层线棒全部严重受损,已无法在现场进行修复。由于硅钢片移动量非常大,经实际测量,4 根穿心螺杆的绝缘护套已被硅钢片割破,与铁芯短接在一起。

仔细检查铁芯下端部的其他部分,发现圆周方向的另外 14 片第一阶梯齿的第一层硅钢片中还有 3 片也产生了径向位移,但位移都不太厉害。通过耐压试验及径向位移量测量,认为虽然已经损坏了绝缘,但短期内不会造成绝缘击穿,由于抢修时间紧、任务重,决定在机组大修时再做处理。

另外,对定子铁芯压紧螺杆的紧力做了检查。检查的标准是按照制造厂规定并结合现场液压工具尺寸计算后得到的 $531 \times 10^5 \mathrm{Pa}$ 进行。通过检查发现铁芯松动严重。

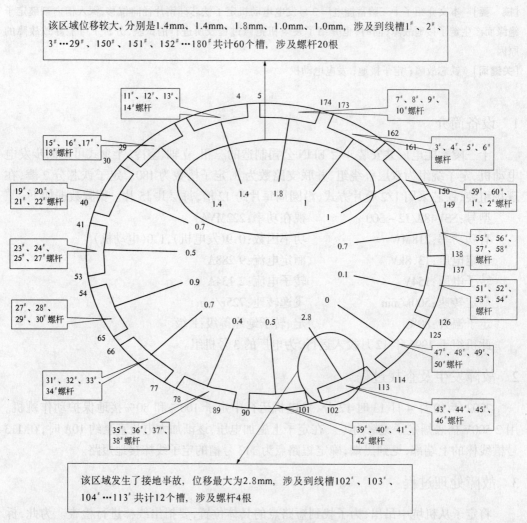

图 1 3 号机组硅钢片的位移情况示意图

鉴于上述情况,处理方法为:

(1)将绝缘护套已损坏的穿心螺杆拔出,更换了绝缘护套。然后对全部 60 根穿心螺杆作紧力恢复。

(2)将已抬出线棒的槽底进行处理。将突出槽底的铁芯打磨平整,直到叠片没有突出槽底的部分、叠片间没有可见的毛刺等物;然后在损坏区域进行酸洗;最后涂上环氧树脂。

(3)将已有径向移动的叠片、定子最下端部的5～8片硅钢片在背部(定位筋附近)进行了焊接,这样确保定子铁芯不会再产生径向位移。

4　修复及修复过程中所进行的试验

对拆出的上层线棒和备用线棒逐根进行了耐压(40.45kV)、介损、局放试验,局放电压为2kV、4kV、6kV、8kV、10kV,介损测量电压为3kV、5kV、10kV。对27根旧线棒进行了上述试验,试验结果全部合格。大多数线棒在10kV时,局放量都在1 000～2 000pC,只有一根为6 400pC,虽然符合标准,但从长远考虑没有使用这根线棒,作为今后的备用线棒。

对16根备用线棒进行了上述试验,全部合格,局放量明显小于旧线棒,一般为100～200pC。对留在槽中的剩余线棒进行了耐压、介损、局放试验,也全部合格。

绕组重绕过程及全部结束后,对发电机绕组进行了耐压试验(试验电压如表1所示)和局放试验。

表1　试验电压计算公式和实际电压情况

序号	阶段	电压计算公式(kV)	实际电压(kV)
1	线棒下线前	$2.75U_n + 2.5$	40.45
2	下层线棒下线后	$0.75(2.0U_n + 2.0)$	22.2
3	上层线棒下线后,与上层线棒同试	$0.75(2.0U_n + 1.0)$	21.45
4	引线包完绝缘后,定子完成(分相)	$0.75(2.0U_n + 3.0)$	22.95
5	电机装配完成之后(分相)	$1.5U_n$	20.7

5　故障分析

发电机运行时铁芯要发热膨胀,温度比机座温度高,并且两者的膨胀系数不同。如果定子和定位筋紧紧靠在一起,运行后铁芯发热膨胀受到定位筋的限制,不能自由膨胀,就会产生扭曲变形和内径缩小现象。解决这个问题的办法有二:一种是热预紧力方法,即将叠压好的铁芯加热到工作温度,在热膨胀情况下确定定位筋的位置。这种方法使得定子铁芯和定位筋之间在运行温度下没有应力,但当发电机定子处在冷态时,可能会在定子铁芯和定位筋之间有应力。因此,很多厂家采用另一种方法,即预留间隙方法,在定位筋与铁芯之间预留热膨胀间隙。这样,不管是在运行中还是在冷态下,铁芯和定位筋之间都不会有较大的应力,ELIN公司就是采用了这种方法。

另外,发电机在运行中,定子铁芯会受热膨胀。由于端部受热不均匀,材料的膨胀系数不同,铁芯和端部紧固件之间会产生位移。为消除这种受热膨胀带来的应力,国内的水轮发电机制造厂家一般将压指和环板焊接在一起,将滑移层选在环板和铁芯之间,即环板和压指之间不能产生位移,环板和铁芯之间可以产生位移。ELIN公司的设计思路不同于国内厂家,它的滑移层选在压指和环板之间,环板和下面的铁芯一同收缩、膨胀,它们之间不会产生位移。

故障的发生与设计上存在的偏差有关,滑移层变在了环板和阶梯齿之间,同时由于穿心螺杆紧力没有在投产后及时进行检查,而且上导油雾造成整个定子污染相当严重。诸多因素综合造成了环板滑动深入槽内,割破定子绝缘,造成定子接地。在环板与定位筋处,有明显的变形,是很大的热膨胀力造成的。

根据相关参考文献,预留间隙可以用如下公式计算:

$$D_0 = \frac{K}{2}(D_a + D_i + 2h_s) \cdot \alpha \cdot t_0$$

$$\delta_0 = \frac{D_0}{2} = \frac{K}{4}(D_a + D_i + 2h_s) \cdot \alpha \cdot t_0$$

式中:D_0 为铁芯径向热膨胀量;δ_0 为单边热膨胀间隙;K 为与铁芯压紧程度有关的系数;D_a 为铁芯外径;D_i 为铁芯内径;h_s 为铁芯槽深;α 为硅钢片热膨胀系数;t_0 为铁芯与机座之间的相对温差。

从以上二式中可以看出,预留间隙值是与铁芯与机座之间的相对温差、硅钢片热膨胀系数有关的。由于缺乏设计资料,不能进行具体的计算,但推断产生的原因可能有:

(1)设计时计算预留间隙不合适,造成铁芯膨胀变形,而深入槽内。

(2)铁芯端部漏磁较大,造成端部铁芯过热而过度膨胀,深入槽内。

(3)加工不当,造成滑移层摩擦系数的改变,从而改变了滑移层的位置。

(4)紧力螺杆没有在投产后及时进行紧力检查,造成铁芯松动。

(5)上导油雾严重污染了整个定子,使得压指板更容易滑动。

因此,这次故障是由于设计或制造不当及后期维护不到位引起的发电机定子铁芯深入槽内,割破绝缘引起的发电机定子接地短路故障。

十三陵蓄能电厂3号发电机定子绕组防晕检修处理

十三陵蓄能电厂 赵贵前

[摘 要] 发电机定子绕组防晕不仅是发电机制造工艺的一项重要要求,也是运行检修重点监测的项目,在绕组端部区域,由于电场强度相对较大且极不均匀,最容易发生电晕,本文就十三陵蓄能电厂3号机组定子绕组防晕层故障作了分析,并介绍了检修处理的方法,为电力同行类似问题的解决提供了一定的参考和指导作用。

[关键词] 电晕;线棒防晕层;起晕电压;检修处理

十三陵蓄能电厂3号发电机为奥地利制造的三相、立轴、空冷、半伞式可逆同步发电机/电动机,定子绕组为分数槽双层叠绕组,3个并联支路,180个定子槽,360根线棒,容量为200MW,1996年12月投入运行。发电机定子内直径4 300mm,F级绝缘,定子线棒主绝缘采用鳞片云母为基础、环氧树脂为胶粘剂、玻璃纤维补强的热固性复合绝缘材料,主绝缘单边厚度3mm,线棒与槽壁、槽底、槽楔、层间半导体隔板间空隙采用注入半导体硅橡胶填充固定。

1 故障情况

在3号机组的运行中,检修人员巡视反映臭氧味很重,由此引起了我们的重视,判断为绕组电晕造成,可能产生电腐蚀。在随后的发电机定子检修过程中,重点从可能造成电晕层损坏而产生电晕的两个方面进行了检查。首先线棒端部松动检查,没有发现定子线圈由于松动而使主绝缘磨损的情况,从拔出的线棒检查也表明线棒的端部槽口段没有因松动引起的磨损痕迹;其次从定子受上导油雾造成脏污检查,发现整个定子油污严重,线棒出槽口积污很重,相当数量的线棒在出槽口部位绝缘漆脱落防晕层损伤,但还没有造成主绝缘损伤而构成严重的电腐蚀。

2 原因分析

十三陵蓄能电厂3号发电机定子线棒在线槽段的防晕处理采用了线棒弹性固定工艺。在铁芯线槽底部两角打入半导体硅胶,下层线棒嵌入铁芯槽中,再打半导体胶,放入半导体垫条,再打半导体胶,上层线棒嵌入铁芯槽中,放槽楔块,最后再打半导体胶,24h后胶膨胀固化,固化后有一定弹性,使线棒与铁芯有很好的机械接触。由于胶固化前本身的可塑性和本身的半导体性能,可以弥补铁芯线槽壁表面存在机械公差,同时也可以有效地消除线棒与线槽之间的气隙,保证了线棒表面防晕层与铁芯槽壁充分良好的电气接触,达到有效地防止槽部电晕。

十三陵蓄能电厂 3 号发电机定子线棒外屏防电晕处理方式是在包好主绝缘后,在距槽口 15mm 之外包非线性碳化硅高阻防晕带,它的中阻段是由高阻带覆盖 20mm 半导体低阻漆构成,外面半叠包与主绝缘材料相同的环玻璃云母带作为附加绝缘,使主绝缘、防晕层、附加绝缘压成一体。外屏防晕结构见图 1。

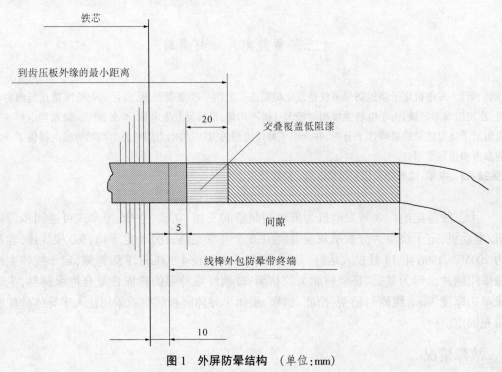

图 1 外屏防晕结构 (单位:mm)

十三陵蓄能电厂 3 号发电机定子线棒内屏防晕处理是在线棒窄边铁芯槽底侧主绝缘内埋入一层铜箔条,且外包一层半导体带,来控制径向电压分布,从而达到沿绝缘表面改善电场分布,提高起晕电压。

尽管定子在设计制造时进行了防电晕处理,改善电场分布,消除局部电场集中,然而十三陵蓄能电厂 3 号发电机上导油雾比较严重,对发电机定子造成了严重的污染,特别是线棒直线出槽口处。另外,在安装施工时部分线棒端部受到了一定的刮擦,其中有三根上层线棒的上端部出槽口明显受到了外力的撞击。由于油污长期浸泡和施工安装质量问题,使得线棒表面绝缘漆溶解脱落后又进一步损伤到了防晕层,而线棒直线出槽口处部位电场相对更为集中,更加重了电晕的发生。电晕使空气中的氧高度电离而产生臭氧,臭氧是一种强氧化剂,使该部位线棒表面受到氧化,在活性点生成极生基团,产生静电吸附,从而更易于接受油污,加重了污染,严重阻碍了散热,并在线棒表面产生细微的糙化作用,使得电晕面积不断扩大,最终将使线棒主绝缘受到伤害。

3 检修处理

首先在电晕检修处理之前必须清洁定子线圈。为了准确掌握发生电晕的具体数量和部位,对定子分相进行了起晕电压试验,试验电压为 $1.1U_n = 1.1 \times 13.8 \div 1.732 = 8.8$ (kV)。在起晕试验时,用 Ultraviolet DV 进行了拍摄,对明显的电晕部位做了录像。对照录像把有明显电晕的部位分成三种类型:第一种出槽口 35mm 范围内低组段电晕;第二种,出槽口 35mm 外高阻段电晕;第三种,槽内直线段电晕。电晕检修处理相应采用不同的办法,第三种只有极少量几个点且分布在上层线棒槽楔侧,用半导体漆通过槽楔缝隙渗入,或者退出槽楔涂半导体漆即可。重点和难点是第一种、第二种电晕部位的处理,具体处理方法如下:

(1)上层线棒出槽口正面 35mm 范围内损伤防晕层部位刷低阻半导体漆,刷漆时要将漆刷至线棒出槽口铁芯压指板处,使新刷漆与线棒表面旧半导体漆相搭接。严禁低阻半导体漆洒落或涂刷在线棒端部的高阻部位,即线棒出槽口 35mm 外部位。

(2)上层线棒出槽口正面 35mm 外损伤防晕层部位刷高阻半导体漆,刷漆时要将漆刷至线棒低阻区域使高阻漆与低阻漆搭接起来,两者重叠至少 13mm。

(3)出槽口下层线棒或线棒两侧区域损伤防晕层部位,由于空间极其有限,处理相对困难,用专用工具刷半导体漆(高阻部位刷漆方法同(2)),为避免涂刷好半导体漆的部位孤立而产生更大的电晕,事先要打磨相应槽口压指上缘表面露出金属铜面,然后用半导体硅胶搭桥,使刷好半导体漆的部位与压指上缘铜面连接起来以达到良好的电气接触。

通过上述方法重复做几次(实际发生了 3 次)起晕电压试验,并同时用 Ultraviolet DV 进行拍摄观察,一次比一次有效,直到没有明显电晕现象为止;接着再按照《高压电机使用于高海拔地区的防电晕技术要求》中 5.1 条"采用在黑暗环境条件下的目力观察法"和 5.5 条"试验程序",再一次验证电晕处理的效果,然后再处理直到目测没有发现电晕为止;最后按照《电力设备预防性试验规程》做线棒防晕层对地电位测量,全部都在 6.8V 以下,小于规定值 10V,再一次证明处理有效。

4　经验总结

机组运行时间一长,定子防晕层损坏是常有的事,检测防晕层损坏的方法,《电力设备预防性试验规程》规定用定子槽部线圈防晕层对地电位测量项目,但对于电晕轻微但有必要处理的故障情况,这种方法不能发现。用超声波检测,只有在发现有槽放电迹象时,才有效。用 Ultraviolet DV 进行拍摄,对于电晕轻微的情况非常灵敏有效,基本上能准确定位故障点,有助于制定经济实用、技术可行的处理措施,而且它能及早地把可能形成电腐蚀的潜伏性故障消灭在萌芽状态。

对于立式水轮发电机,轴承甩油问题很难避免,因此定子绕组必将受到污染,这对于线棒防晕层有致命的影响,而且对于检修处理防晕层也构成了巨大的困难。十三陵蓄能电厂 3 号机组定子绕组防晕检修处理时,清洁油污占了整个工作量的一半以上,而且清洁油污其本身就是防晕检修处理的关键。

高转速蓄能机组定子线棒
绑线松动原因分析及处理

华东天荒坪抽水蓄能有限责任公司　朱兴兵

[摘　要]　在电网中承担调峰填谷任务是蓄能机组的重要功能之一,频繁开停机和工况转速是蓄能机组运行的重要特征。本文通过对高转速蓄能机组定子线棒绑线发生松动的原因分析,讨论其特殊处理方法。

[关键词]　蓄能机组;定子线棒;绑线松动;原因分析;特殊处理

1　概述

华东天荒坪抽水蓄能电站位于浙江省北部安吉县境内,为日调节纯抽水蓄能电站,总装机容量为 1 800MW,安装有 6 台 300MW 的可逆式蓄能机组。发电电动机额定容量350MVA(电气输出)/336MW(轴输出功率),定子额定电压 18kV,机组额定转速 500r/min。1998 年 9 月 30 日 1 号机组投入正式运行,最后一台机组于 2000 年 12 月 31 日投入试生产。

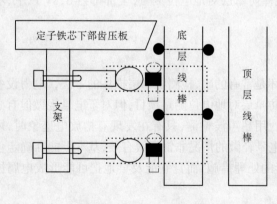

图1　定子线棒下端部绑线

定子线棒采用双层叠绕组式结构,F 级绝缘,定子槽数 228 槽,生产厂家设计时在其底层线棒下端布置了上、下两道外包 F 级绝缘层的金属端箍(图 1 中圆圈所示),端箍与底层线棒间采用环氧无纬玻璃丝带十字交叉绑扎固定(图 1 中虚线所示),端箍与底层线棒空当采用浸渍了环氧树脂的绦纶条卷成圆柱体(图 1 黑色部位所示)进行填充,固定于定子铁芯下部齿压板上槽钢支架通过螺栓、环氧支撑块及绑带将端箍、线棒与定子联成整体,并在上端箍的上、下方位相邻线棒间用环氧无纬玻璃丝带十字交叉各绑了一道绑带(图 1 点画线所示)。

2　缺陷情况

2004 年 4 月份对机组进行常规性检查时发现部分定子线棒下端部底层线棒与端箍

连接绑线接合处附有少量呈淡黄色油泥状或粉状物体,附着物呈油泥状部位通常也附有少量油迹,而附着物呈粉状部位则较为干燥。经统计和比对,缺陷主要集中于底层线棒下端箍,即与定子铁芯下齿压板距离最远的一道绑线处,在发现有附着物的绑线部位通常也存在缝隙,全面清除其表面附着物后部分线棒与绑线接合处可以用 0.02mm 塞尺局部塞入,最严重部位是 2 号机组第 169 槽线棒下端箍部位绑线已经完全松开,其中部填充环氧绦纶已开始磨损线棒主绝缘,这说明机组在正常运行过程绑线与线棒出现了磨损,填充环氧涤纶与绑线失去黏合并出现了自由振动。通过对淡黄色油泥状物体取样分析,包括灼烧残留物,试验结果表明,其主要成分为硅、铝、钙等物质。经对定子电气部分进行了整体预试,包括定子交/直流耐压、定子绝缘电阻、定子介损,在线监测定子局放等,试验结果正常。

3 原因分析

针对上述检查中发现的问题,我们咨询设备生产厂家和国内同类电站运行经验,并对存在问题进行了专题分析与交流,发生上述问题主要有以下几种原因。

3.1 端箍和线棒、支架连接结构设计不合理

蓄能机组的特点是开停机和工况转换十分频繁,日平均多达 4～5 次,双向交替旋转,在水泵调相工况 SCP 变频启动过程中不存在同步拖动过程。相对于常规水电机组而言,蓄能机组定子线棒端部受力情况更为复杂,频繁地改变方向、负荷大小和频繁地受到冲击,若机组正常运行时线棒端部和端箍、支架、定子铁芯间的整体性不好,黏结不强,刚度不足,线棒端部与端箍在振动过程中就容易发生相对位移和磨损。天荒坪电站发电电动机定子线棒端箍自身在安装时分四瓣现场组合焊接而成,其外侧由均匀分布的 16 块环氧支撑块固定,内侧靠十字交叉绑扎环氧玻璃丝带固化收缩与线棒连成整体。对现场锯开已出现松动绑线的检查与分析,发现安装时虽然在端箍与线棒间用环氧绦纶进行了填充,但其仅能作填充而不能将线棒与端箍很好地连成整体以减少它们之间的相对振动与位移,同时,端箍与支架间连接也是弱连接,一方面支架是点支撑,刚度严重不足,另一方面支架与线端箍是通过螺栓、环氧块连接,连接强度极其有限,而端箍自身为钢结构,整体性较好。机组在正常运行和频繁启停、工况转换过程中因线棒与端箍间整体性较差、连接强度不足,再加上定子线棒伸出槽楔端部长度较长(单侧约为 779mm),这样线棒端部与端箍就容易发生相对位移,越是线棒端头部位,其相对位移量也越大,可能产生磨损或损坏几率也越大,这种现象在机组定检中发现大部分下端箍与支架连接螺栓出现松动及滑丝的现象中也可以得到解释。

3.2 线棒绑线工艺不合理

机组现场安装时厂家采用了其传统常规机组线棒绑线工艺:玻璃丝带浸环氧边浸边绑,这种工艺在其所设计常规水电站机组中已使用了多年,包括 20 世纪 90 年代中期投产的部分大容量机组,并且一直运行情况良好。但这种线棒绑线工艺存在两方面弱点:一是玻璃丝存在未浸透可能,浸泡的时间越短,未浸透可能性越大;二是绑扎手工拉紧时玻璃丝带易流胶和散股玻璃丝带绑扎紧度难以控制,绑扎力度也十分有限,线棒与端箍连接强度全靠环氧固化收缩,其强度不仅与玻璃丝是否浸透有关,也与环氧流胶量多少和玻璃丝

绑扎时拉紧程度有关,施工工艺难以保证,施工质量难以控制,存在较大随机性与偶然性。经现场实测,按原厂家所提供线棒安装工艺施工线棒端部固有频率分散率(最大值与最小值之差再除以平均值)高达20%以上。常规水电机组启停、工况转换次数相对较少,一定量环氧固化后强度就能满足其正常运行要求,而蓄能机组运行条件较为恶劣,环氧含量及其固化程度则与机组能否安全运行直接相关。在绑线松动处理过程中也发现部分已松动绑带锯开后,其内侧玻璃丝带绝大部分还呈丝状并发白,仅其表层玻璃丝已与环氧完全浸透黏合成形,这样也相应地减低了其环氧固化后的黏结强度。

3.3 蓄能机组运行特点考虑欠周

线棒端部固有频率测试及调整工作对于水电机组由于其转速较低,一般厂家考虑较少,但对于高转速汽轮机组而言,这是很重要的,且是必需的,也是极其关键的工作,线棒端部固有频率是否避开其正常运行共振频率区与线棒寿命及运行安全性有着直接关系,若线棒端部固有频率落在95～115Hz共振区将会加剧线棒与绑线间端箍的相对位移和磨损,减低机组运行的可靠性。但蓄能机组转速通常介于低速常规水电机组和高速火电机组之间,其安装过程中是否需要进行线棒端部固有频率测试和调整也还是值得讨论与研究的课题。根据我们现场试验,按原厂家工艺绑扎的线棒其端部固有频率有60%～70%落在95～115Hz共振区内,离散性也很大,这说明机组在正常运行时大部分线棒落在振区内运行,再加上线棒与端箍设计结构不合理、整体性较差,进一步加剧了线棒与端箍间相对位移及磨损。

4 缺陷处理

根据检查中发现问题和处理过程中所遇到的一些异常现象,我们在认真分析原因基础上,结合天荒坪蓄能机组运行特点、线棒原有结构特点,对其结构及处理工艺作了以下几方面改进。

4.1 玻璃丝改用带玻璃丝芯绦玻绳

利用绦玻绳一方面易于控制其绑扎过程中的紧度,必要时可以用小木锤拉紧,另一方面也易于多道绑扎以增加绑扎强度。

4.2 绑带边浸边绑改为浸透晾干再绑扎工艺

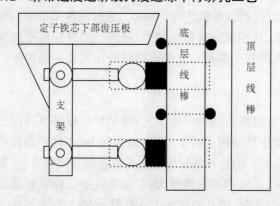

图2　定子线棒下部绑线

检修前3～4天先将带玻璃丝芯绦玻绳浸入环氧浸渍胶中,待浸透取出晾在通风处3～4天直至绦玻绳不粘手后即可以进行绑扎,绑扎好后再在其表面刷上环氧涂刷胶以增加其线棒与端箍连接强度。

4.3 端箍与线棒间环氧绦纶填料改用外包绦纶环氧板垫条

原线棒端箍绑线清理干净后,在其空当内用外包环氧绦纶的环氧板垫条(图2中黑色所示)进行填实,并与绑线一道对其表面、缝隙刷、渗环氧涂刷胶,以充分利用环氧固化产生的收缩提高端箍与线棒整体性能,减少其发生相对位移和磨损可能性。

4.4 改进端箍与支架连接方式和增加支架数量

将端箍与支架间螺栓径向连接改为切向连接,利用绝缘板进行支撑力传递,同时适当增加支架数量和加装斜向支脚,增大支架刚度,尽量使得端箍与机架形成整体(图 2 所示)。经现场实测线棒固有频率,改进支架结构、数量及与端箍连接方式后绝大部分线棒固有振动频率得到了很大的提高,且一致性也较好,基本都高于 115Hz,避开了共振区,大大改善了线棒运行条件。

5 结语

天荒坪抽水蓄能电站机组定子线棒绑线问题经处理和近半年来检查,其松动的原因初步得到了确认,问题得到了初步解决,但是蓄能机组运行条件相对于常规水电机组而言,运行工况更为复杂,出现问题或发生故障的可能性也会更多,这方面我们还需积累更多的经验和兄弟单位进行交流与沟通。

大型抽水蓄能机组滑环温度高
问题的研究及解决

广州抽水蓄能有限公司　黄　炜

[摘　要]　本文分析了广州蓄能电厂 A 厂自投产以来机组滑环温度过高的缺陷,本文从机组结构入手分析了问题产生的原因、所实施的改造及效果。

[关键词]　滑环温度；缺陷处理；冷却风机

1　引言

广州蓄能电厂自投产以来,作为系统主力调峰、调频电厂,对系统的安全稳定运行起着十分重要的作用。但其主设备存在的缺陷严重制约着机组功能的发挥,滑环温度过高即为典型的缺陷之一,该缺陷在机组长时间运行时经常出现,使得机组不得不停机,严重影响机组可用率。本文从机组结构入手分析了问题产生的原因、所实施的改造及效果。

2　滑环温度高的原因

2.1　滑环结构

广州蓄能电厂 A 厂采用 ALSTOM 的发电电动机组。其主要性能参数如下：

(1)机组转速:500r/min;额定励磁电流:1 816A。

(2)正负极(上、下滑环)间采用环氧桐麻粉绝缘材料,绝缘等级 F 级。

(3)上、下滑环各有 21 只刷握;滑环冷却方式:自然风冷。

2.2　滑环热源分析

滑环的热源有两种:一种是电功热源,即电通过导电体时因电阻而产生的热;另一种是摩擦热源,即滑环与碳刷摩擦所产生的热。两种热源的大小及决定因素之间的关系分析见表 1。

表 1 所列影响条件中,除了碳刷刷握弹簧压力可以较容易改变外,其他均较难或无法改变。但碳刷刷握弹簧压力的改变却同时影响着两种热源,当减小压力时会使摩擦力减小从而降低摩擦热源,但却会使电阻增大而使电功热源增大。

2.3　从滑环结构上分析

广蓄电厂 A、B 厂机组在容量、转速、额定励磁电流及运行环境等各方面情况相近,但 B 厂机组并不存在运行中滑环温度高的问题,这主要是由两厂机组在滑环结构上的不同造成的。

表1 滑环两种热源的大小及决定因素之间的关系分析

热源	决定要素	影响条件
电功热源	电流及电阻的大小 ($Q = I^2R$)	励磁电流的大小 碳刷刷握弹簧的压力 滑环表面光洁度
摩擦热源	接触面压力及滑环表面摩擦系数	碳刷刷握弹簧的压力 滑环表面光洁度 机组转速

B厂机组与A厂机组比较是采用了不同的滑环冷却方式,在其滑环(推力头)上方,设置了20扇叶的风扇。当机组转动时厂房经中央空调冷却的空气从机罩上部通风口吸进、热空气从下部通风口吹出,从而达到了较好的冷却效果(通风示意图如图1所示)。

A厂机组由于滑环上部设置了机组制动盘,制动盘上下表面光滑无扇叶,机组运行时流经滑环的风流量较小(通风示意图如图2所示)。

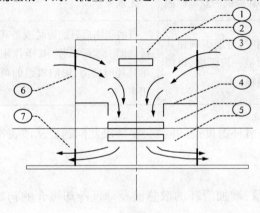

机组编号	运行工况	流入风速(m/s)/温度(℃)	励磁电流(A)
6	P	21.5(平均)/26.8	1 860
环境温度(℃)	负荷(MW)	流出风速(m/s)/温度(℃)	滑环温度(℃)
26	333	5(平均)/33.4	52(平均)

1.机罩;2.风扇;3.风流向;4.导流罩;5.滑环;6.通风口(入口);7.通风口(出口)

图1 B厂机组通风示意图

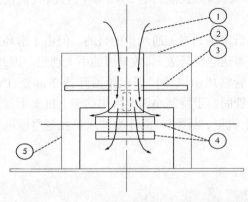

机组编号	运行工况	流入风速(m/s)/温度(℃)	励磁电流(A)
1	P	1.2(平均)/24.8	1 810
环境温度(℃)	负荷(MW)	流出风速(m/s)/温度(℃)	滑环温度(℃)
24	333	0.4(平均)/26.3	90(平均)

1.通风口(入口);2.机罩;3.制动盘;4.滑环;5.通风口(出口)

图2 A厂机组通风示意图

从以上分析可以看出,广蓄 A 厂机组运行中温度高主要是由于热平衡设计欠佳及结构上的原因造成的。在很难降低滑环热源以及对机组滑环结构不可能做大的改动情况下,问题的解决应该从改善散热方面入手。

3　解决方案

3.1　采取过的方案

根据 ALSTOM 公司的意见,广蓄电厂针对滑环实施过以下方案,具体见表 2。

表 2　广蓄电厂对滑环实施方案及效果

可能原因	方案	效果
滑环表面氧化膜未建立或不完全	定期涂石蜡以帮助建立氧化膜	效果并不明显,只能短时降温
刷握弹簧弹力不足,造成碳刷与滑环接触不良	更换 ALSTOM 提供的新型刷握	无效果
由于机组是双向可逆式机组,发电工况与抽水工况运行时碳刷磨损程度不同,造成碳刷与滑环接触面过小	更换新碳刷时,打磨碳刷使其与滑环接触面呈一定弧度,以便与滑环更好接触	打磨碳刷后只能短时改善其接触面。实际工作中,操作困难且耗时费力,影响机组的可用率

几年来的实践证明,上述方法无法解决滑环温度高的问题,要解决此问题要从改善滑环散热、增加通风量入手。

3.2　实施加装滑环冷却风机的方案

改善滑环散热的手段主要有加大通风量、增加滑环的散热面及降低冷却媒介的初始温度等。

增加滑环的散热面可通过在滑环上、下环本体钻穿透性的孔来实现,但该方案较难实现且存在一定风险;降低冷却媒介的初始温度即降低主厂房温度,目前主厂房的温度设定为 28℃左右。大幅度降低主厂房温度帮助不大,因为仅能改善 3 ~ 5℃。因此,我们决定通过增大通风量来改善滑环的散热。

通过在滑环近处增加对其直接送风的风机来达到增加通风量的目的。但由于滑环高速旋转,其周围产生的风压较大,外部的风较难送达滑环表面,效果可能不太理想。因此,在风机口接一风斗,再以塑料软管连接 PVC 管将风由风斗口引至距滑环约 2cm 处,PVC 管口一头对准上滑环、一头对准下滑环,PVC 管固定于特制小铁架再焊接于上机架上。风机安装于机坑上机架处,其底座直接焊接于上机架,见图 3。滑环冷却风机控制电源取自发电机冷却风机,从而实现与后者同时启停。

4　实际效果

滑环冷却风机安装后效果显著,其最直接的表现在于使机组运行时滑环温度控制在正常范围内,有效地遏制了过高温度的出现,从图 4 两曲线的对比可以看出。

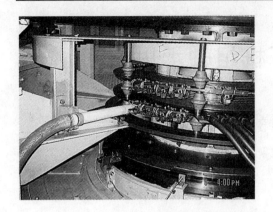 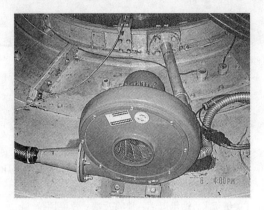

图 3 滑环冷却风机安装

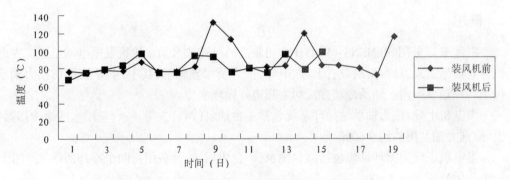

图 4 滑环温度在冷却风机安装前、后对比曲线

图中——■——曲线为广蓄 A 厂 2# 机组在 2005 年 6 月即装风机后的一个月内(图 4 中只有 19 天)每天滑环最高温度的记录;——◆——曲线为 2# 机组在 2004 年 6 月中每天滑环最高温度记录。对比两条曲线我们容易看出在未安装风机的一个月中滑环最高温度有 4 次接近或高于 120℃,也就是说,机组有 4 次被迫停机,而在安装风机后,机组运行时滑环的最高温度被有效地控制在 100℃以下,满足机组运行时对滑环温度的要求。

5 结语

本文从结构及热源两方面分析了广蓄电厂机组运行时滑环温度高的原因,阐述了所采用的通过增大通风量降低滑环温度的方案。事实证明,广蓄电厂所采用的加装滑环冷却风机的方法是简单且有效的,值得在实践中推广应用。

广州蓄能电厂 B 厂机组轴承甩油问题

广州抽水蓄能有限公司　谈进昌

[摘　要]　本文介绍广州蓄能电厂(简称"广蓄")B厂机组轴承油系统及其存在的轴承甩油问题和历年来对甩油缺陷进行改造的处理方法。

[关键词]　轴承甩油；缺陷改造；效果评价

1　概述

广蓄 B 厂采用 SIEMENS – VOITH 公司制造的可逆式水泵水轮机发电电动机组。发电机为立轴悬吊式,每台机组设有上导、下导、推力及水导轴承,其中,上导轴承与推力轴承位于同一轴承箱内。轴承冷却方式均为强迫外循环水冷。

发电机上导/推力轴承油循环系统包括三台油泵(两台主用,一台备用)、四个冷却器,上导/推力油盆用油约 9 600L。

发电机下导油循环系统包括两台油泵(一台主用,一台备用)、两个冷却器(一个主用,一个备用),用油约 2 400L。

水导轴承油循环系统包括有两台油泵(一台主用,一台备用)、一个冷却器($6^{\#}$、$7^{\#}$、$8^{\#}$机为一个冷却器,而 $5^{\#}$ 机有两个冷却器,一个主用,一个备用)。

油循环系统主要功能是在机组运行中对上导、下导、水导、推力轴承进行润滑冷却。正常情况下,各轴瓦瓦温为 10 ~ 70℃。瓦温与油温报警、跳机设定值如下:

上导瓦报警温度为 75℃,80℃时跳机;

下导瓦报警温度为 75℃,80℃时跳机;

水导瓦报警温度为 70℃,73℃时跳机;

推力瓦报警温度为 80℃,85℃时跳机;

上导、推力油报警温度是 65℃,70℃时跳机;

下导、水导油温报警都是 65℃,70℃时跳机。

四台机组上、下导油位传感器为模拟量传感器,其报警、跳机设定值由油位值转换为电压值。水导油位传感器为开关量传感器,其油位通过油盆油位高度反映出来。

每台机组分别设有上导/推力、下导抽油雾装置各一个。抽油雾装置与机组同时运行,将机组各个导轴承油盆内的油雾抽出后收集在抽油雾装置中。

2　轴承甩油情况

B 厂四台机组上导/推力、下导和水导轴承都存在不同程度的甩油现象。

轴承润滑油分别从油盆内挡油圈和油盆顶盖处甩出。上导/推力轴承甩油主要分布在上导/推力油盆盖上、发电机转子顶部、发电机定子上、风洞内空冷器集水盘等处；下导轴承甩油主要分布在下导油盆盖上、发电机转子底部、发电机定子上、机组大轴及法兰上。在水车室中，环形电动葫芦轨道、水车室围栏等处均有油滴，水车室机坑盖板、水轮机顶盖、水导油盆盖均有积油。

轴承甩油给机组运行带来隐患，造成环境污染，增加检修维护工作量。

3 处理方法

3.1 上导/推力轴承甩油改造

根据 SIEMENS 厂家提出的在上导/推力、下导油盆分别加装挡油圈、集油槽、集油箱和排油管的方法对其部分结构进行了改造，具体如下：

(1)在推力头已存在四个平压孔的基础上再加钻了 8 个 $\phi 13.5$ 的平压孔，12 个孔在圆周方向均匀分布。

(2)将原上导油盆内挡油圈(见图 1)切割取下后焊接上新型挡油圈以及加装压油环(见图 2)。内挡油圈焊接时由于内侧焊空间不够，无法彻底焊透，故需将其吊出上机架进行焊接，焊完后用煤油进行渗漏试验，焊缝做 PT 探伤。

(3)在推力头内侧中下部加装了一圈内挡油环(见图 3)。

(4)在推力头键槽下部加装填充块，以降低风泵效应(见图 4)。

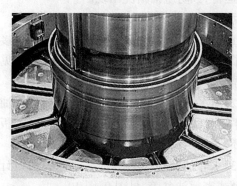

图 1 上导油盆内原挡油圈

图 2 上导油盆内新型挡油圈

图 3 推力头内加装内挡油环

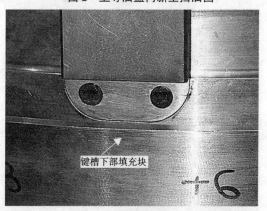

图 4 推力头键槽下部加装填充块

3.2　下导轴承甩油改造

（1）将内挡油圈组合面内侧凸出部分打磨平滑（见图 5），降低风泵效应。

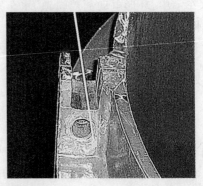

图 5　下导轴承内挡油圈改进

图 6　下导挡油圈组合面开凹槽

（2）在内挡油圈两组合面肋板顶部开一宽约 15mm、深约 20mm 的凹槽（见图 5、图 6）。

（3）下导降低油位运行。瓦中心高程降低 20mm 运行，预防甩油情况出现。

3.3　水导轴承甩油改造

（1）在水导轴承内挡油圈约中部位置焊接加装了一块 10mm 厚、30mm 宽的内挡油环（见图 7 虚线部位）。

（2）原水导油盆内部的不锈钢挡油板止油效果不明显，将其更换成厚 5mm 的平整胶木板挡油环，更换后的水导上挡油板见图 8。

（3）水导油盆盖改为哈尔滨通能公司设计的接触式密封油盆盖，见图 9、图 10。

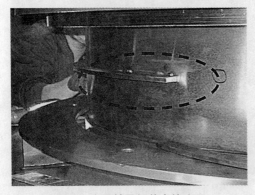

图 7　水导轴承加装内挡油环　　　　图 8　水导轴承更换后的上挡油板

图 9　新的水导油盆盖

图 10　水导油盆盖更新

4　处理效果及评价

7#机大修各轴承甩油改造后,机组运行一个月后检查,总体结果如下所述。

4.1　上导/推力轴承

进入发电机风洞检查发现转子顶部没有甩油痕迹,只是上导油盆底部靠大轴约100mm范围内用手还可以感觉到有少量油雾。在热油、停机静止状态下测量上导油盆油位比上导瓦中心高程高约 11mm(大修后首次转动之后在热油、停机静止状态下测量上导油盆油位比上导瓦中心高程高约 17mm)。另外上导抽油雾装置收集到 50L 左右的油。上导油盆运行一个月未加过油。风洞内空冷器集水盘中未发现有大量的积油。

上导甩油改造效果不错,甩油问题得到明显改善。

4.2　下导轴承

大修时下导正常油位下调 20mm,即下导瓦中心高程低 20mm(下导正常油位比下导油盆盖下加工面高程低 279mm,下导瓦中心高程比下导油盆盖下加工面高程低 259mm)。检查发现下导油盆盖存在有少量油污,下导油盆底部挡油环集油罩螺丝挂有油滴,水轮机机坑盖板仍然有甩下来的油雾。下导油位测量比下导油盆盖下加工面高程低 274mm,即运行一个月后在热油、停机静止状态下测量下导油盆油位比大修后调整过的正常冷油位高 5mm。另外下导抽油雾装置收集到约 5L 油。

下导甩油改造还是不大理想,有待进一步改造。

4.3　水导轴承

大修后检查发现该油盆盖把合面仍有渗油,拆卸检查发现是安装质量问题,重新进行安装,在把合面加密封胶及更换了 O 型密封圈(原来安装时 O 型密封圈为 4 瓣组合,现改为一圈连接)。水导油盆运行一个月,检查油位基本无变化。

水导油盆盖改为哈尔滨通能公司生产的接触式密封盖,油盆盖甩油问题基本能得到解决。

交流灭磁技术在大型抽水蓄能机组中的应用

广州抽水蓄能有限公司 张明华 曾广移

华南理工大学电力学院 刘明波

[摘 要] 抽水蓄能机组交流灭磁技术的研究和应用是一个较新的课题。本文简要说明了交流灭磁技术的特点,并详细介绍了德国 SIEMENS 公司生产的 3WN16 型交流灭磁开关,以及由交流灭磁开关和线性灭磁电阻跨接器组成的 SIEMENS 交流灭磁系统及其在广州抽水蓄能电厂 B 厂 4×300MW 机组中的应用情况,最后进一步肯定了交流灭磁技术的应用前景。

[关键词] 交流灭磁开关;灭磁技术;应用情况

1 引言

与电力工业迅速发展相适应,近年来发电机组灭磁技术也有了很大提高。目前,世界各国发展的灭磁系统主要有以下几种:①具有短弧栅片的灭磁系统;②利用非线性电阻的灭磁系统;③利用恒值电阻的灭磁系统。由于直流磁场断路器研制成本巨大,在采用静止整流励磁电源的场合,国外厂家纷纷主张在静止整流器的交流侧装设三相交流灭磁开关。交流开关产量巨大,技术成熟,生产成本相对直流灭磁开关低,稍加改造即可用做磁场开关;另外,在交流侧加装断路器也可用做整流器的故障保护。与直流开关相比,交流断路器可利用过零点瞬时断弧,磨损更小,体积可减小 60%,价格约降低 90%。广州蓄能电厂 B 厂 4×300MW 可逆式电动—发电机组采用 SIEMENS 公司 THYRIPOL 微机励磁系统并以交流灭磁开关和线性电阻跨接器组成交流灭磁方式,于 1999 年 4 月投入运行至今。

2 交流灭磁技术特点

2.1 交流灭磁开关的设计要求

与普通交流开关相比,交流灭磁开关必须具有一定的开断直流能力。交流灭磁开关虽然装设在交流侧,但由于开关分断同时配合进行封锁可控硅触发脉冲,故其断流过程和其在直流侧一样,虽然电压有过零点,而电流依然是大电感平直电流。

必须适当提高交流灭磁开关的开断弧压。普通交流开关在开断时可利用交流过零点灭弧,故其设计与直流开关有较大的不同,在开断直流时弧压较低。由于交流灭磁开关开断的电流是大电感平直电流,所以必须对普通交流开关作一些改造,如在灭弧栅的结构设计上做些改变,以适当提高开关的开断弧压,这样它才能作交流灭磁开关用。

2.2 可控硅整流桥触发脉冲与开关分断的配合

在断开交流灭磁开关的同时,必须封锁可控硅整流桥的全部触发脉冲。如果仅断开交流灭磁开关而不封锁可控硅触发脉冲,根据整流桥可控硅依次触发的过程分析,同一桥臂的两个可控硅在某一时刻会同时导通,此时励磁电流便经所导通可控硅续流而自然衰减,灭磁时间将大大延长,起不到在故障情况下快速灭磁以保护发电机转子的作用。

另外,对于采用非线性电阻(无论是碳化硅还是氧化锌)的灭磁系统,在分断交流灭磁开关的同时封锁整流桥可控硅触发脉冲能降低对灭磁开关弧压的要求。因为对非线性电阻的灭磁都有弧压要求,而交流开关即便在改造后一般也不足以建立足够高的弧压来导通非性线电阻,如果不配合切脉冲方式,也将引起整流器的桥路续流,从而导致快速灭磁失败。

2.3 交流开关和线性电阻跨接器组成的灭磁系统

由并联的正、反向可控硅组成的跨接器与线性灭磁电阻串接后,并接在励磁绕组两端,这种灭磁及过电压保护回路在国外被称为 Crowbar 回路,在国内则称为跨接器。以 SIEMENS 公司的设计为例(见图1),这种可控硅跨接器由正向过电压保护元件 A107、反向过电压保护元件 A106、有 BOD 过电压监视的可控硅触发单元 U121、灭磁触头 K611 及过电流告警继电器 K112 共同组成。这种交流灭磁系统的灭磁程序为:首先封锁整流桥可控硅触发脉冲,然后断开交流灭磁开关,开关分断的同时接通灭磁触头,此时发电机通过线性灭磁电阻进行灭磁,若开关分断时所产生的过电压值达到限压二极管 BOD 的触发电压,则可控硅触发单元产生触发脉冲导通过电压保护元件,进一步保护转子绕组安全。

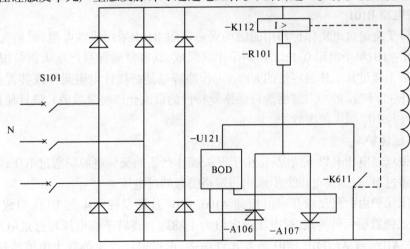

图1 交流灭磁系统结构

3 广蓄机组灭磁系统构成和特点

3.1 励磁系统主要参数

额定励磁电压 255V;额定励磁电流 2 334A;顶值励磁电压 638V;顶值励磁电流 4 668A;空载励磁电压 101V;空载励磁电流 1 320A。励磁变电压 18 000/510V,励磁变容量 3×621kVA。

3.2 灭磁系统的构成

灭磁系统主要元件包括交流灭磁开关 S101,线性灭磁电阻 R101 和灭磁触头 K611,以及过电压保护触发单元 U121、反向过电压保护元件 A106、正向过电压保护元件 A107 等组成。

3.3 灭磁系统特点

（1）采用交流低压断路器 S101 作为灭磁断路器，并兼作可控硅整流桥的故障保护。交流开关与直流开关相比，选型方便，理论上来说可利用过零点瞬时断弧，其磨损更小。

（2）采用线性电阻 R101 配合辅助触头 K611 灭磁，保证其灭磁时间和灭磁电压在设计范围内。

（3）采用反向并联可控硅元件 A106、A107 配合恒值电阻作为正、反向过电压保护，限制转子绕组和可控硅桥的过电压不超过其绝缘耐受水平。

（4）灭磁时以可控硅桥逆变配合交流灭磁断路器断开和闭锁可控硅桥脉冲并同时切交流灭磁断路器方式，保证成功灭磁。

3.4 交流灭磁开关 S101

交流灭磁开关是该灭磁系统的关键元件之一，采用 SIEMENS 生产的 3WN1671 加长灭弧栅型交流低压 3 极开关，其主要参数如下：额定工作电压 690V（AC）；额定电流 2 500A；额定短路开断能力 80kA（rms）；峰值短路合闸能力 176kA；合闸操作电源 220V（DC）；分闸操作电源 220V/48VDC；机械寿命 10 000 次分合；电气寿命 1 000 次额定电流开断；最小分—合间隔 120ms。

3.5 灭磁电阻 R101

兼作转子绕组过电压保护作用的磁场灭磁电阻 R101 采用线性电阻，材料为铸铁，型号 3PR3201 - 1B，单个电阻 0.12Ω，由两个串联组成，其容量确保最严重灭磁情况下，承受的耗能容量不超过其工作能容量的 80%（工作能容量是指线性电阻元件或装置在接受脉宽一般为 0.35s 和 1s 的冲击波后能自动恢复特性的最大允许能量数值），设计使用寿命不少于 10 年，并不限制灭磁次数。

3.6 过电压保护

转子磁场过电压有以下情况：①由于开关操作产生的交流电源瞬态过电压；②转子磁场回路开路过电压；③发电机失步或相间短路引起的过电压。

过电压保护由两只反向并联可控硅 A106、A107 及触发控制单元 U121 组成，U121 由 BOD 电阻二极管桥元件构成，过电压设定值为 1 883V。当转子端电压超过过电压设定值时，可控硅 A106（或 A107）由 BOD 触发元件触通，由过电压产生的较大电流流过与 A106（A107）串连的 K112 继电器，该继电器启动辅助接触器 K611 闭合，由 R101 和 K611 将转子过电压值限制在较低的水平。

4 广蓄机组灭磁方式及灭磁程序

广蓄 B 厂机组的灭磁方式分为正常停机灭磁和故障停机灭磁两种。

4.1 正常停机灭磁方式

机组正常停机时采用逆变灭磁方式，此时可控硅触发角 $\alpha = 150°$，转子绕组两端被施加反向的顶值励磁电压，从而使励磁电流在最短的时间内减小至零。这种情况下灭磁时间的长短主要取决于反向励磁电压的大小。逆变灭磁开始 10s 后，将进行切脉冲，同时交流灭磁开关 S101 断开而接点 K611 闭合，剩余的磁场能量将通过灭磁电阻 R101 而被消耗掉。

机组停机正常灭磁过程(见图2):

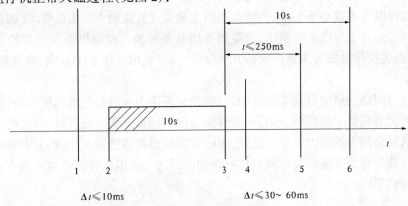

图2　正常灭磁过程

(1)发出交流灭磁开关 S101 断开指令。

(2)逆变灭磁开始(时间设定为 10s)。

(3)逆变灭磁结束;交流灭磁开关 S101 断开;接点 K611 合上。

(4)"交流灭磁开关 S101 已断开"反馈信号。

(5)"K611 已合上"反馈信号。

(6)闭锁时间解除。

4.2　故障停机灭磁方式

若励磁系统收到外部故障跳闸命令,此时交流灭磁开关 S101 立即断开,K611 接点合上,同时可控硅桥触发脉冲全部闭锁而不进行逆变灭磁,磁场能量被线性灭磁电阻 R101 吸收,磁场电流按指数函数降低。若因某种意外导致 K611 不能正常闭合,那么将通过电压保护 BOD 元件来限制实际过电压值。故障停机灭磁时间由下面方式决定:

$$t = \frac{T \cdot R_f}{R_e + R_f}$$

式中:T 为发电机 D 轴开路或短路时间常数,s;R_e 为灭磁电阻 R101;R_f 为转子绕组电阻。

5　广蓄交流灭磁方式应用情况

广蓄 B 厂共安装有 4 台单机容量 300MW 的可逆式电动—发电机组,由于机组在系统中所处的重要性,使得机组启停非常频繁。以 2001 年机组运行情况为例,机组平均开停次数约为 1 000 次/(台·年),交流灭磁开关的平均操作次数为 2 000 次/年(以一个 ON - OFF 操作计一次)。

根据机组励磁系统现场调试数据及机组运行情况,广蓄 B 厂交流灭磁系统灭磁效果无异常,励磁系统整体运行情况良好。

交流灭磁开关投运 2 年多来基本运行正常,但在定期维护检查中也发现了一些问题。其中最主要的问题是主触头机械损伤及电弧灼伤较重,多个灭弧罩网被电弧烧穿;情况严重的主触头整个接触面被电弧烧熔并脱落;弧触头情况相对较好,只是引弧片端部有部分被电弧灼伤和烧熔。根据厂家的维护说明,要求开关主触头接触面厚度不得小于 0.7mm,弧触头接触面厚度不得小于 1mm,否则应更换主触头或灭弧触头。按此要求,四台机组的交流灭磁开关运行 2 年已无法使用,只能用备用开关替换。根据机组及开关的实际运行统计数据,开关操作次数远未达厂家的开关设计寿命(机械操作 10 000 次,电气操作 1 000 次)。

造成这一问题的原因目前未彻底明确,初步分析认为灭磁开关的选型不当,根据对原各台灭磁开关磨损情况的综合分析,灭磁开关主触头异常损伤应属机械损伤,可能系主触头材料抗机械合闸力的能力不足。此外,灭磁开关与辅助接触器 K116 的分合操作配合设计不好也可能是导致灭磁开关电弧损伤过快的原因之一。但是我们认为灭磁方式不是造成上述问题的原因。

6 结语

交流灭磁技术有其自身的特点和优点,目前尚处于应用扩展阶段,若再进一步取得运行经验,交流灭磁方式完全有可能取代直流灭磁方式。

交流灭磁技术对灭磁开关提出了较高的要求。交流灭磁开关不仅要有高的分断能力,而且要有短路接通 – 分断能力以及机械和电气操作次数的指标,这就要求交流灭磁开关的触头材料既要有好的分断性能,又要有好的耐电磨损性能。而在机组启停非常频繁的抽水蓄能电站,这种要求就更具有重要性。

参 考 文 献

[1] 樊俊,陈冲,涂光瑜.同步发电机半导体励磁原理及应用.北京:水利电力出版社,1991
[2] 张洪国,辛峰,李基成.交流灭磁系统的特征与应用.见:2001 年励磁年会论文集.2001
[3] GuangZhouII THYRIPOL – D Excitation system. SIEMENS A G,1998,2(5):12 ~ 48

大型抽水蓄能机组交流灭磁开关应用及性能分析

广州抽水蓄能有限公司　　江宇遨　张明华

[摘　要]　大型机组交流灭磁技术的研究和应用是目前一个较新的课题。本文简要介绍了交流灭磁开关和线性灭磁电阻跨接器组成的 Siemens 交流灭磁系统的特点,主要分析德国 Siemens 公司生产的 3WN16 型交流灭磁开关在广州抽水蓄能电厂 B 厂 4×300 MW 机组运行中主触头故障损坏的原因,指出目前交流灭磁开关的设计缺陷,同时肯定了交流灭磁技术的应用前景。

[关键词]　交流灭磁开关;灭磁技术;性能分析

1　引言

广蓄 B 厂 4×300MW 可逆式电动 – 发电机组采用 Siemens 公司 Thyripol 微机自并励励磁系统并采用由交流灭磁开关和线性电阻跨接器组成的交流灭磁方式,于 1999 年 4 月投入运行。交流灭磁开关自投运以来(第一台机组于 1999 年 4 月投入运行,第四台机组于 2000 年 3 月投入运行),在定期维护检查中发现主触头损伤严重,部分主触头整个接触片磨损消失。根据机组及灭磁开关的实际运行统计数据,灭磁开关操作次数远未达到厂家的开关设计寿命(机械操作 10 000 次,电气操作 1 000 次)。电厂维护专业人员根据实际故障情况判断为 Siemens 灭磁开关厂家设计、选材有误,但 Siemens 厂家专家不认同用户的判断。为此,必须尽快明确并使 Siemens 厂家认同灭磁开关触头故障的原因,以尽早解决灭磁开关触头故障,消除机组灭磁系统的可能隐患,确保蓄能机组安全运行。

2　机组灭磁系统简介

2.1　励磁系统主要参数

额定励磁电压 255V;额定励磁电流 2 334A;顶值励磁电压 638V;顶值励磁电流 4 668A;空载励磁电压 101V;空载励磁电流 1 320A;励磁变电压 18kV/510V;励磁变容量 3×621kVA。

2.2　灭磁系统的构成

灭磁系统的构成如图 1 所示。由并联的正、反向可控硅组成的跨接器与线性灭磁电阻串接后,并接在励磁绕组两端,这种灭磁及过电压保护回路在国外被称为 Crowbar 回路,在国内则称为跨接器。这种可控硅跨接器由正向过电压保护元件 A107、反向过电压保护元件 A106、有 BOD 过电压监视的可控硅触发单元 U121、灭磁触头 K611 及过电流告警继电器 K112 共同组成。

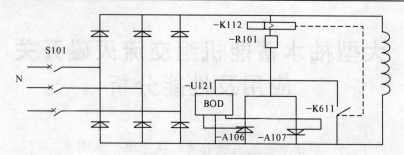

图 1　Siemens 交流灭磁系统结构

2.3　机组灭磁方式

广蓄 B 厂机组的灭磁方式分为正常停机灭磁和故障停机灭磁两种。

2.3.1　正常停机灭磁方式

机组正常停机时采用逆变灭磁方式。逆变灭磁开始 10s 后,将进行切脉冲,同时交流灭磁开关 S101 断开而接点 K611 闭合,剩余的磁场能量将通过灭磁电阻 R101 而被消耗掉。具体灭磁过程如图 2 所示,图中:1 为发出交流灭磁开关 S101 断开指令;2 为逆变灭磁开始(时间设定为 10s);3 为逆变灭磁结束、交流灭磁开关 S101 断开、接点 K611 合上;4 为"交流灭磁开关 S101 已断开"反馈信号;5 为"K611 已合上"反馈信号;6 为脉冲闭锁时间解除。

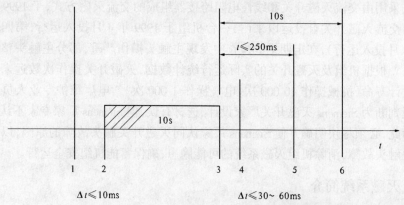

图 2　正常灭磁过程

2.3.2　故障停机灭磁方式

若励磁系统收到外部故障跳闸命令,此时交流灭磁开关 S101 立即断开,K611 接点合上,同时可控硅桥触发脉冲全部闭锁而不进行逆变灭磁,磁场能量被线性灭磁电阻 R101 吸收,磁场电流按指数函数降低。若因某种意外导致 K611 不能正常闭合,那么将通过电压保护 BOD 元件来限制实际过电压值。

3　交流灭磁开关故障分析

3.1　Siemens 交流灭磁开关

广蓄机组交流灭磁开关采用 Siemens 生产的 3WN1671 加长灭弧栅型交流低压 3 极开

关,其主要参数如下:

额定工作交流电压:690V	分闸操作电源(DC):220V/48V
额定电流:2 500A	设计机械寿命:10 000 次分合
额定短路开断能力:80kA(rms)	设计电气寿命:1 000 次额定电流开断
峰值短路合闸能力:176kA	最小分—合间隔:120ms
合闸操作电源(DC):220V	

3.2　开关触头损坏现象

在定期维护检查中发现了一些问题,其中最主要的问题是主触头机械损伤及电弧灼伤较重,多个灭弧罩网被电弧烧穿;情况严重的主触头整个接触面被电弧烧熔并脱落;弧触头情况相对较好,只是引弧片端部有部分被电弧灼伤和烧熔。根据厂家的维护说明,要求开关主触头接触面厚度不得小于0.7mm,弧触头接触面厚度不得小于1mm,否则应更换主触头或灭弧触头。按此要求,4 台机组的交流灭磁开关运行远不到设计寿命就已无法使用。

3.3　开关故障原因分析

3.3.1　开关触头电弧灼伤分析

第一批交流灭磁开关是自安装后历经现场各种调试试验,多次承受事故跳闸灭磁工况,这是导致主触头被电弧灼伤的直接原因。由于未有第二批开关的运行数据,当时尚不能明确开关机械损伤的原因。

3.3.2　开关灭磁性能分析

为了解开关的开断电流及灭磁情况,进一步分析开关触头损坏的原因,对机组灭磁过程进行录波。以广蓄 6# 机组为例,根据它正常停机灭磁过程录波显示,从机组发出交流灭磁开关 S101 断开指令开始,励磁即开始执行逆变灭磁,在 1.2s 的时间内,励磁电流已降到零,而励磁开关是在 10s 后才断开。由此可见,正常停机过程励磁开关开断电流近乎为零,可以排除电弧对目前开关触头故障的影响。

3.3.3　开关触头损伤真正原因分析

在第一批开关出现问题后,电厂检修人员使用备品开关替换个别情况严重的运行开关,并加强开关状况监视。检查发现新开关在运行操作次数不到 1 000 次的时候,同样出现开关触头异常开裂的现象,且灭磁开关运行数据表明期间开关未发生开断故障停机电流的事件,开关主触头和弧触头外观均非常良好,无任何弧光灼伤痕迹。由此可证实灭磁开关触头问题真正原因是由于触头材料选择不当,导致灭磁开关远不能达到其机械操作设计寿命。

4　结语

根据对灭磁开关磨损情况的综合分析,灭磁开关主触头异常损伤系机械损伤,其主触头材料明显抗机械合闸力的能力不足。

交流灭磁技术对灭磁开关提出了较高的要求。抽水蓄能机组启停次数非常频繁,如 2004 年 B 厂 4 台机组共启动了 10 741 次,即机组励磁交流灭磁开关一年平均操作 5 370 次,这要求抽水蓄能机组交流灭磁开关不仅应具备良好的电气分断性能,其触头材料更应具备良好的机械操作性能。

　　灭磁方式不是造成上述灭磁开关问题的原因。交流灭磁技术有其自身的特点和优点,目前尚处于应用扩展阶段,若再进一步取得运行经验,交流灭磁方式完全有可能取代直流灭磁方式。

参 考 文 献

[1] 张明华,曾广移,刘明波.交流灭磁技术在大型抽水蓄能机组中的应用.中国电力,2002(12):19～21

[2] GuangZhouII THYRIPOL – D Excitation system. SIEMENS A G,1998,2(5):12～48

天荒坪抽水蓄能电站励磁整流桥出现工作电流不平衡的原因分析

华东天荒坪抽水蓄能有限责任公司　金根明

[摘　要]　本文分析了天荒坪抽水蓄能电站励磁整流桥工作电流不平衡的问题,主要原因为脉冲变故障和脉冲回路插针表面氧化造成接触不良;提出了励磁装置运行维护的建议。

[关键词]　可控硅整流桥;脉冲回路;故障检修

1　故障现象

2003 年 12 月 6 日早峰发电时,5# 机励磁首次出现各整流桥工作电流不平衡现象,其 JD05 桥、JD06 桥的输出电流值大大低于 JD03 桥和 JD04 桥的输出电流值。

2004 年 2 月 23 日凌晨,2# 机励磁在机组 PO 运行时出现 JD04 桥和 JD06 桥工作电流偏小的情况,其值较之 JD03 桥和 JD05 桥只有一半左右。在问题处理过程中,却又出现了其他性质相似的电流不平衡情况。

2　故障处理

经对 5# 机励磁故障的检查,发现 JD05 桥和 JD06 桥有脉冲丢失情况,存在的问题是 JD01 - A0010 脉冲分配板上各插头的个别插针表面上有氧化痕迹。进行表面处理后,在励磁静态时用示波器检查各桥每一个可控硅的触发脉冲及其导通情况,没有出现脉冲丢失情况,各桥输出电压波形正常。开机试验,各桥工作电流基本一致。

但是,2# 机励磁出现的工作电流不平衡情况,在实际检查中发现存在的问题较多。2004 年 2 月 23 日在第一次出现 JD04 桥电流偏小的问题后,检查脉冲发现 JD01 - A0010 脉冲分配卡的各插头有插针滑出情况,处理后当天机组运行 JD04 桥工作电流正常,但 JD06 桥电流又偏小。在第二天的检查中,先更换了 JD06 桥两只可控硅 V11 和 V61,通过示波器检查又发现 JD06 桥的 A61 脉冲变故障,更换后当天晚上开机出现 JD04 桥、JD05 桥电流偏小的情况。在 2 月 25 日的检查中又发现 JD05 桥的 A31 脉冲变故障,更换后开机运行情况要好一些,但 JD05 桥、JD06 桥的电流较 JD03 桥和 JD04 桥偏小很多。3 月 3 日机组定检,对 2# 机励磁的触发控制回路进行全面的检查和测试,同时对 JD06 桥更换下来的两只可控硅装回原来的位置,全部正常后开机(SCP)试验,除 JD05 桥电流仍偏小外,其他三组桥的工作电流基本一致。由于问题不是同时产生并被发现,以致在解决了一个问题后仍会出现各整流桥工作电流不平衡的情况。

3 原因分析

正常情况下,在机组运行过程中励磁调节器根据机端电压和同步电压计算出触发脉冲的触发角,经 SAB 卡处理后发出同步脉冲(R+、S+、T+、R-、S-、T-)至脉冲分配板(JD01 - A0010)。六路脉冲经脉冲分配板、插头(X1、X2、X3、X4)及连线分别引至 JD03 ~ JD06 桥对应的每一个脉冲变,脉冲信号经脉冲变放大后触发可控硅。只要在整个脉冲触发回路任一个环节上的元件或连线存在问题,就有可能使可控硅因没有触发而不导通,加上主回路元件也有可能损坏或特性变差,这样都可造成整流桥不完全工作,使各桥组间工作电流不平衡。具体地说,造成这种工作电流不平衡现象主要有以下几种原因:

(1)脉冲变故障。对应的可控硅因无触发信号而不导通,使该组整流桥不完全工作。

(2)脉冲回路有关引线和插头松动、接触不良或断线。对应的一个或几个脉冲变无脉冲信号,同样使可控硅因无触发信号而不导通,引起整流桥不完全工作。

(3)可控硅和快熔故障。尽管触发信号正常,但由于可控硅故障或快熔熔断使对应桥臂无电流,从而使整组桥不完全工作。

(4)可控硅元件特性差异。对于并联运行而又没有均流措施的可控硅整流桥,在元件筛选上严格要求选择特性非常一致的可控硅元件才能使用。否则,如果特性差异大的可控硅元件混在一起使用,并联运行的整流桥组间的工作电流就不平衡,甚至偏差较大。另外,励磁系统在长期使用后,个别可控硅元件的特性会发生较大变化,这也会造成桥组间的工作电流不平衡。

(5)各桥组交流电源引线的长短影响。各可控硅桥的交流电源引线长短不同,由于工作电流大也会影响其工作电流的大小。一般来说,离电源较近的整流桥,并联运行时工作电流略偏大,而离电源较远的整流桥,则其工作电流略偏小。

综上所述,造成 2# 机励磁整流桥电流不平衡的主要原因为脉冲变故障,而 5# 机励磁整流桥电流不平衡主要为脉冲回路插针表面氧化造成接触不良所致。

4 对策

5# 机和 2# 机励磁先后出现整流桥工作电流不平衡问题后,经研究,在实际操作中采取以下相关对策:

(1)加强巡检和定期检查工作。在日常的设备巡检中要重点观察机组运行时各桥组(JD03 ~ JD06)盘表显示的工作电流,如发现电流偏差过大或其他异常情况,应立即汇报以便紧急处理。在主机定检时,要检查各整流柜内各功率元件及触头、接头等有无过热、变色或其他异常现象。

(2)加大检修力度,提高检修质量。在机组安排大小修时,除要完成常规的一些检修维护项目外,重点要检查励磁调节器功能和脉冲触发回路的状态是否正常,要检查到每一个触发脉冲信号是否真正到达可控硅的触发极,并检查可控硅是否导通。其中,特别要注意检查一些连接件、插头等有无松动、接触不良或断线等情况。如有可能,对 JD01 - A0010 的连接插头进行改造。

(3)提高检测水平,维护设备安全。由于设备的长期运行,出现一些设备老化或性能变差的情况是正常的,但一定要运用各种手段及时发现并检测出性能变差、变坏的元件,及早处理,以避免设备事故的发生或扩大。因此,为了有效而及时地检测可控硅元件的性能(伏安特性和控制特性参数)好坏,有必要配置一套可控硅的专用测试仪器,但其型号规格尚不清楚,需通过市场调查了解。

(4)提高认识,加强管理。设备故障或事故的发生往往是偶然的,但肯定有其必然的原因。通过对故障或事故的处理,一定要对事故本身有全面的认识,要了解设备的状态、故障的现象、缺陷的状况和分析、处理方法和效果。只有这样,才能积累经验,提高事故分析和处理能力,做到举一反三,避免类似的故障频繁发生。同时,要加强设备的检修管理和技术管理工作,认真做好设备台账、图纸资料和检修资料的整理,充足备品备件,保障设备检修和事故处理的有序进行。

天荒坪抽水蓄能电站 3 号电气制动闸刀故障分析及对策

华东天荒坪抽水蓄能有限责任公司　何　涛

[摘　要]　本文介绍了天荒坪电站电气制动闸刀运行中的故障,并提出了防止电气制动闸刀不正常运行的对策。

[关键词]　电气制动闸刀;故障分析;处理对策

1　综述

天荒坪电站电气制动闸刀型号为 SB250,额定电压 18kV,额定电流 12 000A/10min,由法国一家专业制造电气闸刀的制造厂生产,随同 18kV 管道封闭母线一起供货。

天荒坪电站电气制动闸刀在机组正常停机时,额定转速 50% 投入,然后加励磁发电机出口三相短路,以实现快速制动。

抽水蓄能机组每天频繁的开停机,制动闸刀的操作次数极为频繁,这对于制动闸刀本身的机械构件及其操动机构的要求较高。尽管电压不高,但是不同于一般维护用闸刀,投入后将通有 1 万多安的大电流,这对于不具备灭弧能力且触头为平板式的闸刀具有一定的危险性。2002 年 7 月 14 日 3 号电气制动闸刀 B 相触头烧毁严重(见图 1),并跳开 500kV 5012 和 5023 开关。

图 1　制动闸刀烧损图

2 故障经过

2002 年 7 月 14 日 21:03,3 号机组按调度令停机;21:04:58 当机组转速小于 50% Nr,励磁系统收到电气制动闸刀三相全合信号后,合上励磁开关 FCB03;21:05:25,机组低压过流 27/51G - A 保护一段、二段动作,跳开 500kV 5012 和 5023 开关。厂用电备自投动作切换正常。事故时本单元 4 号机组已经停机,全厂 1 号、6 号机组发电工况运转,各带 300MW。

3 设备损毁情况

故障后经检查发现,3 号机组电气制动闸刀箱盖 B 相观察窗玻璃裂开;B 相制动闸刀主动、静触头均烧熔损毁,尤其是中间位置烧毁严重,附属触头基本正常;B 相位置开关烧毁,所有控制及动力电缆不同程度损坏;其他两相柜门被烟熏黑,制动闸刀主、附触头正常;三相联动操作机构正常。

4 故障原因分析

从设备损毁情况来看,故障点只局限在 B 相。从故障记录 SOE 来看,投入电气制动前发电机开关已经可靠断开,三相制动闸刀在发电机转速低于 50% Nr 正常投入,当制动闸刀三相合闸后由位置转换开关送信号至励磁,此时励磁开关正常投入。显然由于 B 相主触头持续一段时间(约 24s)的燃弧烧损,与回路脱开,导致发电机端部只有 A、C 两相短路,并使得这两相电流增大。继电保护故障录波图中显示,故障电流最大有效值为 1.306A(一次值 15 672A),并且 1.2A 电流持续了 3s。低压过流保护设定值为 1.1A,2s、3s;1.3A,2s、3s,CT 变比为 12 000/1,机组额定电流值 10 681A。故障电流超过了低压过流保护动作设定值,此时低压过流保护正确动作跳开 500kV 开关。

分析认为,故障发生可能为 B 相动、静主触头接触不良的机械原因造成。主动触头为平板状整体结构,材料为铜;主静触头由 24 只一排弹簧压紧触指组成,材料亦为铜。辅助弧触头为单片式,先于主触头合闸,主要对机组剩磁下的小电流进行导通,保护主触头。B 相辅助弧触头故障后检查基本没有受损,说明导通情况良好,A、C 两相制动闸刀主、辅触头也正常,由于闸刀三相联动,可排除操作机构不良的原因。从持续 24s 主触头才熔断来判断应从触头局部开始并不断扩大,B 相主触头中间损毁相对于两边更为严重,相信起弧点由中间开始。由此而判断,中间一只或多只触指的压紧弹簧松脱或单个触指与其他触指不平行都会造成触头接触不良,使得回路电阻过大,这时大电流通过触头是故障发生最为可能的原因。

5 技术改造

为了保证能在电制动闸刀触头完全合上时,再加励磁,以便安全通过制动电流,显然只靠连在同一机械轴上的位置开关来判断闸刀的实际合闸到位情况是不够准确的。为此,我们研究采用光电开关在线监测刀闸主动触头的关合位置的变化,检测原理如图 2 所示。采用激光偏振反射板式的光电传感器(QS30LLP),发射和接受一体,在柜内对侧放置一块反射板,当刀闸合闸到位,遮挡住激光束,无激光接受,给出阶跃信号。

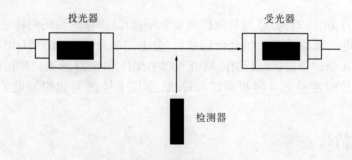

图2　检测原理图

　　准备合制动刀闸前,先给供电模块提供一个220V的交流电源,导通光电传感器的电源,光电传感器开始工作,发出一激光光束。当刀闸主动触头处于正常合闸位置时,遮挡住红外激光束,光电传感器发出导通信号,通过供电模块提出一组常开接点,三相串联,接入励磁电流的控制回路,导通励磁回路,施加制动励磁电流,或串联一个发光管,三相刀闸合闸到位后,线路导通,发光管亮,示意刀闸全部到位,可加制动励磁。

　　该装置在3号机上进行安装,并接入监控系统与转角信号串联,一并到位后进行报警,运行情况良好,未出现误动情况,并实现了双重监视刀闸到位。

天荒坪抽水蓄能电站机组轴
电流保护问题分析

华东天荒坪抽水蓄能有限责任公司　曾　辉　张亚武

[摘　要]　本文主要介绍天荒坪抽水蓄能电站发电电动机轴电流保护的配置,以及所出现的一些问题及其处理方法。

[关键词]　轴电流保护;装置配置;故障处理;发电电动机

华东天荒坪抽水蓄能电站位于浙江省安吉县境内,属日调节纯抽水蓄能电厂。电厂安装有 6 台单机容量为 300MW 的可逆式机组,其中发电电动机为立轴悬式的同步电机,并由加拿大 GE 公司负责设计、制造及现场安装、调试。

天荒坪电厂自 1998 年 9 月首台机组投运以来,多次出现因轴电流保护动作而引起机组开机失败。下面就天荒坪电厂机组轴电流保护配置所出现的一些问题及其处理方法做一简单介绍。

1　引言

鉴于天荒坪电厂机组轴线长、分段多、转速高($Nr = 500r/min$)、定子高($H = 3.05m$),与常规水轮发电机组相比,本厂机组正常运行时在转子两侧的大轴上所感应出的电势差也较大(运行工况、负荷不同而略有差别)。如果在机组正常运行时出现绝缘层绝缘电阻下降或短路,则会形成较大的轴电流(如图 1 回路 2 所示)。一般地,若通过瓦面的轴电流密度超过 $0.2A/cm^2$,就可能对轴瓦引起交汇,油膜遭到破坏,轴瓦发热,甚至瓦面烧花,危及机组安全运行。为此,合理配置及装设可靠的轴电流保护装置在天荒坪电厂机组的保护中显得尤为重要。

2　轴电流保护的配置

天荒坪电厂发电电动机为悬式结构,上部布置有推力轴承和上导轴承,其中推力轴承油盘上盖板采用巴氏合金瓦面密封。在推力瓦、推力油盘盖板及上导轴承三处相关位置布置了绝缘垫,以防轴电流构成回路。推力瓦的绝缘垫由两部分组成:一部分布置在推力头与镜板之间(两层,单层厚度为 1mm)(见图 1),另一部分布置在推力基础板与上机架之间(四层,单层厚度为 1.2mm)(见图 1)。推力油盘盖板的绝缘垫布置在推力油盘与其接合面处(两层,单层厚度为 1.2mm)(见图 1)。上导轴承的绝缘垫布置在上导轴瓦架与上机架支架之间(两层,单层厚度为 1.2mm)(见图 1)。其中在推力油盘盖板和上导轴承的

两层绝缘垫之间各设有一绝缘测试点,以便于日常检查。为防止机组在正常运行时大轴
所感应电动势的悬浮电位过高而对瓦面放电,在下导轴承下方设置一大轴接地碳刷(见
图1)。为尽量减少轴电流真正发生时对瓦面的影响,在推力盖板上方设置一大轴绝缘碳
刷(见图1)。正常情况下,如果上述三个部位的任一绝缘垫遭到破坏,由于瓦面上的油膜
阻抗远远大于大轴的绝缘碳刷阻抗(额定转速时油膜阻抗可达 50 000Ω),这时,大轴感应
电势所产生的轴电流就会通过大轴、绝缘碳刷、保护继电器、瓦架、破坏的绝缘垫、支架、大
地、大轴接地碳刷形成轴电流回路。这样,既保护了瓦面,又可发讯告警,甚至停机(见
图1中回路1)。

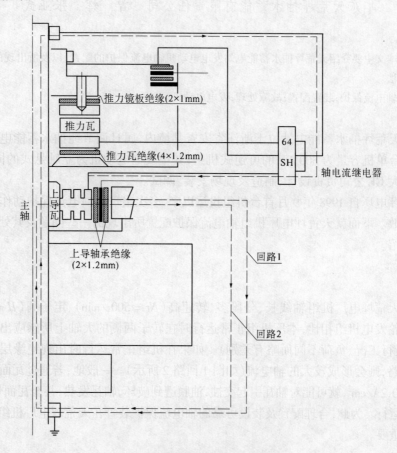

图1　发电机轴电流保护示意图

(回路1、回路2均为上导轴承电流动作回路)

　　天荒坪电厂轴电流保护采用独立的电流继电器64SH,为一集成电路型三相二级式过
流继电器,一侧分别连接至推力轴承、推力盖板、上导轴承的绝缘部分,另一侧三相短接后
作为一公用端连接到大轴的绝缘碳刷上。与通常所采用大轴 CT 的轴电流保护方式相
比,其最大优点是可以避免因 CT 二次侧输出受外界电磁或负荷电流变化干扰。当轴电
流保护继电器64SH 检测到电流大于保护设定值且经过一定延时后作用于报警、跳机。

　　轴电流保护 Ⅰ 段设定值为: $I = 0.06A$; $T = 2s$。

轴电流保护Ⅱ段设定值为：$I = 0.1A$；$T = 1s$。

3　出现问题及其处理

3.1　上导瓦背与油冷却器上盖板因金属物搭牢导致轴电流保护动作

机组检修后调试时，多次发生因上导轴电流保护动作而跳机。其主要原因是：制造商在设计上导轴承时，为了使上导瓦有更好的润滑效果，在瓦与瓦之间设有一垫条，并用螺杆对其进行固定。若在回装时因所使用工具或方法不当，紧螺杆时很容易导致一极小部分铁屑掉入。而上导油冷却器上盖板与上导瓦背间的间隙不可能四周绝对均匀(如图2所示)，掉入上导油盘的铁屑极易搭接在轴瓦与油冷却器上盖板之间，而引起上导瓦接地导致轴电流保护动作。

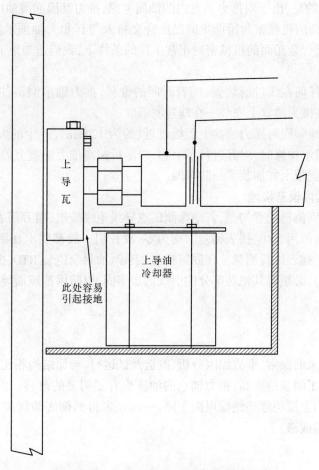

图2　上导轴承轴电流改造示意图

在事故处理中，我们也积累了一些经验，制定了一些应急和预防措施，并达到预期的效果：若碰到上导轴承轴电流保护动作，但机组又无法退备，一般地，可利用可逆式机组双向旋转的特性，反方向旋转以使短接在上导瓦背与油冷却器上盖板间的铁屑脱落；在检修过程中，要求用磁铁吸出上导油盘内的铁屑；对于瓦背与上导油冷却器上盖板间隙偏小的机组,对上导油冷却器上盖板内圆周作了打磨(单边约磨去 2mm),以增加轴瓦与油盆之间的间隙。

3.2 透平油中杂质导致推力轴承上层绝缘下降

我们在推力轴承上部依次设了一道油润滑的巴氏合金瓦面的机械密封、一只绝缘碳刷,机械密封的瓦面、绝缘碳刷均与大轴直接接触。机组正常运行时,碳刷所产生的碳粉会沿着大轴与推力上盖板间的间隙进入到推力油盘,与巴氏合金瓦面所产生的金属粉末一道参与了推力油盘内的油循环,部分含有导电杂质的油流会经推力头与镜板之间的四个定位销钉孔,进入到推力头与镜板间的绝缘垫。日积月累,销钉孔的四周就出现了碳粉或巴氏合金粉,从而造成推力轴承的镜板绝缘下降或为 0。

针对上述问题,我们采取了一些措施,一是为防止推力轴承的镜板绝缘垫的绝缘下降或为 0,更为重要的是,出于对推力油盘内的油质考虑,推力瓦因润滑油内的杂质而烧坏。

巴氏合金瓦面的机械密封所产生的巴氏合金粉末与其和大轴预紧力密切相关,经试验,在不影响巴氏合金瓦面的机械密封正常工作的条件下,我们适当地下调其预紧力为原设计值的 3/4 倍。

因原设计无任何在线过滤装置,随着时间的推移,推力轴承润滑油受污染也日趋加剧。为此,我们在推力油盆上安装一在线过滤器。

由于大轴绝缘碳刷与推力油盆上盖板过近(约为 120mm),产生的大量碳粉极易落入推力油盆,利用机组检修时,对其进行了上移,以尽量偏离推力油盆上盖板(约为 750mm),并在推力油盆上盖板上方加装了一防尘圈。

3.3 绝缘测量区内设备接地

在检修中特别值得注意的是,若绝缘测试点导线绝缘破损,用万用表测量其对地阻值也许是绝缘正常,但用 500V 摇表测量时则为零,故我们一般都要求在测量绝缘垫绝缘阻值时必须用 500V 摇表进行测量。在固定推力、上导、油封全铠装 RTD(探头侧一部分的引线采用金属外壳),必须对其铠装部分的引线固定牢固,以防因油流而导致其外壳接地,轴电流保护动作。

4 结语

经过近 3 年来的探索、事故原因分析、改造及试运行,与原结构相比,轴电流保护系统的运行可靠性有了明显的提高,推力轴承的油质也有了明显的改善。但是由于一些结构上的原因,如推力上层绝缘垫绝缘电阻下降,一时还未得到彻底的解决,这还需作更进一步的探索、研究与改造。

机组高速加闸原因分析及技术改进

华东天荒坪抽水蓄能有限责任公司 郑小刚

[摘 要] 本文介绍了天荒坪发电电动机机械制动系统的控制,对发生在机组调试期间高速加闸的事件进行了分析,并提出了具体的技改措施,保证发电电动机组安全运行。

[关键词] 机械制动;高速加闸;电调测速;技术改进;发电电动机

1 概述

天荒坪抽水蓄能电厂位于浙江安吉县境内,总装机容量为 6×30 万 kW,属日调节纯抽水蓄能电厂,其中发电电动机由加拿大 GE 公司引进,型式为立轴、悬式、三相、50Hz、空冷可逆式同步发电电动机,机组额定转速为 500r/min,机组停机制动采用电气/机械制动两种方式。在正常情况下,电气制动在转速低于 50% 额定转速时投入,机械制动在转速低于 5% 额定转速时投入;在电气制动受到闭锁的情况下,可以通过机旁盘上的紧急按钮在转速低于 20% 额定转速时投入机械制动。停机制动既能缩短机组停机时间,提高机组响应能力,又有效地防止了机组慢速转动造成的轴承瓦损坏。

2 机组机械制动的控制

2.1 机械制动原理

机械制动采用风闸顶起制动的方式,天荒坪电站机械制动系统由装设于下机架的 6 套风闸和装设于转子上的制动环组成,利用风闸与制动环之间的摩擦力而达到制动效果,风闸的操作能源采用 $(7 \sim 8) \times 10^5 Pa$ 的压缩空气。

2.2 机械制动投/退的控制

控制机械制动的投/退即控制风闸的投/退,是通过一个电磁型三通阀(如图 1 中的 Y0001)切/投压缩空气来实现的,所以机械制动投/退的控制就是电磁型三通阀 Y0001 的控制。

如图 1、图 2 所示,当机组导叶全关(K0025)与机组开关拉开(K0021)条件均满足后,若此时发出停机令或发出投机械制动令,则风闸的是否投入完全取决于机组的转速信号(K1027/K2027)。G001910 是机组监控系统发出的自动投机械制动的命令,其逻辑构成要求的条件是非常严格的,见图 3。

3 高速加闸的原因分析

根据机械制动的控制原理,机组发生高速加闸的情况一般发生在机组开关已拉

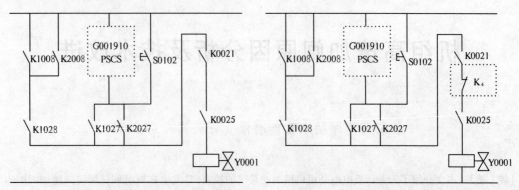

图1　原设计机械刹车投/退回路控制图

K1008/K2008 为机组跳闸矩阵出口停机令；K1027/K2027 为机组转速小于 20% 开关量信号；K1028 为机组转速小于 5% 开关量信号；K0021 为机组开关已拉开信号；K0025 为机组导叶已全关信号；S0102 为机旁盘紧急投机械刹车按钮；Y0001 为机械刹车投/退电磁阀

图2　增加电调故障闭锁后的机械刹车投/退回路控制图

K_4 为新增机组电调故障信号

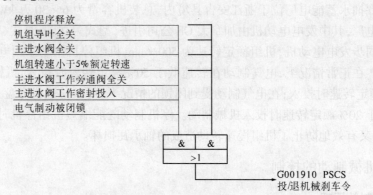

图3　机组远方投/退机械刹车逻辑控制图

开、导叶已全关的前提下，由于机组电调测速输出开关量信号丢失，若此时监控系统发出投制动令或机组机械跳闸矩阵发出机组停机令或人为的操作投制动，则机组机械制动便立即投入，造成机组高速加闸。

3.1 两起高速加闸事件的情况介绍

1999 年 7 月，4 号机做动平衡试验，机组转速在 450～500r/min 之间，当时电厂技术人员正采用分路拉电源的方法查找 110VDC 直流系统接地故障，由于当时直流采用单路供电的方式，当接地查找人员拉开 4 号机 110VDC 供电开关时，首先机组由于电调柜控制电源失电而跳机，机组导叶正常关闭，在机组转速大约在 495r/min 时，发生高速加闸，造成机组强烈的振动和制动风闸的严重损坏。事后分析，造成此次高速加闸的原因：首先是电调柜失电后，测速装置无法保持失电前的测量值，同时在电源恢复后，测速装置的恢复存在一个从零转速逐渐上升至实际转速的过程，这样就造成机组机械制动控制中转速小于 5% 额定转速条件的满足，误投机械制动。

1999 年 10 月，2 号机做空载转动试验，当机组开机转动后，现场调试人员发现机旁盘机组转速显示为0,立即按下紧急机械跳闸按钮使机组跳机,当导叶关闭后,制动风闸自动投入,造成又一起高速加闸事件,事后检查,当时电调中测速回路确实存在问题,造成各转速开关量的输出闭锁。

3.2　机组测速系统简介

从上述两起事件的分析中可以得知,电调输出异常的转速开关量信号是造成高速加闸的直接原因。

电厂的机组测速系统可分为机端PT测速和齿盘测速装置,机端PT测速主要用于机组并网后电调出力调节与控制;齿盘测速可分为180齿齿盘测速系统和6齿齿盘测速系统,其中180齿齿盘测速系统用于机组转向判断、机组静止状态判断及机组背靠背拖动控制,6齿齿盘测速系统则用于机组SFC拖动时转子初始位置判定及控制,同时还用于机组电调测速,即电调SM100测速卡件,其组成见图4。

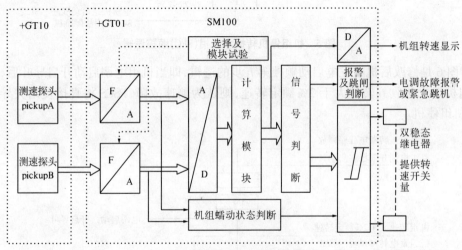

图4　机组电调测速原理框图

电调SM100测速卡件提供了用于机组控制的各开关量速度信号,如2%、5%、15%、20%额定转速等信号,同时SM100还输出机组转速值显示信号、机组蠕动信号及具有实时检测测速通道(picupA/pickupB)情况功能,故障时输出相关报警信号。

由此可知,解决机组高速加闸的关键问题在于如何提高SM100测速卡件输出信号的有效性和可靠性。

4　防高速加闸的技术改进

高速加闸造成的后果是严重的,轻则因为机组的振动造成机组相关部件及二次检测元件的损坏,重则直接造成风闸及制动环的报废,同时制动产生的大量金属粉末也将给发电电动机安全运行带来事故隐患,所以我们在发生上述高速加闸的事件后,立即要求设备制造厂提出整改意见,同时电厂技术人员也提出相应技术防范措施,主要包括以下两个方面。

4.1　机组开机顺控逻辑的修改

图5是修改后机组抽水调相启动(SFC拖动)顺控的部分逻辑,即在SFC开始调节输

出电流之后,在22s内机组无法收到转速大于22%额定转速,则认为测速故障,PSCS将发出中断机组调相启动令,机组跳机。

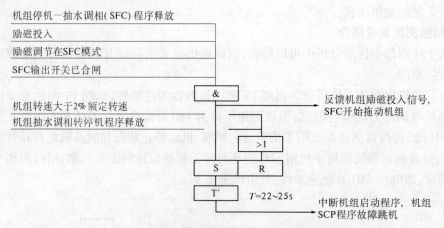

图5 机组停机转抽水调相(SFC)顺控逻辑

图6是修改后机组发电启动顺控第五步的逻辑,即当机组电调启动开启导叶后,若在8s内机组无法收到转速大于2%额定转速,则认为测速故障,PSCS将直接发出关导叶命令,机组停机。

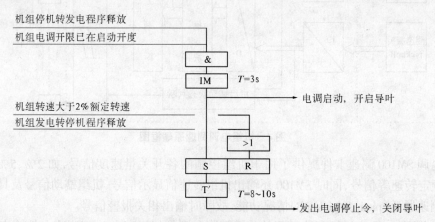

图6 机组停机转发电顺控逻辑

此项改造在一定范围内可以避免在机组开机前发生电调测速故障而机组继续开机转动,但也存在着功能的局限性,即在机组转速大于2%额定转速之后的测速回路故障,同时此项改造也影响了机组正常启动成功率,由于各机组调速器及SFC拖动响应时间的区别,在投入此逻辑后先后造成2号机发电启动失败及1号机SCP(SFC拖动)启动失败,现已将2号机上述延时增为10s,1号机上述延时增为25s,可是由于机组转动惯性的存在,增加机组发电启动的延时,机组导叶打开后转速将上升并超过风闸能承受的20%额定转速,所以说,此项改造应是治标不治本之策。

4.2 机械制动控制回路的修改

此项技改是以电调中的"电调故障"报警信号的及时发出为前提的,由图4可知,

SM100卡件具有实时自诊断功能,当 pickupA 和 pickupB 测速信号均出现故障时,则发出"电调故障"报警信号,具体的报警逻辑构成见图7。

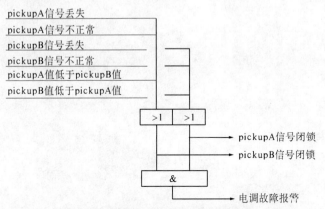

pickupA信号丢失
pickupA信号不正常
pickupB信号丢失
pickupB信号不正常
pickupA值低于pickupB值
pickupB值低于pickupA值

>1　　>1

→ pickupA信号闭锁
→ pickupB信号闭锁

&

→ 电调故障报警

图7　电调测速信号故障报警逻辑

由此将"电调故障"信号的中间接点串接至机组机械制动控制回路中(如图 2 中 K_4),则机组在任何工况运行时发生测速故障,均能有效地切断制动投入回路,避免机组高速加闸。

5　结论及注意事项

经过上述两项技术改造,目前电厂高速加闸的事故隐患已基本解决,机组运行至今未发生一起高速加闸事件,但值得注意的是:

(1)在发生机组测速故障的情况下,由于机组转速信号的丢失同时还影响机组电气制动的操作、机组推力轴承高压注油泵的投退等,故现场人员除了观察机械制动的动作情况外,还应及时手动投入高压注油泵和机械制动。

(2)由于在风闸控制回路中新增了"电调故障"投入闭锁,同时也增加了风闸拒动的几率,因此为防止机组停机惰转和蠕动,现场运行人员在停机过程中应注意监视机械制动的可靠投入。

(3)平时加强对电调测速 SM100 卡件及其各输出双稳态继电器的巡视和定期检查。

四、电气设备

广州蓄能电厂输配电设备及运行情况分析

广州蓄能发电有限公司 张明华 刘国刚

[摘 要] 本文对目前世界容量最大的抽水蓄能电站 500kV 系统主接线及其高压输配电设备进行了简要介绍,并对其运行过程中出现的问题进行了分析。

[关键词] 输配电设备;运行分析;抽水蓄能电站

1 简介

广州蓄能电厂是目前世界容量最大的抽水蓄能电站。电厂总装机容量 $8 \times 300MW$,分两期工程建成。一期工程装机容量 $4 \times 300MW$,全套引进法国设备,工程总投资 26.5 亿元,主体工程 1989 年 5 月动工,1994 年 3 月全部投入运行。二期工程装机容量 $4 \times 300MW$,发电机、电气设备及监控系统采用 Siemens 设备,水轮机及其辅助设备由 VOITH 提供,总投资 40 亿元,1994 年 6 月动工,1999 年 4 月第一台机发电。广州蓄能电厂自 1993 年第一台机组投产以来,在南方电网和香港电网中起着越来越重要的作用。

广州蓄能电厂的抽水蓄能机组所特有的运行特性为保障南方电网的安全稳定经济运行提供了有效手段,也决定了其在电力系统中的重要作用:

(1)调峰填谷功能。抽水蓄能机组能够利用系统低谷时段的富裕电量抽水,在系统高峰时发电,改善了系统中火电、核电机组的运行状态,降低了系统的能耗,提高了系统运行的经济性。

(2)事故备用功能。抽水蓄能机组启动灵活迅速,具有低频自动开机发电、低周快速切泵、泵工况紧急转发电等功能,发电工况从启动到满负荷只需 2~4min,由抽水运行转换到发电工况仅需 3~4min,适合作为电力系统的事故备用电源。自 1993 年第一台机组投产至今,因系统事故、故障而紧急启动蓄能机组多达 150 次,为系统安全稳定运行作出了较大贡献。

(3)调频功能。抽水蓄能机组能够适应负荷急剧变化,调频性能好,可以作为灵活可靠的调频电源。

(4)调相功能。抽水蓄能电站站址一般距负荷中心较近,控制方便,机组具有发电、抽水两种工况下的调相功能,可以作为调相机使用,能够承担电力系统调相任务。

2 广州抽水蓄能电站输配电设备配置情况

2.1 500kV 主接线设计

广州抽水蓄能电站电气主接线的设计应综合考虑电厂的水文气象、动能特性、建设规模、接入系统设计、枢纽总体布置、地形和运输条件、环境保护、设备特点等因素;应满足电力系统对电厂稳定、可靠性的要求以及对电厂机组运行方式的要求,并不致造成水库大量弃水,从而严重影响电厂效益和安全运行;同时,应满足供电可靠、运行灵活、检修方便、接线简单、便于实现自动化和分期过渡、经济合理等要求。电气主接线应在全面技术经济比较的基础上确定。

广蓄 500kV 系统一期工程采用四角接线,进出线共有 4 回。二期工程采用五角接线,进出线共有 5 回。两期工程 500kV 系统通过一条联络线相联(见图 1)。

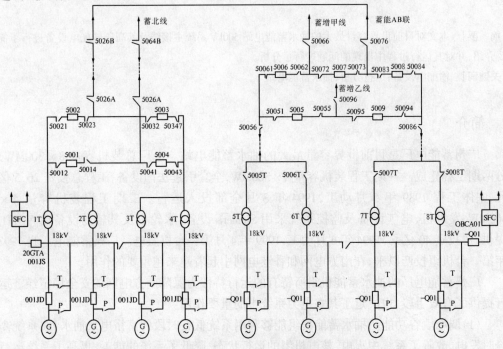

图 1　广蓄 A、B 厂 500kV 系统主接线示意图

一期工程所采用的四角形接线实质上是一种单环形接线,每个回路用 2 台断路器进行操作。该接线形式充分利用了每一回路的断路器,任一组断路器检修不影响回路的连续运行,系统可靠性高,操作方便、灵活;正常运行操作由断路器进行,无需如双母线接线方式要倒换较多的隔离开关。另外,还具有所用设备少、投资省、占地面积少(尤其适用于洞内,以减少开挖量)等特点。从工程投资费用考虑,由表 1 列出的数据说明一期工程的四角形接线投资最省。

表 1　广蓄一期 500kV 主接线设计投资分析

主接线型式	四角形接线	一个半断路器接线	六角形接线	双母线	单母线
投资百分数(%)	100	139.3	114.3	117.1	110

鉴于二期工程进出线回路数不多、建设规模明确、角形接线在正常合环运行的情况下具可靠性高、投资省的优点,且我国水电系统对角形接线积累了较丰富的运行经验,因此最终设计选择一期工程采用四角形接线,二期工程采用五角形接线。

2.2 500kV 系统 GIS 设备配置

广蓄 A 厂 500kV 系统设备采用法国 Alsthom 公司生产的封闭式 SF_6 组合电器(GIS),广蓄 B 厂 500kV 系统设备采用德国 Siemens 公司生产的封闭式 SF_6 组合电器(GIS)。

以广蓄 A 厂为例,其 500kV 系统按照现场安装位置,可分为室内 GIS 设备和室外电气设备,以及连接室内外电气设备的 500kV 充油电缆等三大部分。其中,室内设备全部采用封闭式 SF_6 组合电器(GIS),共有 14 个气隔,两种气压等级,即在常温(20℃)下,断路器气隔气压较高,为 $5.5 \times 10^5 Pa$,其他 SF_6 气隔正常气压均为 $3.5 \times 10^5 Pa$。室内设备主要布置在 GIS 室,包括 4 组断路器(FBZT 型)、14 组隔离刀闸(SFT155 型)、16 组检修接地刀闸(MLT155 型)、2 组快速接地开关(MRT155 型)、2 组避雷器以及 4 组电压互感器、34 组电流互感器、联络母线等。此外,还有从各主变高压侧引出到 GIS 室的封闭式母线。室外设备为 500kV 出线部分,全部布置在出线场,由两组两侧均带有接地刀闸的隔离开关、两组避雷器和两组高频阻波器及其耦合电容器等主要设备组成。通过 500kV 充油电缆实现地下厂房和户外电气设备之间的连接。

表 2　广蓄 A 厂 500kV 设备

设备	SF_6 断路器	SF_6 隔离刀	慢速地刀	快速地刀	SF_6 电压互感器	氧化锌避雷器
型号	FBZT	SFT155	MLT155	MRT155	—	—
数量	12	42	48	6	12	6

2.3 500kV 充油电缆设备

蓄能 500kV 充油电缆用于实现地下厂房 500kV 设备与户外 500kV 设备的电气连接。电缆采用单相、铜芯、油浸纸绝缘、铅合金护层、不锈钢加强及铠装聚乙烯护套 500kV 充油电缆,为法国的 Alcatel 厂生产。电缆长约 600m,高差约为 200m,采用廊道电缆沟架空刚性固定敷设(见图 2)。每相电缆有 5 个体积为 61L 的油罐串联补油系统以保证电缆油压维持在一定值。供油系统设有压力检测系统,给出油压告警或跳闸信号。广蓄 A 厂 500kV 充油电缆主要参数见表 3。

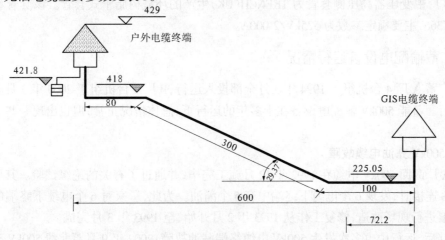

图 2　500kV 充油电缆敷设示意图　(单位:m)

表 3　广蓄 A 厂 500kV 充油电缆主要参数

额定电压(U_0/U)	300/520(550)kV		
额定电流	875A		
额定热稳定电流及时间	50kA 3s		
额定动稳定电流	125kA		
温　度			
在额定电流时最大允许温度	85℃		
短时最大工作电流时最大允许温度	95℃		
额定短路电流下最大允许温度	200℃		
电缆导体			
标准断面面积	1 600mm^2	材料	铜
直径	53.5mm	结构形式	空心自支撑
绝缘材料	油绝缘纸	绝缘层厚度	28mm

2.4　500kV 主变压器

广蓄 500kV 主变压器型号为 ODWF - 18/525kV - 340MVA - 50Hz,结线组别为 YND11,为三相五柱芯式户外油浸三相变压器,采用强迫油循环水冷方式。主变高压侧通过油/SF$_6$ 高压套管与 500kV GIS 母线相连,低压侧通过油/空气套管与 18kV 离相封闭母线相连,中性点通过油/空气套管引出直接接地。A 厂 4 台主变由法国 ALSTOM 变压器厂制造,B 厂 4 台主变由英国 PEEBLES 变压器厂制造。

A 厂主变压器高压侧套管为 TRENCH(UK)生产的油绝缘套管。该套管型号为500HC530,主要额定参数为 525kV/2 000A。

B 厂主变压器高压侧套管为 TRENCH(UK)生产的环氧树脂干式套管。该套管型号为500HC366,主要额定参数为 525kV/2 000A。

3　广蓄输配电设备运行情况

广蓄 A 厂 4 台机组于 1994 年 3 月全部投入运行,B 厂 4 台机组于 2000 年 3 月全部投入运行。蓄能 500kV 输配电设备在十多年的运行下,总体情况正常,但也出现一些主设备问题。

3.1　500kV 充油电缆故障

A 厂两回 500kV 电缆在 1992 年 12 月施工完毕,并通过了有关的绝缘试验。其后进行与 GIS 连接时,发现 6 个电缆下终端中有 5 个漏油。为此,厂家对 6 个电缆下终端的结构和材料进行现场改造,修复工作从 1993 年 2 月开始,至 1993 年 3 月完成。

其后,运行中也多次发生 500kV 电缆终端漏油故障:2002 年 9 月蓄北线 500kV 充油电缆 C 相下终端漏油,反复多次修复;2003 年 4 月 AB 联络线 500kV 充油电缆下终端 C 相电缆头漏油;2003年7月蓄北线C相电缆因漏油渗入电缆外护层而出现膨胀,电缆直径最大处已达到187.7mm,比正常直径大出约52mm,经过认真分析和评估,采取对C相电缆下终端漏油点进行修补并对电缆外护层采取引流、泄压的措施,维持了电缆的安全运行。

1999年8月,500kV AB联络线充油电缆户外上终端A、B相套管发生爆炸事故,导致全厂对外全停36h,AB联络线因事故检修退备8个月,事故后果及影响非常严重。经专家分析,事故原因也可能与电缆漏油缺陷和相关部件设计缺陷有关联。

B厂500kV充油电缆也发生同样漏油故障:1999年7月电缆0ABA78的A相漏油;2000年9月电缆0ABA56的C相漏油。

500kV充油电缆漏油故障主要系结构设计、材料选型、现场工艺等方面引起。在完成相关技术改造后,现场施工工艺特别是现场焊接工艺便成为会否发生漏油的决定因素。通过运行实践,蓄能电厂已经对电缆漏油故障模式有了深入认识,并掌握、积累了相关维修工艺和经验。

鉴于500kV充油电缆在运行中暴露出的较多问题,我们正进行将其换型为干式电缆的可行性研究工作。

3.2 500kV 主变压器故障

1997年12月,通过主变定期油化色谱分析试验,发现2#主变色谱试验结果不合格,经进一步检查,确认2#主变内部存在高能放电故障,后送回法国原厂大修历时19个月才修复。

1998年9月,5#主变在第二次充电时主变保护动作跳闸,检查发现主变内均压罩经绝缘挡板向高压线圈压紧件放电。厂家更换主变原三相均压罩和绝缘挡板后,于11月通过相关试验后恢复正常运行。

其他常见故障为主变本体漏油故障和冷却器故障:8#主变在2003年10月由于低压侧A相升高座底部密封漏油,导致主变需退出备用进行密封更换;A厂主变冷却器因内部冷却器铜管出现砂眼和端盖内漏而导致漏水,多次进行冷却器更换维修;B厂主变冷却器在投运初期检查发现冷却器内壁生锈而全部进行除锈处理。

经验表明,定期油化色谱分析试验是监测主变运行状况的一种科学、有效、快速手段。

3.3 500kV 高压套管故障

A厂主变高压套管发生两次套管内部油压异常故障:2002年3月2#主变B相套管内部油压高报警,采取更换套管措施;2003年4月3#主变B相套管内部低油压报警,现地测量套管油压为0.3×10^5Pa,已经低于压力整定值下限0.4×10^5Pa,采取更换套管措施。

B厂通过近年主变高压套管的预防性试验发现该类型套管介损普遍偏高,部分套管介损和电容值超标。到目前为止,已更换6#主变C相高压套管(2002年7月)、5#主变B相高压套管(2003年12月)和7#主变C相高压套管(2004年12月)。

该类型干式套管也被国内其他几个电厂所选用,但在运行中均发现存在同样问题,厂家也未能给出合理的解释。

目前,我们通过电气设备预防性试验来监测套管状况,以便及时更换故障套管,避免发生扩大性事故,而有的电厂则采取套管全部换型措施。另外,我们已计划安装主变设备(含套管)在线监测系统,以加强设备状态检修手段。

3.4 500kV 线路阻波器设备故障

2003 年 10 月,蓄能 500kV 蓄增乙线 A 相线路阻波器内的调谐筒发生爆炸,采取更换措施。由于该生产厂家提供的阻波器调谐筒工频耐压能力选取过低,近年在广东省 500kV 线路运行中发生多起调谐筒损坏事件,为避免再次发生类似事件,上级主管部门要求对广东电网内所使用的该系列阻波器调谐筒全部更换,并推荐采用北京电力设备总厂生产的国产调谐筒。

3.5 500kV GIS 气隔漏气

多次出现过 GIS 气隔漏气现象,主要应是密封件质量问题,目前采取及时补气措施,已计划在 GIS 大修期间进行彻底处理。

4 结语

广州蓄能电厂 500kV 输配电设备的配置设计充分考虑了抽水蓄能电站的运行特点,工程重视推进技术进步,设备选型敢于采用新技术、新材料、新工艺,所选择的均为同期世界上技术比较先进的设备。

然而,设备实际运行经验也表明:一些进口主设备的质量和可靠性也有待进一步提高;进口关键设备故障维修技术对国外生产厂家依赖性较高;进口设备备品采购较困难,备品费用较高而且供货周期较长;此外,个别国外生产厂家在市场竞争中出现产权变更甚至破产,诸如这些因素有时将严重影响设备正常运行和影响故障设备修复效率。国产设备在技术含量、产品质量进一步得以提高的情况下,在上述方面较进口设备将更具有竞争优势。

抽水蓄能机组启停次数非常频繁,如 2004 年广蓄 B 厂 4 台机组共启动了 10 741 次,如此频繁的启停造成了设备操作频率及操作次数极高,同时使设备处于不断的时冷时热循环中,这对蓄能输配电设备和机组设备的运行要求更为苛刻。今后将继续对蓄能设备的电气性能、技术特点进行分析、研究和总结,确保设备始终处于良好的运行状态,充分发挥抽水蓄能机组在电网中的重要作用。

天荒坪抽水蓄能电站主变压器
安装和运行中故障问题的分析

华东天荒坪抽水蓄能有限责任公司　何永泉　陆　胜

[摘　要]　本文介绍了天荒坪抽水蓄能电站在安装和试运行期间主变压器发生的绝缘问题,介绍了变压器的结构,总结了变压器制造、安装、运行等方面的经验教训。
[关键词]　变压器结构；安装试验；故障分析

　　天荒坪抽水蓄能电站共装有 6 台发电电动机,电压等级为 18kV,主变压器与发电电动机组成单元接线,将 18kV 的发电机电压上升到 500kV 后组成联合单元接入华东电网系统。

1　主变压器的主要技术参数和结构

　　天荒坪抽水蓄能电站主变压器型式为三相、油浸、有载调压、强油循环水冷却(见图 1)。其主要参数为:

　　额定容量　360MVA　　　额定频率　50Hz

　　额定电压　高压　$515 \pm 8 \times 1.25\%$　　　低压　18kV

　　阻抗电压　(正常分接班高低压间为 13.5%)　　　联结组别　YN,D11

　　工频耐压　630kV　峰值

　　操作冲击耐压　1 175kV　有效值

　　雷电冲击耐压　1 425kV　有效值

　　空载损耗　≤130kW　短路损耗　≤870kW

　　运输重量　≤200t　运输尺寸　L9.5×H4.2×W3.9　(m)

　　局部放电　≤100PC　按 IEC 试验标准

　　铁芯采用三相五柱式结构,由 0.23mm 厚的激光处理硅钢片叠压而成,硅钢片单位损耗为 0.8W/kg(在 1.7TESLA)。运行磁通密度为 1.71TESLA。铁芯柱直径为 1 080mm,截面积为 8 444.1mm^2。45°斜接缝处采用三级分叠,铁芯无穿心螺孔,采用环氧无纬玻璃带包扎,上、下轭与旁轭用玻璃丝加强带、夹件和不锈圆钢 U 型拉杆夹紧,外层钢片刷漆固化粘牢。旁轭与下夹件两侧拉紧钢板上嵌入层压胶板压紧钢片。上、下夹件用 T 形截面,下夹件水平板上每相放四个圆形聚酯卷纸型硬纸筒作线圈支撑,同时作导向油的进口。上夹件水平板上有压紧螺栓压紧线圈上层压板。上、下夹件用 8 根拉紧螺杆拉紧,铁芯钢片、上夹件、下夹件分别用小套管引出接地。

　　绝缘结构从芯部向外采用低压、高压、调压线圈布置(见图 2),其中高压线圈为上下

图 1　变压器本体结构图

并联,中间引出。高、低压线圈间距 630mm,高压引出部分与调压线圈间距 578mm,采用薄纸筒小油隙结构,由多层瓦楞纸板形成绝缘间隔。高、低压线圈之间绝缘结构为,高压线圈内部撑条厚 6mm,撑条内为高压线圈纸筒(第一张围屏)厚 3mm,往内侧为 2 层 3mm 纸板加撑条及 7 层 1mm 纸板,接着为 6 个瓦楞纸薄纸筒油道,靠低压线圈有 2 层 1.5mm 纸板加撑条。高、低压间总距离为 106mm。高压与调压线圈间有 6 个薄纸筒瓦楞油道,总绝缘距离为 100mm,中间高压引线分别穿插 4 个引线绝缘纸筒。低、高、调三个线圈两端用一个整块层压木板压紧,但上部层压木板上有 19 个 ϕ8 小孔作为工艺孔,下部层压木板上的油道孔对准 4 个圆筒并接到导向油总管。

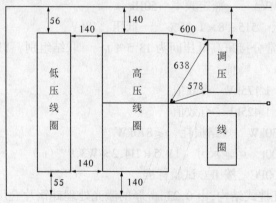

图 2　主变压器绝缘结构图　(单位:mm)

　　低压线圈直径 1 130mm/1 258mm,高 2 538mm。高压线圈直径 1 470mm/1 730mm,高 2 523mm。调相线圈直径 1 934mm/1 964mm。低压线圈为螺旋式线圈,采用 CTC 连续换位导线,6 股并联,共 56 匝。高压线圈其中一半为纠结式线圈,采用 2 股导线并绕,另一半为连续式线圈,采用多股换位导线并绕。高压线圈上、下各有 70 个饼,从中间数 1~30 个饼,每饼间有一垫块,31~70 饼每两饼有垫块,每饼有 14 匝,共 925 匝。调压线圈为连续式带抽头,联至 MR 有载调压开关,共 96 匝。线圈两端均有静电屏,静电屏有小铜绞线与引线间连接,上、下调压线圈中间用绝缘垫块层叠。高、低压线圈均为导向冷却,调压线圈自然冷却，线圈均为不浸漆。高压引线用软铜线压接外套铜管直径76mm，绝缘127mm，与高压套管均压罩连接等电位，分接引线固定的木支架用层压板，四根并排的分接引线中间两根细，旁边两根粗，均有绝缘包扎，以改善场强，分接引出线采用焊接。低压引线从最内侧上、下引出穿过层压木板，绝缘包扎后离夹件距离大于50mm。

变压器油箱内部装有硅钢片作屏蔽，减少杂散损耗，钢片与油箱壁有间隔，并用纸板绝缘，一点接地，用平头埋入螺栓与油箱固定。油箱钟罩法兰靠下侧，上、下箱油外侧边缘另加一条偏钢上、下与箱沿焊死，可多次割焊。

2 3号主变压器安装中的问题

该变压器于1997年6月通过出厂试验，1997年11月运到工地安装就位，在工地储存期间内部气压为2psid。1998年5月开始变压器本体装配，1998年7月安装完成，并开始抽真空。但在7月11日由于主变抽真空用的管道为内外两侧钢丝加强的塑料管，在真空滤油机侧和固定在混凝土墙钢筋上的这一段管道的钢筋流过中性点偏移电压产生的电流，导致塑料管钢筋发热，致使塑料管熔断着火，破坏了变压器的真空，事后检查变压器油箱内无异物后，于1998年8月继续抽真空并进行真空注油。注油后进行了一周的热油循环。

1998年10月22日作安装后的局放试验，测得A相局放大于250pC，B相局放80pC，C相局放50pC，再重复A相试验，在0.65倍额定电压时，局放已超过250pC，在1.3倍额定电压时局放大于5 000pC。10月23日，再次做A相局放试验时，在0.22倍额定电压时，放电已超过100pC，在1.3倍额定电压时，局放大于5 000pC，取油样发现C_2H_2含量为5.7 mg/kg，说明变压器内部已产生放电。根据厂家意见，对变压器进行滤油处理。11月9日重新进行A相局放试验，在1.0倍额定电压时，局放为30pC，1.2倍额定电压时，局放突然变大为500pC，5min后为750pC，但10min后降为130pC，至1.3倍额定电压时局放降为130~150pC。次日再对A相作第二次局放试验，1.4倍额定电压时局放约250pC，1.5倍额定电压时未见明显增大，1.3倍额定电压30min局放维持在180~200pC，至0.6倍额定电压时局放消失。在试验的同时，制造厂作油箱外超声波探测故障位置，判断故障源来自A相低压套管侧，认为故障有可能修复。1998年11月13日，变压器再次排油，由制造厂督导进箱检查，检查未发现异常情况。重新注油后进行了12天的热油循环滤油。于1998年11月30日进行第三次局放试验，A相在额定电压时局放为50~60pC，1.2倍额定电压时为60~70pC，1.3倍额定电压时局放为100pC，降至额定电压维持时，局放值为250~500pC，8min后局放出现不稳定的毛刺，12min后突然扩大至4 000~5 000pC，停止试验。事后取油样分析C_2H_2为4.8mg/kg。

1998年12月5日，制造厂质量工程师来工地再次作排油进箱检查，发现A相线圈上部木压板上的12只压紧螺钉中有一只松动，认为这一未和压钉接触的铁制压碗，有可能在高电场下产生悬浮放电，便于12月6日对变压器进行了两天真空注油，一天热油循环。12月11日晚重做局放试验。先做B相，在1.3倍额定电压下局放仍为50pC，然后做A相，在0.9倍额定电压时就产生局放300~350pC，加压5min后大于5 000pC，降至0.5倍额定电压时，局放大于10 000pC。为探测故障部位，持续加压60min，测定故障部位仍在A相低压侧,其放电量局部增大。12 月 12 日对 A 相再次做局放试验时,电压加到 0.16 倍额定电压,局放就有 10 000pC,证明介质已造成了不可恢复的击穿。在本次试验前通过滤油变压器内 C_2H_2 为 0.9mg/kg,试验后,C_2H_2 为 270.6mg/kg,进一步证实 A 相绝缘内已产生闪烁放电。1999 年 2 月 4 日,变压器排油检查时,发现铁芯上及 A 相线圈周围有大量纸板绝缘烧成的碳粒。1999 年 3 月 3 日变压器运回制造厂修理。

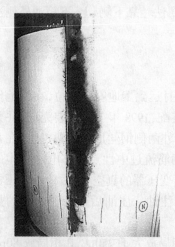

图 3　围屏上的电弧照片

1999 年 7 月 21 日在制造厂对变压器进行解体检查,发现 A 相高压线圈内第一围屏和第二围屏上发生大量电弧放电烧伤,见图 3。这是在几次局放试验中累积产生的。主要故障范围在高压线圈内侧,第 2、3、6、16、31 线饼有不同程度烧穿,其中 4 号撑条在 31 号线饼时整个烧穿,其他线饼上铜导线外纸绝缘均有烧伤。第一张围屏内侧与第二张围屏外侧纸板上有一条明显的电弧烧损的槽,纸板已成碳粉,深 1～2mm,周围全部为熏黑和黄色油烟迹及上部树枝状放电。第一张围屏外侧靠下部烧得较大的周围发黑,其他部位为较浅色的树枝状放电痕迹以及纸板胀裂。第一张围屏内侧靠上部沿电弧通道处发现绝缘纸板已有两处起泡,外侧未烧损部位也有较大块的纸板起泡(长 300mm、宽 100mm 左右),但此大泡没有产生任何放电。第二张围屏为 2 张 500×2 200 纸板,中间有 50mm 宽拼缝,拼缝处被熏黑无烧痕,围屏内侧完好无损,无放电。在第二张围屏表面用磁铁吸到极细的铁粉,高压线圈外侧围屏下纸板上捡到一颗直径为 0.6mm 铁焊渣,在高压线圈线饼上也吸到了铁粉。

初始放电位置位于中部出线往上第二个线饼处,及第二层围屏块两张相邻纸板空间的底部,这一部位正是高压线圈的最高场强处,示波器显示的放电波形为金属性悬浮放电。在第一次局放试验时,在此位置有金属性粒子,在高场强下激起局部放电,多次油循环未能排除变压器内部的污染粒子,它们在绝缘薄弱处激发了更为严重的放电,引起纸围屏产生贯穿性击穿,并沿绝缘纸板从中部高电场区域向上部低地位区域,产生树枝状放电。并由此穿过纸板及撑条向高压线圈线饼内侧处产生滑闪放电,烧坏撑条及线饼的绝缘。

该变压器经处理后,返回现场安装,局放试验合格,投入运行后情况正常。

3　6 号主变压器安装中的问题

该变压器于 1998 年 3 月出厂,5 月运到工地,11 月在制造商督导下进行安装,并开始抽真空,但由于 3 号主变的局放不能通过,决定用 6 号主变代替,12 月该变压器移至 3 号主变室继续安装。1999 年 1 月 27 日进行安装后的局放试验。局放分别为 A、B 相 500pC,C 相 100pC,不符合合同要求。1 月 29 日重复试验时 C 相也升至 600pC。2 月 13 日制造商督导进箱检查,发现上、下夹件的接地连接片未联上。经处理后恢复真空注油。3 月 2 日再次局放试验,A 相 500pC,B 相 2 500pC,C 相 1 000pC。接着制造商要求对主变压器进行热油循环处理,持续一个月。6 月 23 日进箱检查用吸尘器吸出有细小的铁屑等杂物。7 月再次进行热油循环处理,油温保持在 70~75℃,持续两周。8 月 19 日第三次局放试验,A 相 50pC,B 相在升高试验电压时由 1 000pC 降至 100pC,在 30min 内保持稳定。C 相 1 500pC。第二天重复试验后结果同前一天。

厂家决定将变压器进行返厂处理,更换 C 相全部绝缘件,并在制造厂进行气相干燥。2000 年 2 月修复后进行出厂局放试验,测得 A 相 500pC,B 相 > 1 000pC,C 相 500pC。不能满足合同要求,作退货处理。

4　一号主变试运行中的故障

该变压器于 1996 年 10 月出厂,1997 年 1 月运到工地,6 月开始安装,10 月通过安装后的接收试验。1998 年 5 月正式投运。1999 年 5 月变压器油中色谱曾出现微量乙炔,但一直稳定。为此,我方未同意制造商结束保证期。事故前 5 月做过色谱试验,乙炔数值没有变化。

2000 年 7 月 5 日 13 时 15 分变压器正常运行中,突然主变差动保护动作,变压器油箱外壳严重变形,大量喷油,水喷雾灭火动作。事故前 500kV 系统无操作,无雷电活动。实时运行数据检查,变压器高、低压线圈温度正常。保护动作表明,该主变 A 相发生了接地故障,打开油箱进入孔发现 A 相调压线圈、高压线圈及围屏均已损坏。

解体检查发现高压引线已被电弧烧断,线圈上、下压板断裂,上端部有约 10 个饼的线圈短路,匝绝缘烧焦铜线翻出,严重变形塌陷。第 16 饼导线断裂,对应的围屏处有放电。下半部第 20、21 饼位移部分挤入高、低压之间的绝缘围屏。下端部 10 饼内匝线圈多处烧伤,多匝线圈短路。靠近高压线圈的围屏有黑色的电弧烧损通道,大片烧焦、碎裂,但无树枝状放电。低压线圈除被高压线圈第 20、21 饼挤压变形外,

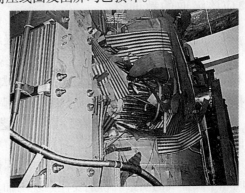

图 4　一号主变内部故障照片

其余部分完好。调压线圈间隔的绝缘垫块全部塌下,线圈严重变形,高压引线下偏外侧围屏翻出 1m 直径的破口,可见到内部铜线。A 相旁轭对应围屏破损处有电弧放电点。下夹件对应高压线圈处有电弧烧损,形成凹陷。对未发生故障的另两相解体检查内部围屏和高、低压线圈均无异常,但在线圈底部下压板上发现一些铜和铁的末子。事后,该变压器按退货处理。

5　主变压器问题的事故分析

天荒坪电站三台主变压器,2 台在安装中未能通过局放试验,1 台在试运行中发生故障。从故障和解体检查分析看,主要原因有以下几方面。

5.1　内部质量方面

变压器内部存在金属杂质。三台主变压器事后解体检查和事故后对冷却器管道的检

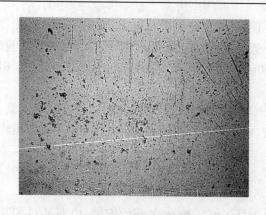

图 5　冷却器管壁上的焊渣

查发现,变压器芯部存在铁屑等杂质。这些杂质主要是铁屑,以及冷却器焊接时的焊缝未清理干净留下的焊渣等(见图 5)。这是由于制造厂工艺控制不严所致。其次,现场的安装环境和场地的清洁度以及操作失误也直接影响变压器的安装质量。再则,杂质也来自冷却器油阀门频繁动作产生阀片的金属磨损。

5.2　结构设计方面

天荒坪电站变压器安装在地下厂房,对运输和安装的尺寸有限制要求,同时对变压器损耗要求较高,又要求采用有载调压装置,因此对结构设计要求较高。

审查现有的变压器设计认为其场强计算和电压分布均能满足技术要求。分析认为调压线圈采用的砖块式支撑,以及高低压线圈采用分裂导线,线圈的电动稳定性可能较差。有载调压的调压线圈需要占据较大的空间,又要限制变压器的重量和尺寸,这些都要求变压器芯部的设计必须紧凑,增加了绝缘设计的难度。

6　应该汲取的教训

从天荒坪几台变压器发生的问题中应汲取的教训如下:

(1)变压器的参数选择应优先考虑其绝缘结构有充分的余地,为此能用油隔板大油隙的不要用薄纸筒小油隙,尽量不采用导向冷却。如有可能不要过分限制变压器的运输重量和尺寸,不要片面强调低损耗。能用无载调压的不要用有载调压。

(2)应该注意变压器本体的工厂装配工艺,有条件的应该派驻工厂监造,在制造阶段严格控制变压器的制造质量。

(3)应该注意控制变压器的安装质量,保证安装环境的清洁,特别要控制开箱工作的时间和干燥空气的质量。特别要注意现场抽真空的质量。对于所有的变压器附件,特别是变压器油路通道要认真检查清扫干净。

(4)对于运行中的变压器建议使用在线色谱分析,对于色谱有异常的变压器应装设在线局部放电检查。定期进行预防性试验,发现异常及时跟踪分析,以加强对运行变压器的状态监视。

环氧胶浸纸电容套管运行中的
问题及处理对策

华东天荒坪抽水蓄能有限责任公司 何永泉

[摘 要] 本文通过对环氧胶浸纸电容套管在广州抽水蓄能电站、天荒坪抽水蓄能电站和大朝山水电站等电站的运行分析,发现了由于环氧胶浸纸介质极化引起用低压测试介损值的误差,同时通过事实说明必须重视环氧胶浸纸电容套管运行中电容量的变化,以防止套管运行中发生绝缘击穿事故。

[关键词] 环氧胶浸纸电容套管;介损值异常;电容量异常

1 环氧胶浸纸电容套管的结构特点

英国传奇生产的 ERIP 环氧胶浸纸电容套管 1997 年起在广州抽水蓄能电站、天荒坪抽水蓄能电站和大朝山水电站等电站用做 500kV 升压变压器的高压套管,选用套管的型号为 500HC,在广州和大朝山选用的是 525kV/2 000A,在天荒坪选用的是 525kV/1 250A,均为与 GIS 联结的油/SF_6 环氧胶浸纸电容套管。这种电容套管采用干态皱纹纸绕制套管的电容芯,在层间夹有铝箔纸组成的 25 个电容屏,然后在真空干燥下整体进行环氧树脂浸渍、固化、车削成型,表面涂釉,中间装上安装法兰。套管电容芯最外层末屏用小套管引出,在运行中接地,最内层与套管的导电铜杆相连。制造商认为环氧胶浸纸电容套管结构简单,能安全使用,运行中不需每年进行预防性试验。

为确保这种新型套管的运行安全,广州、天荒坪抽水蓄能电站还是进行每年一次的预防性试验,现分别统计了已投运的英国传奇制造的 500kV 环氧胶浸纸电容套管在广州抽水蓄能电站、天荒坪抽水蓄能电站,以及后来在大朝山水电站的测试情况。

从 2000 年开始每年对套管进行预防性试验,截至 2004 年测试结果统计见表 1。

表 1　2004 年对套管进行预防性试验测试结果统计

单位	套管总数	介损增加只数	占比例(%)	电容增加只数	占比例(%)
广州抽水蓄能电站	12	6	50	8	66.7
天荒坪抽水蓄能电站	18	6	33.3	11	61.1
大朝山水电站	12	3	25	3	25

试验发现有较多套管通过运行后的介损值超过了 0.7%,电容量变化超过了 5%,其中大朝山水电站 2004 年还发生了一起在运行中套管爆炸事故,这种新型的 500kV 环氧胶

浸纸电容套管已严重影响主变压器的安全运行。

2 环氧胶浸纸电容套管介损值变化的情况和原因分析

天荒坪抽水蓄能电站由于测试发现环氧胶浸纸电容套管的介损值异常变化,曾分别在 2001 年更换了 2 号主变 B 相、2002 年更换了 3 号主变 A 相套管。现场测试采用 M4000 绝缘介损测试仪,在 10kV 试验电压下测量介损值。广州、天荒坪抽水蓄能电站,以及后来在大朝山水电站试验中发现介损值变化较大的套管见表 2、表 3、表 4。

表 2　天荒坪抽水蓄能电站介损值异常变化的套管

安装部位	试验时间	铭牌值(%)	测试值(%)	增大量(%)
2 号主变 B 相	2001 年	0.51	0.69	35.3
3 号主变 A 相	2002 年	0.45	0.83	84.4
3 号主变 C 相	2002 年	0.57	0.73	28.1
4 号主变 B 相	2003 年	0.48	0.65	35.4
5 号主变 B 相	2004 年	0.55	0.65	18.2
6 号主变 B 相	2004 年	0.60	1.35	125

表 3　广州抽水蓄能电站介损值异常变化的套管

安装部位	试验时间	铭牌值(%)	测试值(%)	增大量(%)
5 号主变 B 相	2003 年	0.53	2.14	303.8
6 号主变 B 相	2004 年	0.51	0.90	76.5
6 号主变 C 相	2002 年	0.45	2.11	368.9
7 号主变 A 相	2004 年	0.55	0.86	56.4
7 号主变 B 相	2004 年	0.45	0.71	57.8
7 号主变 C 相	2004 年	0.53	0.79	49.1

表 4　大朝山水电站介损值异常变化的套管

安装部位	试验时间	铭牌值(%)	测试值(%)	增大量(%)
2 号主变 A 相	2004 年	0.47	1.961	317.23
3 号主变 A 相	2004 年	0.49	2.105	329.59
4 号主变 C 相	2004 年	0.42	1.347	320.71

从表 2 可以发现天荒坪抽水蓄能电站 2000 年后每次预试都发现有套管介损值变化,其中变化最大的 6 号主变 B 相在 2002 年 12 月试验时介损值增大到 1.04%,比出厂值增加了 73.3%。2003 年试验恢复正常,2004 年介损值又增大到 1.35%,比出厂值增加了 125%。

在 2002 年发现天荒坪 3 号主变 C 相和 6 号主变 B 相套管介损值异常增大时,首先对末屏的绝缘进行了检查,其检查结果见表 5。

表5 天荒坪抽水蓄能电站对末屏的绝缘检查结果

安装部位	测试电压(kV)	介损值(%)	电容量(pf)	绝缘电阻(GΩ)
3号主变 A 相	2	0.84	1 078.4	540
3号主变 B 相	2	0.73	1 170.1	26.6
3号主变 C 相	2	0.75	1 123.3	122
6号主变 A 相	2	0.44	1 011.7	—
6号主变 B 相	2	0.93	1 059.5	—
6号主变 C 相	2	0.71	1 104.4	—

检查试验数据说明末屏的绝缘良好,套管受潮的可能性不大。

检查了套管的出厂试验值,随着测试电压的上升介损值和电容量是基本不变的。现场测试时的试验电压是10kV,我们对3号主变 C 相套管采用抬高测试电压的方式再来做介损试验,其试验结果见表6。

表6 天荒坪抽水蓄能电站采用抬高测试电压方式做套管介损试验结果

安装部位	测试电压(kV)	介损值(%)	电容量(pf)
	10	0.761	364.48
	15	0.711	364.53
	20	0.672	364.53
3号主变 C 相	25	0.636	364.53
	30	0.607	364.53
	37.5	0.584	364.40

试验发现,随着试验电压的上升,介损值逐渐下降,可以认为采用10kV的试验电压难以准确测量套管介损值。将更换下来的3号主变 A 相套管送制造厂,当测试电压从16kV升到525kV过程中,套管介损值均在0.4%左右,但电容量比出厂值有所增加。

环氧胶浸纸电容套管测试的介损值异常变化的原因可以用电介质理论来解释。由于套管采用的环氧胶浸纸绝缘介质是一种结构多层的极性电介质,在外电场的作用下,介质表面会积累自由电荷,产生夹层介质表面的极化;当测试电压较低时电介质极化损耗产生的有功电流在总的介质有功电流中占有的比例较大,造成测试的介损值偏大,随着试验电压的升高,电介质的电导电流比例增加,电介质极化损耗产生的有功电流在总的介质有功电流中占有的比例减少,测试的介损值降低。以下所做的试验进一步证实了我们的分析。通过对主变作分合闸冲击可以使一些套管测试的介损值增大,通过对主变电压零升零降可以使介损值恢复原值。

天荒坪电站对3号主变做了分合闸冲击试验,并在试验前后对套管用10kV试验电压测试介损值,冲击前 C 相套管的介损值为0.74%,第一次冲击后 C 相套管的介损值达到

2.58%,检查此时的分闸角为 +90°;第二次冲击后 C 相套管的介损值为 1.13%,此时的分闸角为 −90°。可以认为分合闸冲击时分闸角为 90°的这一相的套管,受到分闸时产生电压的非周期分量影响,会引起套管夹层介质表面的极化,影响介损值测试的准确性。

天荒坪抽水蓄能电站 3 号主变分合闸冲击试验前后的测试结果见表 7。

表 7 天荒坪抽水蓄能电站 3 号主变分合闸冲击试验前后的测试结果

安装部位	试验状态	介损值(%)	电容量(μf)
3 号主变 A 相	冲击试验前	0.50	347.5
3 号主变 B 相		0.44	349.4
3 号主变 C 相		0.74	364.1
3 号主变 A 相	第一次冲击试验后	0.53	346.8
3 号主变 B 相		0.47	348.8
3 号主变 C 相		2.58	357.0
3 号主变 A 相	第二次冲击试验后	0.53	346.8
3 号主变 B 相		0.47	348.8
3 号主变 C 相		1.13	363.2

天荒坪抽水蓄能电站又对测试发现介损值异常的 6 号主变 B 相套管用发电机做电压零升和零降试验,发现通过这一过程可以消除介质的极化,介损值异常的套管可以恢复正常。

天荒坪抽水蓄能电站 6 号主变做零升零降试验前后的测试结果见表 8。

表 8 天荒坪抽水蓄能电站 6 号主变做零升零降试验前后的测试结果

安装部位	试验状态	介损值(%)	电容量(μf)
6 号主变 A 相	零升零降前	0.58	345.4
6 号主变 B 相		1.02	362.0
6 号主变 C 相		0.55	341.5
6 号主变 A 相	第一次零升零降	0.57	345.5
6 号主变 B 相		0.78	362.2
6 号主变 C 相		0.55	341.5
6 号主变 A 相	第二次零升零降	0.57	345.5
6 号主变 B 相		0.64	362.2
6 号主变 C 相		0.54	341.7

根据上述试验,可以说明是因为环氧胶浸纸电容套管介质表面在电场的作用下产生夹层介质表面的极化,造成在用 10kV 测试介损值时产生较大的误差。为此,我们对用 10kV 试验电压测试套管介损值做了以下规定:当发现测试的套管介损值数据增大时,可

以适当抬高试验电压再做试验,如果随着试验电压的升高,介损值会下降,可以认为该套管的介损值测试有误差。

3　环氧胶浸纸电容套管电容量变化的情况和原因分析

在环氧胶浸纸电容套管试验中发生介损值升高的同时,又发现环氧胶浸纸电容套管的电容量升高问题,同时对于电容量升高的套管进行解剖后,发现伴随着套管电容量升高,环氧胶浸纸电容套管的内部发现有电容屏绝缘击穿的严重问题。天荒坪抽水蓄能电站2号主变A相套管的电容量升高了7.98%,将套管换下并对其进行解剖,找到了套管电容屏的放电点。现将天荒坪抽水蓄能电站和广州抽水蓄能电站试验中发现电容量变化较大的套管列于表9、表10。

表9　天荒坪抽水蓄能电站电容量变化的套管

安装部位	试验时间	铭牌值(μf)	测试值(μf)	增大量(%)
2号主变A相	2004年	349.5	377.4	7.98
2号主变B相	2001年	357.2	372.2	4.20
2号主变C相	2003年	355.6	372.3	4.70
3号主变A相	2002年	351.6	363.2	3.30
3号主变C相	2002年	351.0	365.7	4.19
4号主变B相	2003年	360.2	370.6	2.89
4号主变C相	2004年	351.5	363.7	3.47
5号主变A相	2001年	351.5	370.9	5.52
5号主变B相	2004年	346.6	361.0	4.15
5号主变C相	2003年	353.1	366.0	3.65
6号主变B相	2004年	352.3	366.0	3.89

表10　广州抽水蓄能电站电容量变化的套管

安装部位	试验时间	铭牌值(μf)	测试值(μf)	增大量(%)
5号主变A相	2004年	337.0	351.6	4.33
5号主变B相	2003年	328.0	411.3	25.40
5号主变C相	2003年	338.0	352.2	4.20
6号主变A相	2004年	336.0	350.6	4.35
6号主变B相	2004年	334.0	348.8	4.43
6号主变C相	2002年	336.0	345.7	2.89
7号主变A相	2004年	333.0	347.9	4.47
7号主变C相	2004年	332.0	359.8	8.37

先是广州抽水蓄能电站的 5 号主变 B 相套管,2002 年测试电容量为 339.3μf,比铭牌值增大 3.45%;2003 年测试值为 411.3μf,增大到 25.4%。换下后运往制造商,经制造商解剖发现有 4 个电容屏已击穿,分别为 17～18、21～22、23～25 层电容屏之间,但称未找到故障点。

天荒坪抽水蓄能电站 2 号主变 A 相套管电容量增大达 7.98%,我们认为可能有 2 层电容屏已击穿,决定对该套管进行解剖。吸取制造商解剖的教训,我们不采用横切法来寻找套管内电容屏的故障点,而是对套管采用层层车削的办法,最终找到两个故障点,分别为 13～14 层电容屏间和 18～19 层电容屏间(见图 1、图 2)。在第 19 层铝箔下的击穿点距套管上端部 830mm,孔径约 1.5mm,深 3.5mm,绝缘已完全击穿。在第 14 层铝箔下的击穿点距套管上端部 655mm,孔径约 1.5mm,深 3.3mm,绝缘已完全击穿,在第 14 层铝箔下的绝缘表面还有黄色的放电痕迹。击穿点分别位于套管的中部法兰内和偏上方。

图 1　天荒坪 2 号主变 A 相套管 13～14 层电容屏间击穿点

图 2　天荒坪 2 号主变 A 相套管 18～19 层电容屏间击穿点

图 3　大朝山水电站故障套管照片

上述两个套管的解剖事实证实,当套管测试的电容量变化时,会有套管内部的电容屏发生层间击穿,一般每增大 4%～5%,会有一个电容屏发生层间击穿。环氧胶浸纸电容套管是由干燥的皱纹纸真空浸渍环氧树脂制成的,如果浇筑浸渍工艺不严,绝缘结构内存气隙,就不能通过出厂局放试验。以上试验也发现套管电容量变化一般是在运行数年后发生的,这些套管虽已通过出厂试验,但是固体绝缘在较长时间运行后,原来浇筑浸渍有缺陷的部位在电场作用下会进一步发展使绝缘劣化(图 3),造成局部的绝缘击穿。所以,应对此引起高度的重视,并可以通过坚持定期的预防性试验来及时发现和更换有缺陷的套管。

2004 年 7 月 31 日大朝山水电站 3 号主变 C 相套管在运行中发生绝缘击穿毁坏,该套管也是环氧胶浸纸电容套管。电站在套管投运后没有定期做预防性试验,事故发生后检查原套管的出厂试验报告、变压器出厂试验报告以及变压器在现场的投产前测得的试验数据见表 11。

表11 大朝山水电站3号主变C相套管相关试验数据

试验项目	试验时间	强主变A相	强主变B相	强主变C相
介损值(%)	出厂试验	0.481	0.473	0.530
	变压器出厂试验	0.45	0.46	0.44
	投产前试验	0.49	0.42	0.45
电容量(μf)	出厂试验	330	331	331
	变压器出厂试验	329	331	332
	投产前试验	332.9	332.9	387.1

发生事故的C相套管制造商出厂试验合格,在变压器厂安装时试验合格,变压器出厂时进行过局放、耐压、冲击等整套试验。可能在那时套管已经受伤,2001年在现场投产试验时测试的电容量已超过出厂试的16.94%。通过约3年的运行后,套管发生了绝缘击穿事故。事故后检查损坏套管内部电容屏多处击穿。大朝山水电站在事后对所有运行套管做了一次普查,发现电容量测试有异常的套管试验数据见表12。

表12 大朝山水电站电容量测试有异常的套管试验数据

安装部位	投产日期	铭牌值(μf)	投产值(μf)	测试值(μf)	增大量(%)
2号主变B相	2002年	330	369.3	470.5	42.58
3号主变A相	2002年	330	332.9	347.2	5.21
3号主变B相	2002年	331	332.9	355.7	7.46

通过试验发现,2号主变B相套管的电容量增大量已达到了42.58%,随时都有可能发生事故。通过试验后及时更换,避免了一次严重的变压器套管绝缘事故。

4 经验教训和处理对策

通过近年来对英国传奇环氧胶浸纸电容套管运行的监视和测试,我们认为这种套管具有与油纸电容套管不同的特点。其优点是结构简单、使用方便,特别适合用于与GIS联结的变压器套管;其缺点是如果环氧胶浸纸电容套管的工厂制造工艺掌握不严,会在套管的绝缘中产生一些隐患,通过一段时间的运行,特别是抽水蓄能电站,负荷变化频繁,绝缘结构会暴露出一些问题,制造时有隐患的套管一般经过2~5年运行后甚至会发生内部绝缘变劣。所以,应通过定期的预防性试验来发现和更换有缺陷的套管。

当现场用10kV电压测试套管的介损值,发现介损值与历年测试值相比有增大时,可首先通过测试末屏绝缘判断套管是否受潮,如末屏绝缘正常,可以适当提高测试电压来校核试验是否受介质极化影响。如果提高测试电压后介损值下降,套管可以继续使用,在以后的测试中可作进一步的比较,目前还没有发现介损值变化与电容量变化的必然联系。

当试验发现套管的电容量发生变化时应予以高度重视,制造商认为当电容量变化超过10%的套管必须退出运行,对变化低于10%的套管应密切监视其电容量的变化,必要时可以加装在线监视装置,但如可能最好对电容量变化超过 5% 的套管也进行更换,因为已经存在有电容屏的击穿说明这个套管的制造工艺是有问题的,应尽早处理以避免发生套管绝缘击穿事故。对于多次发生套管制造质量问题的制造商,建议其认真进行研究并改进工艺,质量稳定后用户方可继续放心采用。

国内首根引进 500kV XLPE 电缆
在天荒坪抽水蓄能电站中的运用

华东天荒坪抽水蓄能有限责任公司　何永泉

[摘　要]　本文介绍了国内第一根引进的 500kV XLPE 电缆的选型,在天荒坪抽水蓄能电站高竖井中的敷设安装,以及电缆的运行情况。

[关键词]　XLPE 电缆;波纹铝金属屏蔽;电缆终端;电缆敷设

天荒坪抽水蓄能电站是华东电网最大的抽水蓄能电站,总装机容量 1 800MW,电站装有 6 台 300MW 的抽水蓄能机组,第一台机组于 1998 年 9 月投入运行,最后一台机组于 2000 年底投入运行。发电电动机与主变压器采用单元接线,每 2 台主变用 GIS 相连组成一个联合单元。500kV 主接线为单母线分段,6 个断路器,其中 2 个线路开关,2 个母联开关,另 2 个分别为一、三单元的进线开关,三个联合单元进线,两条线路出线。由于 500kV 采用 GIS,开关站布置在地面,而主变压器位于地下厂房内,因此三个联合单元从地下引出,需用 500kV 的电缆从地下主变压器厅通过一个高约 100m 的电缆竖井进入地面开关站。500kV 电缆在地下与连接两台主变的 GIS 相连,在地面与 500kV GIS 开关站相连。

在天荒坪抽水蓄能电站建设时期,500kV 油浸纸绝缘电缆已有成熟的运行经验,广州抽水蓄能电站采用了 500kV 油浸纸绝缘电缆。LDPE 低密度聚乙烯和 HDPE 高密度聚乙烯电缆已有运用,500kV 的 XLPE 交联聚乙烯电缆也开始在日本的一些抽水蓄能电站运用。在研究选择适合天荒坪抽水蓄能电站运行的电缆时,我们考虑油浸纸绝缘电缆在电气绝缘上是成熟的,但在天荒坪高压电缆要通过一个高约 100m 的电缆竖井,如用充油电缆,较高的油压对电缆及终端的密封要求很高,而且还要考虑充油电缆在竖井中的防火安全问题。如果能采用干式电缆,可以避免这些问题。当时的咨询单位曾竭力推荐使用 LDPE 电缆,因为在天荒坪联合单元的负荷电流并不大,运行温度不会高,可以使用 LDPE 电缆,价格相对较便宜。通过技术交流我们了解到日本藤昌、日立等制造商已有生产 XLPE 电缆的业绩,并已在日本下乡、今市、蛇尾川等抽水蓄能电站投入使用。XLPE 电缆敷设方便,运行可靠,寿命比 LDPE 电缆长。最后,我们在标书中决定充油电缆或 XLPE 电缆两种都可以接受。通过评标后选择了日立公司的 XLPE 电缆,最终选择了 XLPE 电缆。XLPE 电缆具有较低的介质损耗,其无油的结构有优良的阻燃特性。电缆终端可避免由于高落差造成的电缆下部高油压和复杂的油压控制。这是在我国第一根使用引进的 500kV XLPE 电缆(图 1)。

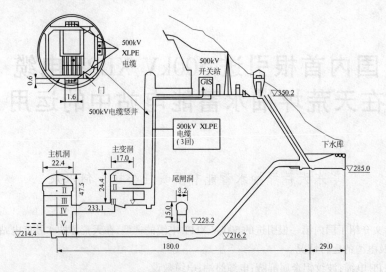

图 1　天荒坪抽水蓄能电站 500kV XLPE 电缆敷设路径图　（单位：m）

1　天荒坪抽水蓄能电站 XLPE 电缆的特点

根据日立公司的设计，500kV XLPE 电缆的结构为：导线采用 800mm^2 的多股铜线，组成分段扇形，主绝缘采用惰性气体挤压的 XLPE 材料厚 35mm，内外两侧的半导体层厚 1.5mm，外层的金属屏蔽采用厚 3.5mm 铝波纹管，并敷有 5.5mm 的 PVC 外护层。

电缆的额定电压 550kV，雷电冲击耐受电压 1 675kV，操作冲击耐受电压 1 240kV，额定电流 873A。短路电流 50kA 3s。电缆直径 165mm，单位长度重量 28kg/m。电缆共有三个回路，长度分别为 219m、222m、256m。

在招标设计阶段，为防止电缆芯线在金属屏蔽内滑动，根据咨询单位的建议，标书明确规定不得使用波纹铝，但实际设计时日立公司采用了波纹铝金属屏蔽。超高压 XLPE 电缆的设计要求在金属屏蔽和电缆芯线之间要保持一定量的间隙，以防止由于加热而产生的热膨胀，引起在电缆芯线和金属屏蔽之间的摩擦系数产生变化。增加在芯线上的束缚力，这也是垂直安装的关键因素。在设计阶段注意 XLPE 电缆必须同时满足下列各种情况：一是即使在低温下电缆芯线直径收缩时也应紧束电缆芯线防止滑动；二是不阻碍电缆芯线在高温时膨胀。这些条件靠研制一种特殊的垫层来满足，设计的垫层厚 5.7mm，加在波纹铝屏蔽和芯线之间。铝屏蔽的内径稍小于垫层的外径，以得到芯线上必要的束缚力。由于电缆运行时导体温度从 – 14℃到 90℃时，将会引起电缆芯直径变化约 4mm，为了克服这一变化引起挟持力的变化，使用了一种轻型混合材料的编织袋作为垫层，垫层用吸收芯线膨胀的薄混合垫条及铜和半导体组成的编织带绕在芯线上。带子的混合性质可防止芯线和金属屏蔽护套之间的滑动。制造商在工厂的一个 15m 高的架子上对一段试验电缆进行周期性的温度变化试验，发现采用这种垫层的电缆芯线的伸缩也同样是周期性的变化。适当选择垫层的厚度，可使铝屏蔽最大的预压力不影响内部的电缆芯线。波纹铝屏蔽由阻燃 PVC 外护层保护形成一个半导体的外皮，有效地保护电缆芯线不受损害，同时铝屏蔽能承担流经的短路电流。天荒坪抽水蓄能电站运用的实践证明了这一设计是成功的。

电缆终端的主绝缘采用手工包扎成型的结构。在天荒坪电站 500kV XLPE 电缆上、下的终端均与 GIS 相连，因此装有 SF₆ 气体型密封终端，在地面开关站侧为垂直布置，在地下 GIS 侧为水平布置。电缆终端主要由在电缆芯线上缠绕硅油浸渍的交联聚乙烯带作为其主要绝缘，交联聚乙烯带由现场施工人员人工包扎，在包扎交联聚乙烯带过程中插入在制造厂预制的环氧树脂应力锥，最后套上作为外绝缘的环氧树脂绝缘套管，电缆终端的密封靠套在芯线上的一个紧密结合的铜套来防止硅油渗漏，经抽真空注入硅油，装入 GIS 管道内。在电缆终端内部的硅油储油柜内装有补偿硅油热胀冷缩的金属膨胀器。在电缆终端的绝缘套管外是 GIS 的六氟化硫气体。

电缆在上部地面 GIS 室下设置预留段，以便在电缆终端故障时留有做一个终端的余地。电缆两端装有接地盒，上部接地盒经避雷器接地，下部接地盒直接接地。为了防火需要在电缆敷设通道加了缆式报警装置，在上、下两个水平段加装了防火门。

2　XLPE 电缆在高竖井中的安装敷设

天荒坪 500kV 电缆通道，从地面 GIS 开关站至垂直竖井有一段 32m 长的水平通道，在水平段中有三回电缆，其中两回沿两侧墙敷设，一回沿地面敷设，电缆在水平段带有蛇形敷设，即在 9m 长度内一个正弦形布置变化的宽度为 24cm，每隔 1.5m 有一个电缆夹具，其中部分为活动夹具，以便电缆在热胀冷缩时移动。在垂直竖井中，中间为电梯通道，因此三回电缆分别布置在电梯通道外的 3 个弓形区域内，靠竖井中央电梯通道的混凝土墙敷设，竖井内电缆也采用蛇形布置，在 6m 距离内，电缆蛇形变化宽度为 32cm，每隔 1.5m 设一个电缆支架，其中一个固定夹具，间隔一个活动夹具，可解决在电缆热胀冷缩时的移动。进入地下厂房后，电缆又为水平敷设，蛇形布置同上水平段，分别敷向 3 个不同的地下 GIS 单元，所有电缆夹具均为铝合金制造，由制造厂提供，电缆桥架在工地施工制作并安装。

电缆敷设采用自上而下的方法。即将 500kV 电缆盘运至地面开关站旁，为使电缆运输方便，天荒坪电站工程 500kV 电缆盘外径为 3.8m，盘线处直径为 2.8m，盘宽 2.36m，运输重量 10t，敷设时电缆盘放在地面开关站旁，电缆从上往下敷设。为保证电缆能平稳敷设，顺利通过竖井，日立公司设计采用了 15 只同步牵引机，其中 1 个布置在电缆盘前方将电缆牵入地下水平廊道，另一个布置在水平廊道，在水平廊道靠电缆竖井口同时设有 4 个同步牵引机，作为将电缆牵入竖井的主要牵引力，在竖井内等距离均匀分布 7 个牵引机，使电缆平稳通过竖井，在地下厂房水平廊道处又设 1~2 个牵引机作为水平牵引，将电缆送到指定的地下 GIS 单元（图 2）。15 个同步牵引机采用一个主控制盘进行控制，各点的牵引机装有变频装置和就地控制盘，所有控制盘采用串联联结，可以同时启、停全部同步牵引机。同步牵引机在使用 50Hz 电源时的主要参数为：牵引力 750×9.8N，最大牵引速度 7m/min，牵引电机功率 1.5kW。

电缆敷设时变频的控制盘可以控制电缆前进、变速和倒退以及事故紧急停机，电缆敷设的现场指挥在主控制盘同时操纵 15 只同步牵引机，利用改变牵引机变频器中的逆变器的导通角，改变电缆敷设的速度，并控制 15 只牵引机保持同样的速度。在敷设时调节牵引机的挟持力距为 800×9.8N·cm。在电缆牵引敷设时，保持在水平段电缆敷设的速度为

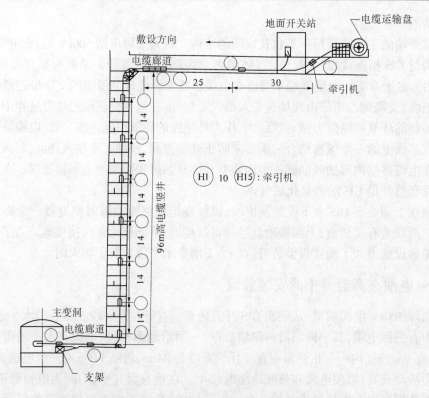

图 2　天荒坪电站 XLPE 电缆敷设时同步牵引机的布置　（单位:m）

3m/min,当电缆进入拐弯处或进入下一个牵引机和垂直竖井时控制速度为 1m/min,在竖井中的牵引机对电缆起挟持制动的作用。在电缆敷设到位后,15 个牵引机起了挟持固定作用,然后自下而上整理电缆,调整夹具位置,将电缆蛇形布置在电缆支架上最终位置。敷设实践证明,这一方案是极其成功的,没有对电缆造成损害,特别是电缆芯与铝外套之间没有造成滑动,电缆的 PVC 外套也没有受到损害。

XLPE 电缆敷设完成及电缆终端制作后,需做交流耐压试验,当时的做法有采用额定电压 24h 耐压试验,通过讨论决定按日立公司要求,在 365kV 电压下耐压 10min,试验需借助地面 GIS 开关站的出线套管,通过 GIS 向 XLPE 电缆包括电缆终端施加试验电压,试验装置采用串联谐振装置,通过变频调整达到所需的试验电压。天荒坪电站的三回 500kV XLPE 电缆均成功地通过了耐压试验,同时 PVC 外套也通过了 20kV 的交流耐压试验。

3　XLPE 电缆在天荒坪抽水蓄能电站的运行

天荒坪抽水蓄能电站的第一回 500kV XLPE 电缆于 1998 年 5 月成功投运,第二回电缆于 1999 年 6 月投运,第三回电缆于 1999 年 11 月投运。运行实践证明了 XLPE 电缆具有运行维护简单的显著优点,适于在抽水蓄能电站中广泛采用。

电缆在运行中无需维护,由于电缆终端是充硅油的,制造商设置了一个油压表,当油压超过了警戒线,出现油压过高或过低时需要检查处理。在天荒坪电站多年运行中,即使 A 相地下电缆终端盒内有微量渗油,压力变化均在正常范围内。我们已将压力异常的信号接入计算机监控系统中。

　　为了检查电缆运行是否可靠,关键是要了解终端在运行中是否可靠,我们在运行初期对一号电缆的上、下两个终端的油质进行监视,从投产后对电缆终端做了 3 次硅油取样色谱分析,一号电缆三相上、下 6 个终端色谱取样分析数据见表 1。

表 1　一号电缆三相上、下 6 个终端色谱取样分析数据($\times 10^{-6}$)

部　位	时间(年·月)	H_2	CH_4	C_2H_6	C_2H_4	C_2H_2	总　烃	CO	CO_2
A 相上端	1998.11	12	472.3	10.4	0.6	0.3	483.6	44	211
	2000.01	18	1 598.2	15.9	—	—	1 614.1	—	333
	2002.10	26	1 616.2	18.2	0.6	0	1 635	195	278
B 相上端	1998.11	—	626.6	12.4	0.6	0	639.2	50	245
	2000.01	13	1 456.5	18.2	—	—	1 474.7	—	304
	2002.10	19	1 250.7	22.3	0.6	0	1 273.6	170	269
C 相上端	1998.11	—	462.9	14.3	0.8	0	478	56	203
	2000.01	17	1 890.4	24.2	—	—	1 914.6	—	332
	2002.10	23	1 702.3	20.2	0.8	0	1 732.3	167	312
A 相下端	1998.11	—	620	12.4	0.8	0	633.2	51	259
	2000.01	27	1 649.8	19.1	0.9	—	1 669.8	—	305
	2002.10	34	1 556.8	21.5	1	0	1 579.2	141	440
B 相下端	1998.11	—	446.4	13	0.5	0	459	41	186
	2000.01		1 610	20.7	0.4	0	1 631.1		554
	2002.10	38	1 728.2	30.7	0.8	0	1 759.7	151	337
C 相下端	1998.11	—	570.6	12.7	0.5	0	583.8	37	204
	2000.01	24	1 983.8	22.2	—	—	2 006.6		204
	2002.10	46	1 575.8	32.2	0.9	0	1 608.9	146	388
日立公司推荐值(≤)		500	20 000	700	200	痕迹	22 000	1 500	10 000

　　从表 1 试验数据看,1 号电缆地面 A 相终端在 1998 年 11 月运行初期的油色谱中曾检测出乙炔含量,但在以后几次取样分析没有再出现。是否会是高压试验时电缆终端内有异常,遗憾的是当时在耐压试验时没有做对比试验。制造商则认为交联聚乙烯在生产过程中会产生一些烃类气体,在制造时有一道工序就是真空脱气,在运行过程中这种气体也会析出而溶解到硅油中。在 2000 年 1 月和 2002 年 10 月的油色谱中乙炔没有再出现,而以甲烷为主的烃类气体的含量有较大的增加,并趋向稳定。今后如有可能最好在高压试验前后对油色谱分析。

　　从 2002 年起曾发现 1 号电缆地下终端的电缆盒内出现渗出的油迹,到 2004 年发现油迹有所扩大,但油压表的油压没有发生变化。在电缆终端外观没有任何油渍,对电缆的安全运行没有影响。为了搞清渗油的原因,我们对电缆终端进行了解体检查。检查发现渗油的原因是因为地下电缆终端为水平布置,安装在 GIS 一侧的管道由于没有可靠的支撑,有向下的位移,对电缆终端产生的力作用在套在电缆芯线上的止油密封铜套上,造成该处密封受力不匀,影响密封性能。制造商更换了紧套在电缆芯线上的密封铜环,重新制作电缆终端,并对 GIS 的支撑做了加固,消除了电缆终端的渗油现象。

运行初期发生在 GIS 闸刀合闸操作时出现过电压,传递到电缆支架对附近的接地体放电,原因为沿电缆敷设路径的电缆支架接地不良,我们增加一根接地铜牌与沿线的接地支架全部可靠连接并接地,放电消除。

4 经验和借鉴

(1)通过几年来的运行实践证明了在天荒坪抽水蓄能电站采用 XLPE 交联聚乙烯电缆的选择是正确的。500kV XLPE 电缆运行可靠,不需运行人员做任何检查操作,基本无需维修。运行中不会出现类似充油电缆渗油影响运行的情况,电缆防火也更为简单。

(2)XLPE 高压电缆采用铝波纹金属屏蔽,重量轻,导电好,防护坚固,敷设方便。只要垫层设计合理,敷设措施得当,可以避免芯线在金属屏蔽中滑动的可能性,是一种较好的金属外屏蔽结构。

(3)采用同步牵引机组的方法在高落差竖井电缆通道中敷设高压电缆,施工可靠安全,操作控制方便,敷设时电缆平稳地通过敷设通道,不会对高压电缆造成损害,是一种较好的电缆敷设方法。

(4)为检验运行中高压电缆终端的状况,可以采用定期取油样做色谱的方法,运行初期硅油中出现一定数量的烃类气体是正常的。通过试验比较积累经验,可以判断高压电缆的安全运行。最好能在电缆的绝缘试验前后做取样分析,以便判断电缆终端在试验时是否有问题。

(5)在设计电缆敷设路径时电缆终端的布置应尽量采用垂直布置,如必须水平布置应避免受力不均匀,造成终端的密封面受力,引起电缆终端渗油。

十三陵蓄能电厂 220kV 电缆终端事故与检修

十三陵蓄能电厂　赵贵前

[摘　要]　220kV 交联聚乙烯高压电缆终端事故预防非常重要,本文通过十三陵蓄能电厂电缆事故与检修的介绍,指出了 220kV 电缆终端维护的严峻性。

[关键词]　交联聚乙烯高压电缆;电缆终端;应力锥;事故分析

1　引言

十三陵蓄能电厂 4 台机组以两回 220kV 交联聚乙烯高压电缆,由地下厂房送出地面,经架空线再送至昌平 500kV 变电站。两回线路系统编号分别为陵昌Ⅰ线和陵昌Ⅱ线,电缆型式为 XDFCU - CUW - T×800mm²,瑞士 BRUGG 公司制造。陵昌Ⅰ线电缆 540m,1995年 10 月投入运行。陵昌Ⅱ线 480m,1996 年年底投入使用。

2　2002 年 2 月 4 日户内电缆终端爆炸事故情况

2.1　事故情况

2002 年 2 月 4 日 20 时 43 分至 2002 年 2 月 28 日 14 时 25 分,十三陵蓄能电厂陵昌Ⅰ线 B 相 220kV 高压电缆户内电缆终端(GIS 电缆终端)爆炸。事故时 4 台机组处于停机备用状态,厂用电方式为正常运行方式,陵昌Ⅰ线 220kV 电缆所带负荷为部分厂用电负荷,容量相对额定容量很小。

2.2　事故处理

根据可能的条件提出四个处理方案:第一,将 B 相电缆对接一段日本 FUJIKURA 电缆,做一个中间接头和一个户内终端头;第二,将户外富裕电缆通过整体移动至厂房,做一个户内终端头;第三,将户外富裕的电缆截断,移至厂房,做一个中间接头、一个户内终端头和一个户外终端头;第四,与 B 相连接 GIS 母线管进行加长,做一个户内终端头。

经过比较,第二方案涉及移动电缆,风险太大,且造成户外也没有余量,出现问题也无法处理。第三方案也存在问题。第四方案涉及到 ABB 的非标设备,加工时间 10 周,太长,因此采纳第一方案,也是最优的方案。在落实处理方案前,为了举一反三,对 A、C 相进行检查,挑选 C 相应力锥,由 BRUGG 公司返厂检查。2002 年 2 月 18 日正式开工处理,更换并重新安装了 B 机电缆头,更换了 C 相应力锥,另外 对原三相公用一个硅油补偿器的管路作了改进,改成三相分别独立设置硅油补偿器。2 月 28 日对处理安装好的 GIS 电缆终端及其中间接头进行了交流耐压试验,试验电压:$1.4U_0 = 177.8$kV,30min,三相同时加压,试验至此处理结束,历时 10 天时间。

2.3 事故原因分析

事故后与 BRUGG 公司进行了交涉，BRUGG 公司也非常重视，对电缆和硅油作了试验，并尽量模拟实际也做了一些试验，但收效甚微。事故原因有可能是制造问题，也有可能是安装工艺问题，目前还不能定论。

3 事故处理后的预防与检修

3.1 换油处理

为了确保其他 220kV 电缆终端不再发生与陵昌Ⅰ线 GIS 电缆终端类似问题，2002 年 5 月，陵昌Ⅱ线户内和户外电缆终端、陵昌Ⅰ线户外终端进行了换油处理。至此，全部电缆终端都进行了一次完整的换油。换油后在 2002 年 7 月 6 日重新取油样分析化验，BRUGG 电缆厂给出了报告并确认合格。2003 年 4 月 21 日，检修巡视发现电缆硅油补偿器内有絮状沉淀物，取样分析后，发现陵昌Ⅱ线 GIS 电缆终端 A、C 相硅油耐压值较其他终端硅油耐压值偏低，分别是 28.8kV 和 33.6kV（其他都在 41kV 以上）。随后在 2003 年 5 月 13 日至 16 日对陵昌Ⅱ线 GIS 电缆终端作了换油。考虑到同一种油质、相同注油工艺及几乎相同时间注油，然而陵昌Ⅱ线 GIS 电缆终端硅油耐压值偏低，那么陵昌Ⅰ线 GIS 电缆终端也有可能出现类似问题，于是 5 月 19 日至 23 日对陵昌Ⅰ线 GIS 电缆终端也作了换油（所换新油耐压 56.8kV，介损 0.0153%（90℃））。

3.2 加强巡视力度

在第二次换油后，加强了巡视力度。2003 年 12 月 1 日检修巡视发现，陵昌Ⅰ线 GIS 终端硅油补偿器中油位比原来油位下降了 20mm，而其他各相（包括陵昌Ⅱ线）基本正常。在这之后油位变化除陵昌Ⅰ线 A 相继续下降外，其他 GIS 终端基本正常。在 2004 年 11 月 23 日巡视检查时又发现在全部的 6 个 GIS 电缆终端普遍出现了细小颗粒的沉淀物，从目测角度观察很像过去发现的絮状物沉淀。

什么原因导致了 GIS 电缆终端硅油补偿器中的硅油产生了沉淀物？对电缆的正常安全运行影响有多大？如果对电缆的正常安全运行构成威胁，那么相应采取什么反事故措施？为了搞清楚这些问题，确保不发生事故，通过分析研究，决定改变过去硅油取样方法。新的方法是：停电使电缆退出运行，从 GIS 电缆终端尾管注油孔取样。其次改变过去注油工艺，新的方法是：N_2 排油后，清洗应力锥、油腔、油补偿器及其管路，回装，包扎绝缘带，铅封尾管，充 N_2 气（从上部），抽真空注油 5min（抽真空压力为 2.5×10^2Pa），然后撤掉抽真空，继续注油直到油从顶部放油嘴流出达到注满。析取油样化验结果见表 1。

从表 1 中可以看出，在运行中的所有户内 GIS 电缆终端硅油耐压普遍偏低，这是很危险的，特别是陵昌Ⅰ线。于是在 2005 年 1 月首先对陵昌Ⅰ线 GIS 终端按照新的换油方法进行换油并着重检查 A 相漏油的问题。具体过程如下：拆除防火封堵，拆开 A 相 GIS 管道，拆硅油补偿器，并打开下部油阀自流排油。从终端顶部用 N_2 气将硅油完全排空后打开油腔，露出应力锥，检查应力锥表面无任何伤痕、变色、脏污附着物。首先对终端上部电缆芯压接部位（即连接器）外部绝缘带打开检查任何伤痕，变色，电缆芯干燥无油迹，说明硅油没有从此处渗入缆芯；然后用乙炔焰加热撕开电缆外表绝缘露出尾管铅封，继续加热熔开铅封使尾管落下，露出应力锥与电缆接合部，对该部位的绝缘带进行了检查，外

表 1　析取油样化验结果

序号	取样部位	色谱分析(×10⁻⁶)								击穿电压(kV)	介质损耗因数(%,100℃)
		CO	CO_2	H_2	CH_4	C_2H_4	C_2H_6	C_2H_2	总烃		
1	陵昌Ⅰ线 A 相	17	2 927	770	3 085	0	74	0	3 159	41	0.100
2	陵昌Ⅰ线 B 相	6	905	55	385	0.3	7.3	0	392.6	23	0.045
3	陵昌Ⅰ线 C 相	15	2 638	1 234	2 753	0	58	0	2 811	27	0.031
4	陵昌Ⅱ线 A 相	40	2 482	1 360	4 549	0	114	0	4 663	33	0.100
5	陵昌Ⅱ线 B 相	50	2 360	905	4 272	0	90	0	4 362	37	0.110
6	陵昌Ⅱ线 C 相	60	1 762	1 840	5 472	0	111	0	5 583	42	0.051
7	陵昌Ⅰ线硅油补偿器 C 相	2	936	0	21	0	1.7	0	22.7	34	0.070
8	陵昌Ⅱ线硅油补偿器 C 相	3.4	630	0	37	0	1.9	0	38.9	32	0.041

表无过热变色痕迹,拆开绝缘带露出电缆半导体层与应力锥接合部,检查发现在电缆的阻水层内有油,对外包绝缘带进行检查发现有砂眼,由此可以确定硅油渗漏部位就是电缆阻水层。产生的原因是在投产安装时应力锥尾部与电缆外层接合处包扎绝缘带时薄厚不均,屏蔽铜带折弯绑扎产生的尖角或毛刺划破了较薄绝缘带,导致硅油内漏进入电缆阻水层。清洗应力锥、油腔、油补偿器及其管路,回装,包扎绝缘带,铅封尾管,从上部充 N_2 气,抽真空注油 5min,抽真空压力为 $2.5 × 10^2$ Pa,然后撤掉抽真空,继续注油直到油从顶部放油嘴流出达到注满。接着 B/C 相电缆终端的检查清扫与回装(没有打开上下端绑带及尾管),最后全部换油。整个(三个 GIS 电缆终端检查换油)工作花费时间 36h。GIS 管道回装、抽真空、注气,最后整个电缆交流耐压试验通过。2005 年 5 月又对陵昌Ⅱ线 GIS 终端按照新的换油方法实现了换油,换油后油的试验结果表明效果非常好。

3.3　预防手段

目前,采取的预防手段有如下两种:

(1)定期巡视,定期对硅油取样化验。

(2)与华北电力大学合作进行电缆终端局部放电的研究。2005 年 6 月,陵昌Ⅰ线 GIS 终端安装并实现局部放电实时监测。

4　存在的问题

(1)尚未真正弄清 2002 年电缆爆炸事故的原因,潜在的事故隐患还存在。

(2)出线场户外电缆终端 C 相,在 2002 年的检查中发现应力锥尾部绝缘带有过热焦痕,产生这种现象的原因还没有搞清楚。下一步必须安排时间进行全面的检查。

天荒坪抽水蓄能电站发电机断路器
操作气压过低事故处理

华东天荒坪抽水蓄能有限责任公司　喻鹤之　郑小刚

[摘　要]　本文介绍了天荒坪抽水蓄能电站发电机断路器运行中发生操作气压过低事故处理过程。
[关键词]　发电机断路器;气压操作机构;事故处理

2002 年 9 月 10 日下午,天荒坪电站 4# 机发电并网时,由于操作气缸漏气导致发电机断路器(GCB)操作气压低闭锁开关分闸的异常现象。这是一起较为典型的设备故障,由于运行人员在此之前开展了针对性的事故演习,加上有关人员的积极配合,所以这次事故得到圆满处理。现将整个事故处理过程总结如下,希望能为运行人员在以后同类事故处理中提供参考。

1　机组开关(GCB)的规范

天荒坪电站发电机断路器(GCB)由瑞士 ABB 公司生产,其型号为 HEK - 4,额定电压 24kV,额定电流 13 000A,额定遮断电流 100kA。正常合闸时间约 0.073s(SOE 分析),配备三相联动气压操作机构,开关及机构的机械操作寿命不少于 5 000 次;正常机构操作气压为 0.96MPa(也是空压机停机气压),空压机启动气压 0.93MPa,空压机连续打压时间为不大于 20min,闭锁 GCB 合闸气压为 0.85MPa,闭锁 GCB 分闸气压为 0.81MPa。压力气罐容量能保证一次充气后 GCB 连续完成两次合分操作。

2　事故前全厂状况

500kV 设备合环正常运行,厂用电正常运行。
1# 机转子磁极梁处理已结束,运行 ON - CALL 人员正在对其进行复役操作。
6# 机进风洞定检及导水叶下端面漏水处理隔离工作已完成,正处于工作许可阶段。
2# 机和 5# 机下午有临时消缺工作安排。
2002 年 9 月 10 日下午全厂计划出力为 600MW。

3　事故现象

12:51　按总调令,3# 机发电并网,$P = 200$MW。
13:03　执行总调令启动 4# 机发电。
13:07　4# 机发电工况并网,同期过程无异常,并按总调令设定出力。

当机组 GCB 合闸时,ALARM STATION(报警站)上出现 = 04U + AS36CK0002 Alarm U4 GCB close com. Block (Air pr < .)(4#机 GCB 合闸命令闭锁)。

同时地下厂房值班人员报 GCB 合闸时机组声音异常,立即赴母线查看,发现 4#机 GCB 操作气罐气压指示仅为 $P = 0.16\mathrm{MPa}$,空压机自动启动正在运行中,立即将情况通知中控室值班员。

中控室值班员立即将异常现象汇报 ON – CALL 负责人及当班值长。ON – CALL 值长赶到现地,发现机组开关气罐气压为 0.34MPa,空压机仍在运行,但气压无法进一步上升,未发现漏气点。立即停止 2/5 号机临时消缺工作安排,并恢复机组正常备用。通知一次班人员检查处理。

13:27　ALARM STATION 上出现 = 04U + AS36CK0005 Alarm U4 GCB overtime compr. Running,GCB(4#机 GCB 空压机长时间运行)空压机运行超时自动停止。

同时根据 SOE 打印信息分析,4#机合闸时间明显偏长:0.142s,几乎是正常合闸时间的一倍。

4　事故处理(分三个阶段)

(1)第一阶段:这一阶段主要是转移负荷。由于 4#机 GCB 气罐气压低闭锁开关分闸,同时现场又无法采取有效的临时补气措施。在这种情况下,若 4#机出现异常需要执行停机或保护动作出口跳机,将出现 4#机 GCB 拒分,由机组继电保护启动 GCB 失灵保护跳开上级 500kV 开关。出现这种情况对系统、机组带来的危害是严重的,因此必须转移3#机 300MW 负荷;同时应尽量减少 4#机出力。

13:30　中控室值班员向总调汇报情况并申请启动备用机组,转移负荷。

13:42　5#机发电并网,控制全厂出力 $P = 600\mathrm{MW}$。

13:48　3#机停机解列,同时要求 4#机出力减至 200MW。

13:52　2#机发电并网,全厂出力为 3×200MW。

(2)第二阶段:这一阶段主要是希望在 4#机发电不停机的情况下,恢复出口开关气罐气压(即在线处理),使 4#机恢复正常。当运行人员进行负荷转移时,一次班几位同志对出口开关气压低原因进行了深入的查找和分析,但在短期内仍无法找到原因。在和他们沟通后,运行 ON – CALL 值长对在线恢复 GCB 气罐气压的可能性进行了评估,认为这种可能性不大。因此,通过拉开上级 500kV 开关停 4#机的方案应是较为可行的方案。在和中控室值班人员商量并听取了多方的意见,且汇报和请示了厂领导后,我们向总调申请了此方案。总调对事故处理的想法和我们一致,同意了我们的申请。

当时最大的风险是 4#机意外跳机。若 4#机意外跳机(当然也包括停机),如果 GCB 执行分闸令,低气压操作将可能引起触头强烈拉弧,损坏开关,甚至引起爆炸火灾。如果 GCB 因气压低闭锁分闸,则机组导水叶关闭,转速下降,而电气联系未断,则会对设备和系统产生很大的影响。因此,我们一方面加强了对 4#机运行状况的密切监视,以防止 4#机跳机。另外作为防范的一部分,我们迅速通知了消防人员,要求他们立即赶到现场,做好准备,并通知其他无关人员立即撤离 4#机母线洞,以防万一。同时,为了避免 GCB 气压低闭锁分闸失效导致 4#机 GCB 在低气压情况下跳闸,我们要求解开 4#机出口开关的两个分闸线圈。

此外,考虑 3/4 号主变单元停电后对厂用电系统的影响,由于 2# 厂变从 4# 主变低压侧取电源,为了防止倒厂用电对运行中机组造成交流电源失电,对 4# 机停机处理过程造成各种异常集中在一起的不利局面,在停主变前做好厂用电切换操作,但同时也存在着 4# 机交流电源失电的风险,根据机组保护设计,机组交流电源丢失不会立即导致机组跳机,此时可以通过密切监视,迅速处理,尽量减少机组失电时间,同时做好了一旦 4# 机跳机,立即拉有关 500kV 开关的事故预想。

14:30　检修 ON – CALL 人员解除 4# 机 GCB 分/合闸线圈。

14:40　运行人员将 500kV/排风竖井电梯锁于顶层。

14:44　将厂用电 6.3kV Ⅱ 母负荷倒至 Ⅰ 母,观察各机组 400V 配电盘运行正常。

14:45　汇报总调我厂 4# 机已具备迫停条件。

(3)第三阶段:这一阶段主要是实施拉 500kV 分段 5012 及 5023 开关停下 4# 机组。根据设计,机组上级 500kV 开关在无保护出口情况下断开,相应机组将自动转为热备用,所以,为了让机组迅速停机,必须在拉开 500kV 断电的同时执行手动跳机措施,保证机组导水叶及球阀及时可靠关闭。这一阶段的风险是拉开 500kV 开关后,如果机组球阀、导叶拒动,就会引起机组转速上升,产生飞逸转速。这种严重的后果是绝对应该避免的。针对这种风险,我们采取了双重防范措施。第一重措施是中控室值班员与厂房运行人员保持电话联系,在断开 4# 机 500kV 最后一个联系点后,现场运行人员立即在机旁盘按"机械跳机"按钮,硬布线关导水叶和关球阀。第二重措施是安排运行人员在机调柜和球阀柜旁,万一 5023 开关拉开及"机械跳机"按钮启动后,导叶和球阀仍不关闭,则可以在现地采取补救措施。

14:46　接总调令,拉开 500kV 分段 5012 开关。

14:50　将 4# 机出力降至 150MW。

14:52　接总调令,拉开 500kV 分段 5023 开关。

同时厂房运行人员在 4# 机机旁盘按下"机械跳闸"按钮,机组开关拒分正常,机组导叶和球阀正常关闭,最高转速(OIS 上)为 112% Nr。机组安全停下。

15:05　运行值长对 4# 机进行紧急隔离。

15:15　厂房人员报 4# 机换相闸刀已拉开并隔离。

15:40　检查 3/4 号主变无异常,3/4 号机组、主变保护盘无异常,汇报总调 4# 机异常及处理具体情况,并报总调 3/4 号主变具备充电条件。

15:43　接总调令,拉开 500kV 分段 5023 开关改运行,3/4 号主变充电正常。

15:45　接总调令,拉开 500kV 分段 5012 开关改运行,500kV 系统合环运行正常。

另外,在拉开 500kV 5023 开关前,我们已将 4# 机出力短时减至 150MW,将不利因素降到最低。

5　机组隔离过程的一些处理要点

机组隔离过程的一些处理要点包括:①4# 机换相闸刀的可靠拉开并隔离;②4# 机出口开关进行隔离;③3#、4# 主变恢复运行;④由于出口开关未拉开而引起机械刹车不投;

⑤高压注油泵不停、技术供水泵不停等情况的处理,以及配合检修人员进一步处理出口开关等。

6 事故处理总结要点

(1)及时发现异常现象是事故处理的前提。

(2)运行 ON – CALL 人员/值守人员平时坚持不懈地做事故预想及事故演习为本次事故处理提供了良好的技术及安全基础。

(3)各方提供意见,各部门、各班组积极配合,为事故的顺利处理提供了保障。

同时,总调方的支持和指导也保证了事故的圆满处理。

天荒坪抽水蓄能电站发电机断路器的检修

华东天荒坪抽水蓄能有限责任公司　廖文亮

[摘　要]　本文介绍了天荒坪抽水蓄能电站发电机断路器操作机构和灭弧室检修的情况,分析了发电机断路器的运行经验。

[关键词]　发电机断路器;操作机构;开关灭弧室;运行分析

1　设备概况

天荒坪抽水蓄能电站安装有6台单机容量为300MW的立轴悬式水轮发电机组,首台机组在1998年9月正式投入商业运行,至2000年全部机组投入商业运行,在系统中发挥了越来越大的作用。

由于天荒坪抽水蓄能机组主要承担着削峰填谷、调峰及事故备用的作用。与常规水电厂相比,机组不仅作为发电机运行,同时也可作为电动机运行,两种运行工况交替进行,因此机组的启停十分频繁,开关操作的次数也就相应增加,每台开关每年的动作次数达1 000次左右。根据ABB的GCB检修手册,每5 000次要进行一次操作机构大修,并根据弧触头的长度测量情况,对开关的灭弧室进行大修。

2　设备检修

2.1　发电机断路器操作机构

发电机断路器操作机构的大修,主要包括了操作机构的空气压缩单元以及操作控制单元。空气压缩单元是为开关操作提供动力,操作控制单元为开关的操作执行机构。

空气压缩单元的检修,首先主要是对压缩机的活塞行程进行调整,以增加压缩机工作的效率;其次是对其内部的密封元件进行更换,以避免充气过程中的漏气。在检修完成之后,气罐压力从零充至额定压力的时间由原来的45min降低至约40min,效率明显增加。对操作控制单元而言,主要是更换所有密封件及一些易损部件,并针对以前GCB在合闸过程中出现的漏气情况进行消缺。在此之前,一台机组在合闸后压力下降并闭锁了开关的分闸,后检查发现是操作腔内部一块铝制压板破碎导致的操作腔漏气,压缩单元无法建压至额定压力,用钢制的压板替换了分闸及合闸回路中的铝制压板,保证压板能够承受开关分闸及合闸时的冲击。

2.2　发电机断路器开关灭弧室

天荒坪抽水蓄能电站虽然每次小修都对GCB进行动态电阻测量(DRM),但无法确切知道GCB弧触头的真实长度,所以决定进行发电机出口开关灭弧室大修,通过大修可对灭弧触头动态电阻测量值与实际值作一比较。

大修工作开始前就要准备好 GCB 本体的起吊工具和 SF_6 气体的回收及充气装置、新的 SF_6 气体、需要使用的工器具等,做好相应的人员安排。工作场地的通风是至关重要的,首先要对 GCB 的灭弧室进行 SF_6 气体回收并抽真空,当灭弧室内的压力降至 5 000Pa 以下,即可停止抽真空,灭弧室用纯氮(标准压力)冲洗 3 次后方可打开,将内部清出的吸附剂、金属粉末等废物放入 20% 的氢氧化钠水溶液中浸泡 12h 后深埋。

由于 GCB 是分相进行检修的,当一相 GCB 检修完成后,即要对其灭弧室抽真空,保证内部不会有受潮的气体,另外也要保证 SF_6 气体充气后的绝缘强度。将气室抽至 10^3Pa 的真空后保持了一个晚上,压力未见有回升,为防止气室受潮,此时要充入稍大于额定大气压力的 SF_6 气体,待全部气室检修结束吊装好后,在充气前要先将连接各灭弧室间的管路抽真空,再连接各灭弧室,将灭弧室 SF_6 气体充至额定压力。GCB 灭弧室的大修主要更换了灭弧触头及动静触头、与操作机构相连的绝缘板、吸附剂、易损件、密封等,并对内部进行了清洁。

2.3　检修后试验

在对 GCB 的操作机构进行大修后,先后对 GCB 的操作机构进行了 24h 漏气试验、分闸及合闸时的压力下降检查、分合闸时间测试等,结果均合格。

充入气室 4h 后对其做露点试验,在标准大气压力下其值为 −63℃,查表后可知其含水量几乎为零,7 天后对气室露点重新测量,露点值未见有上升。

在灭弧室 SF_6 气体充至额定压力后对 GCB 进行了绝缘以及交流耐压试验(断口间和相对地),试验电压为 64kV/min,通过。

由于本厂的 GCB 操作机构与灭弧室的大修没有同时进行,一方面增加了维护方面的费用,另一方面可能会对 GCB 的分合闸时间等参数产生影响,因此要求在下一台 GCB 进行检修时,操作机构与灭弧室的大修同时进行。

3　数据分析

对拆下的灭弧动触头的长度进行了实际测量,与新的相比较(如图 1),长度未见有明显变化,只是触头顶部表面有许多烧蚀的点状物。灭弧静触头表面也有烧蚀,且其开口较新的触头也要大一些,这样在 GCB 分闸时灭弧动静触头离开就要早一点,因此从测量上来看,灭弧触头在每次测量时有变短的趋势。ABB 的维护人员认为,在操作 5 000 次之后,此次检修的 GCB 灭弧触头的烧蚀情况还好。表 1 是该台机 GCB 历次的测量数据。

测量的数据表明,检修之后,随着触头长度的加长,分闸时间变长,合闸时间变短。每隔半年时间之后,弧触头的长度都有一定量的变短,A 相由 2000 年的 11.25mm 变短至 2004 年的 8.90mm,缩短了 2.35mm,平均每年减少约为 0.6mm;B 相由 2000 年的 11.87mm 变短至 2004 年的 8.80mm,缩短了 3.07mm,平均每年减少约为 0.75mm;C 相由 2000 年的 11.90mm 变短至 2004 年的 9.35mm,缩短了 2.55mm,平均每年减少约为 0.65mm。其他发电机出口开关也是如此。根据以往的测量数据,可知要达到厂家规定的 3mm 的最低限值还要 5 年以上的时间。与有的蓄能电厂投产几年后即出现 GCB 灭弧触头烧损严重相比,天荒坪电站的 GCB 运行数据要好很多。这主要在于一方面天荒坪电站的同期条件较为苛刻($\Delta U < 2V$、$\Delta f < 2°$、$\Delta \Phi < 0.1Hz$),使 GCB 在并网时的电流小,因此弧触头的烧损较

小;另一方面是在发电工况及水泵工况停机的时候,切除发电电动机时的负荷较小(<2MW),开关断开时切断的负荷电流也相应较小,也对弧触头的影响较小,相应地就延长了开关弧触头的运行寿命。因此,即使要对 GCB 灭弧室进行大修,也可以不对 GCB 的灭弧触头进行更换,只需更换一些密封元件。咨询 ABB 专业维护人员,他们也认为不需更换灭弧触头,只需要更换其中的易损件及吸附剂等即可。由于天荒坪电站另有其他 5 台发电机出口开关在今后两年中也需要大修,根据这台 GCB 的经验,只要未在运行时出现故障,可以适当延长 GCB 的运行次数,而不必一等到其运行次数超过 5 000 次即进行大修,可以让其随机组的检修同时进行,有利于合理安排检修时间。

图 1　新旧灭弧动触头的比较

表 1　GCB 的测量数据

试验时间 (年·月·日)	合闸时间(ms)			分闸时间(ms)			合分闸时间(ms)			弧触头长度(mm)		
	A相	B相	C相	A相	B相	C相	A相	B相	C相	A相	B相	C相
2000.06.20	52.5	52.5	52.4	47.7	47.8	47.8	90.8	90.7	90.6	11.25	11.87	11.90
2001.11.13	53.8	53.7	53.6	48.2	47.7	48.1	90.6	90.9	91.0	10.40	10.46	11.16
2002.12.05	54.3	53.8	53.8	47.9	47.6	48.0	90.7	91.3	91.2	10.26	10.39	10.14
2003.12.08	54.5	54.5	54.3	47.2	47.3	47.8	89.1	89.3	89.9	9.31	9.80	9.84
2004.11.11 (GCB 大修前)	55.3	55.2	55.2	46.1	46.0	46.5				8.90	8.80	9.35
2004.11.15 (GCB 大修后)	54.0	53.8	53.8	47.8	47.9	48.0	95.4	95.9	95.9	11.63	11.10	11.48

4　结语

对发电机出口开关进行大修后,一方面解除了对于操作腔内部铝制压板可能导致的操作腔漏气的担心,另一方面也使发电机出口开关的重新合闸时间回到了厂家要求的范围内,有利于机组的安全稳定运行。

天荒坪抽水蓄能电站 500kV GIS 装置的 VFT 过电压测试

华东电力试验研究院　　杨凌辉　张嘉旻　马仁民

华东天荒坪抽水蓄能有限责任公司　　何　涛

[摘　要]　本文介绍了天荒坪抽水蓄能电站运行初期由于 GIS 闸刀操作致使主变侧避雷器频繁动作。通过对 500kV GIS 装置引起的快速暂态过电压(VFTO)测试,验证了避雷器动作的原因。

[关键词]　GIS 装置；操作过电压；试验分析

天荒坪抽水蓄能电站(简称"天荒坪")自第一台机组于 1998 年 9 月投运,运行中 GIS 闸刀操作引起其地下 500kV GIS 1#、2#、3# 单元的氧化锌避雷器计数器频繁动作,为查找该避雷器计数器的动作原因,华东电力试验研究院于 2000 年 8 月在天荒坪进行了其 500kV、18kV 两个系统典型工况下的操作过电压实测,在实测过程中发现 500kV GIS 隔离闸刀投切 GIS 空载母线时会产生极高频操作过电压陡波(即 VFT 过电压)。另外,在实验室中对在陡波下氧化锌避雷器容性电流导致计数器动作的可能性作模拟性验证试验。此次为了对 VFT 过电压进行更精确的测量分析,ABB 公司提供了一些测试设备,2002 年 1 月 8~10 日再一次对 500kV 系统典型工况下的操作过电压进行实测,并委托华东电力试验研究院对测得的数据进行校核分析。

1　试验内容

根据《天荒坪抽水蓄能电站 500kV GIS 系统 VFT 测试方案》的要求,本次试验完成了下列项目的实测。天荒坪抽水蓄能电站 500kV 主结线图见图 1。

(1)5054 开关母线侧 50543 闸刀拉合试验(5054 开关热备用);

(2)5054 开关电缆侧 50546 闸刀拉合试验(5054 开关热备用);

(3)5054 开关母线侧 50543 闸刀拉合试验(5054 开关带电冷备用)。

2　测试系统概述

2.1　被测量取样装置

被测量取样装置包括以下几方面。

(1)电压参量:500kV 地下 GIS 母线侧电压信号的测量是采用在 GIS 系统局放测点外接带有低压电容的专用探头以组成电容分压器来实现的。此次试验只测量 2# 单元 A 相电压信号。

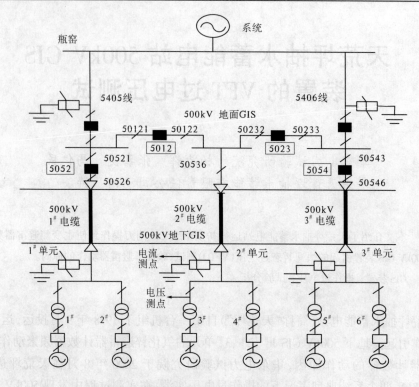

图1 天荒坪抽水蓄能电厂 500kV 主结线

(2)电流参量:氧化锌避雷器动作电流的测量采用 ETS 的 Model 91550 型电流采样探头。此次试验只测量 2# 单元 A 相电流信号。

2.2 传输导线

信号的传输采用波阻抗为 50Ω 的单屏蔽电缆。

2.3 记录仪器

试验中各类稳态、暂态信号的记录存储均是采用美国 TEK 公司的 THS 730A 示波器来实现的(其最快采样速率 1Gbit/s)。

3 试验结果

(1)在 5023 开关运行方式下,拉开 5054 开关(5054 开头热备用即 50546 闸刀处于合闸状态),用 50543 闸刀投切空母 2 个操作循环,在总共 4 次操作中,有两次引起 2# 单元地下 500kV GIS 氧化锌避雷器计数器动作,详见表 1。波形如图 2~图 4 所示。

(2)在 5023 开关运行方式下,5054 开关热备用(50543 闸刀处于合闸状态),再操作 50546 闸刀 2 次分闸,1 次合闸,均未出现避雷器计数器动作现象。波形如图 5~图 6 所示。

(3)在 5023 开关运行方式下,5054 开关带电冷备用(即 50546 闸刀处于分闸状态),用 50543 闸刀投切空母 3 个操作循环,在总共 6 次操作中,每次操作都引起 1# 单元地下 500kV GIS 氧化锌避雷器计数器动作,详见表 1。波形如图 7~图 9 所示。

表1 3号单元闸刀操作统计

闸刀	操作内容	避雷器计数器动作相次	说　明
50543 （5054 热备用）	第一次分 50543	2号单元 C 相	采样速率为 125k,示波器外罩屏蔽盒,屏蔽盒接地
	第一次合 50543	2号单元 C 相	采样速率为 25k,示波器外罩屏蔽盒,屏蔽盒不接地
	第二次分 50543	未动	采样速率为 25k,电流采样探头放置于地上,另一端仍接入示波器
	第二次合 50543	未动	采样速率为 25k,未接入电压探头,示波器未采样到波形
50546 （5054 热备用）	第一次分 50546	未动	采样速率为 25k
	第一次合 50546	未动	采样速率为 25k
	第二次分 50546	未动	采样速率为 25k
50543 （5054 开关带 电冷备 用）	第一次分 50543	1号单元 A 相	采样速率为 25k,示波器未接入电流探头采样的信号
	第一次合 50543	1号单元 A 相	采样速率为 250M,示波器未接入电流探头采样的信号
	第二次分 50543	1号单元 A 相	未用示波器采样电压,电液压信号
	第二次合 50543	1号单元 A 相	采样速率为 250M,示波器未接入电流探头采样的信号电压探头未接入 GIS 系统局放测点,只与 GIS 外壳相碰
	第三次分 50543	1号单元 A 相	未用示波器采样电压,电液压信号
	第三次合 50543	1号单元 A 相	未用示波器采样电压,电液压信号

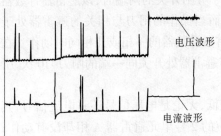

图2　50543 闸刀第一次分 GIS 空母
（5054 热备用,2号单元避雷器　C 相动作）

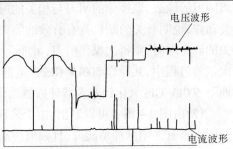

图3　50543 闸刀第一次合 GIS 空母
（5054 热备用,2号单元避雷器　C 相动作）

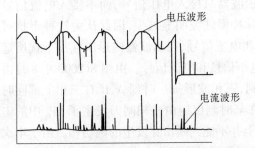

图4　50543 闸刀第二次分 GIS 空母(5054 热备用)

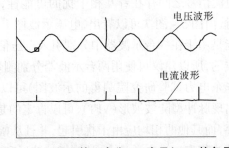

图5　50546 闸刀第一次分 GIS 空母(5054 热备用)

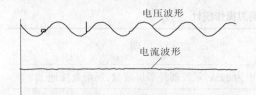

图 6　50546 闸刀第一次合 GIS 空母(5054 热备用)

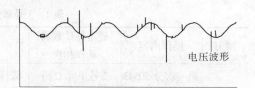

图 7　50543 闸刀第一次分 GIS 空母

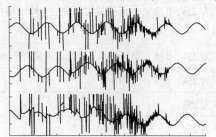

图 8　2000 年 8 月 50521 合 GIS 空母
(2 号单元避雷器　A 相动作)

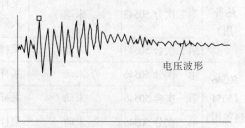

图 9　50543 闸刀第一次合 GIS 空母
(5054 开关带电冷备用,1 号单元避雷器　A 相动作)

4　试验结果分析

(1)500kV GIS 闸刀投切空母:由表 1 结果可再次证实上一次测量所得出的结论,即天荒坪电厂地下 500kV GIS 氧化锌避雷器计数器频繁动作的原因是因为操作 500kV GIS 隔离闸刀的缘故,当操作的闸刀与相关的避雷器处于分闸开关的两端时,该避雷器计数器不会动作,说明开关的断口具有有效的隔离作用。而当操作的闸刀与相关的避雷器处于开关的同一端时,则每次操作闸刀,可能会引起避雷器计数器的一相或几相同时动作。在本次试验过程中,共操作 500kV GIS 带电侧闸刀(与避雷器处开关同一端的闸刀)10 次,引起地下 500kV GIS 氧化锌避雷器计数器动作 8 相次。

(2)由图 2~图 4 可以看出,由于采样速率较低,无论是电压信号还是电流信号,其示波图上都有一串脉冲型陡波,且幅值很高,但相应的 2 号单元避雷器 A 相却没有动作,因此怀疑存在干扰信号,当将避雷器动作电流采样探头放置于地上,而其另一端仍接入示波器时,电流示波图上仍有一串脉冲型陡波,且幅值很高,但避雷器未动作,所以认为电压和电流信号之间存在着互相干扰的可能性,当示波器只接入电压信号,而不接入电流信号时,由图 5~图 7 可以看出,电压示波图上的脉冲型陡波明显减少,因此认为这种干扰可能是由于在一台示波器中分别引入电压信息和电流信号,在示波器内形成互相干扰所造成的,所以建议可使用两台示波器分别测量电压信息和电流信号。由图 8(2000 年 8 月由华东电力试验研究院测得的示波图)可以看到,三相波形每一时刻 A、B、C 三相上都同时出现脉冲型陡波波形(VFT),可以肯定的是,在某时刻仅应由一相闸刀发生了 SF_6 中的击穿,而其他两相均应由干扰引起,并且从幅值上并不能判断击穿发生的确切相。由于本次试验仅有一个电压测点,从测得的波形和上述现象可以推断认为击穿未发生在被测相上。实测纳秒级的电磁暂态过程,如何排除空间的干扰而测得和判断真实信号仍然是个有待研究的课题。

(3)图 9 为用 250M 采样速率从 GIS 系统局放测点用专用探头采集到的电压信号，图 10 为用同样采样速率，但电压探头未接入 GIS 系统局放测点，只与 GIS 外壳相碰而采集到的电压信号，这两种波形频率基本相同，基频为 2.6MHz，最高频率为 33MHz 左右。由于电压探头不接入 GIS 系统局放测点，只与 GIS 外壳相碰也测到了相近的电压波形，因此可以认为，从 GIS 系统局放测点用专用探头采集到的电压波形并不是 GIS 系统内部由于闸刀投切空母所产生的 VFT 过电压，而是一种混合波形，存在着干扰，这可能是 ABB 公司提供的测量系统存在着缺陷所致。

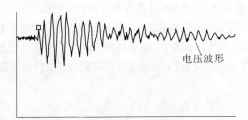

电压波形

图 10　50543 闸刀第二次合 GIS 空母
(5054 开关带电冷备用，1 号单元避雷器　A 相动作)

5　结语

(1)500kV GIS 母线侧隔离闸刀在母线带电情况下操作(投切空载母线)会在该 500kV 系统上引起 VFT 过电压，该过电压下从氧化锌避雷器中通过的容性电流可能使有关氧化锌避雷器计数器动作。

(2)天荒坪电厂在保证被隔离的设备能安全可靠隔离的前提下，应尽可能地减少母线侧隔离闸刀在母线带电情况下操作；当不能避免母线侧隔离闸刀在母线带电情况下操作时，则应先将 500kV 系统解环，然后再操作母线侧隔离闸刀。

(3)今后再进行 VFT 过电压测量建议一台示波器只测量一路信号，如需测量多路电压，电流信号必须使用多台示波器，防止各路信号间在一台示波器中互相干扰，并且示波器必须带有效的电源隔离。

(4)此次试验由于 ABB 公司提供的测量系统存在缺陷，未能消除干扰，所以测得的 GIS 系统内隔离闸刀操作产生的 VFT 过电压在频率上接近真实的过电压频率，即基频为 2.6MHz，最高频率为 30MHz 左右，但幅值相差较大。建议进行相关的研究，消除测量系统中存在的缺陷，排除干扰以便测得真实的 VFT 过电压。

(5)本次试验再次证实 2000 年 8 月华东电力试验研究院现场实测的结论意见，即在某些工况下操作 GIS 闸刀时会导致产生纳秒级的 VFT 过电压，VFT 的现象可以确认，但其真实波形(包括幅值、频率)及对绕组的变压器影响，仍有待进一步研究。

十三陵蓄能电厂 GIS 开关故障的分析与处理

十三陵蓄能电厂　赵贵前

[摘　要]　本文通过十三陵蓄能电厂 2# GIS 开关 B 相内部发生电弧闪络造成机组差动、断路器失灵保护动作而停机的典型事故,分析了蓄能机组 GIS 开关在事故发展过程中各个阶段的运行状态,阐述了造成 GIS 故障的原因。针对原因,从实际出发,对蓄能机组 GIS 开关的结构提出了新的要求,对蓄能机组 GIS 开关的检修与运行作出了新的规定,这对设备生产厂家的设计工作和设备运行单位检修运行工作具有积极的借鉴作用。

[关键词]　GIS 开关;电弧闪络;事故分析

　　SF_6 气体绝缘金属封闭开关设备,是一种封闭式组合电器。它将断路器、隔离开关、接地开关、互感器、避雷器、母线、套管和电缆终端等电气元件封闭组合在接地的金属外壳内,以 SF_6 气体作为绝缘介质。由于 GIS 体积小,占地面积少,不受外部环境影响,运行安全可靠,配置灵活,维护简单,检修周期长等特点,在抽水蓄能电厂升压站应用广泛。

　　蓄能机组由于有电动机工况启动和不同工况换相的要求,在同期和换相点设在高压侧,发电机出口母线不设断路器的情况下,高压侧断路器的操作非常频繁。一旦断路器出现故障而失灵,将会把该断路器所在母线上的厂高变、变频器、发电机组和单元出线枢纽变电站等断路器全部切除,造成非常严重的后果,这就对 GIS 开关的结构、检修和运行提出了特殊的要求,所以对此必须引起足够的重视。

1　故障现象与产生过程分析

1.1　故障现象

　　2003 年 10 月 4 日 23 时 25 分,十三陵蓄能电厂 2# 机水泵调相工况启动,转速已达 500r/min,机端电压建立,等待同期并网,这时陵昌 I 线掉闸。工作人员检查发现变频器过速保护和 2# 机断路器失灵保护动作。检查系统录波情况如下:在 23 时 25 分 52 秒(以此时刻为零时刻)2# 机主变高压侧 I_a 和 $3I_o$ 电流突然增大,陵昌 I 线 I_c 和 $3I_o$ 电流也相应增大,然后减小为零。此时本单元 220kV 母线电压 U_a、U_b 降为零,C 相和 $3U_0$ 电压相同。检查 2# 机组故障录波情况如下:主变高压侧 I_a 和 $3I_o$ 同时突然增大,随后逐渐减小为零,此时,发电机端 I_a 和 I_c 也同时突然增大与主变高压侧 I_a 和 $3I_o$ 相伴而终。

1.2　故障过程分析

　　当 2# 机组水泵工况启动,转速已达额定,机端电压建立,换相刀投入,等待同期并网时,2# GIS 开关 A 相断口此时承受双倍额定电压下出现了放电,导致 2# 机主变高压侧 I_a 和 $3I_o$ 电流突然增大,陵昌 I 线 I_c 和 $3I_o$ 电流也相应增大,机组瞬间加速,而此时变频器正在运行中,使得变频过速保护动作,启动机组跳闸矩阵,跳本机组励磁开关和 2$^{\#}$ GIS 主开关,同时启动了保护出口,由于 A 相断口放电,导致母线有电流,失灵保护具备动作条件而动作,跳开了陵昌 I 线昌平 500kV 变电站侧开关,这样本单元 220kV 母线电压 U_a、U_b 降为零,受机端电压影响,故障断口经换相刀闸反映到母线侧为 C 相电压不为零。

2　故障原因及处理

2.1　故障原因分析

为了找到故障的原因,必须对开关进行解体。首先,打开 2$^{\#}$ GIS 故障相 A 相,在 GIS 金属接地壳体内部和开关外表面发现有大量的黑色粉状物,收集取样部分黑色粉末进行了成分化验。然后,对开关进行现场解体,解体发现灭弧触头系统烧伤,灭弧喷嘴有拉弧损伤痕迹。

黑色粉末经化验主要成分为 WS_6、SF_4、CF_4 等,是开关滑动部位的润滑脂、绝缘材料、触头本身材料等与 SF_6 在开关频繁操作产生的电弧和一定压力作用下反应的产物积累而成。解体部件在工厂试验后,认为产生问题的原因:一是开关操作频繁;二是 ABB 公司(制造商)对这种开关运行于频繁操作电厂的设计运行经验不足,开关结构的设计裕度偏小。

一般地说,GIS 绝缘设备由电极系统、压缩的 SF_6 气体绝缘介质和支撑绝缘件三个部分组成。这三者中,任何一方的缺陷都会给 SF_6 气体绝缘强度带来影响。故障机理如下:在开关运行过程中,滑动部位的润滑脂、绝缘材料和触头本身材料等在一定条件下产生的杂物附着在了电弧喷嘴与导体的接触部位,使此处电场强度极不均匀,而水泵工况下承受两倍额定电压下进一步加速了 SF_6 绝缘气体的击穿,于是发生闪络并延伸到喷嘴内表面导致故障。从设计的角度看,操作越频繁,产生的杂质越多,降低了开关断口的承压能力,在承受反向电压时,场强最强处在喷嘴内表面,喷嘴接缝处先起弧,并导致其他部位击穿闪络。开关灭弧室结构及故障机理示意图如图 1 所示。

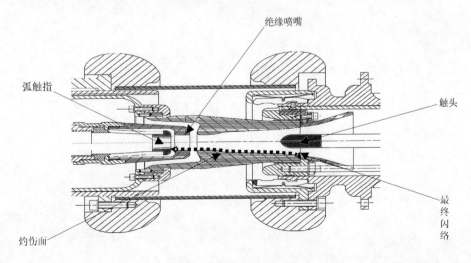

图 1　开关灭弧室结构及故障机理示意图

2.2　故障处理

从上述故障原因的分析,以及 1999 年 1# 机组 GIS 开关也出现过相同的类似故障,这说明电厂运行的 ELKSD14 开关在结构上存在共性的问题,仍然有着出现类似上述故障的可能。为此提出了以下预防处理措施:第一,变更检修周期,将维护手册给定的开关操作5 000 次改为 2 500 次后进行大修;第二,用计算机进行开关结构优化设计,做一些技术上的改进工作,以改善开关的性能。

已先后对 4 台机组的 GIS 开关进行了检修,超过 2 500 次操作的 GIS 开关全部做了返厂处理。

3　结语

对于像北京十三陵蓄能电厂这样的蓄能机组,发电机出口不设断路器,同期点和换相在高压侧进行,那么高压侧断路器的运行条件非常苛刻,其结构设计还需要进一步研究改进完善。在今后的蓄能机组建设中,类似这种电气一次结线方式,高压开关的选型很关键,这就对制造商在开关的结构设计方面提出了更高的要求。这对电力系统杜绝此类事故的发生与厂家的设计工作也有积极的借鉴作用。

五、电站控制系统及保护装置

广州蓄能电厂 SCADA 监控系统问题探讨

广州抽水蓄能有限公司　蔡镇坤

[摘　要]　本文分析了广州蓄能电厂 A 厂计算机监控系统存在严重的结构性缺陷,造成了 SCADA 系统在以后的系统运行、维护中存在一些难以解决而又需要迫切解决的问题。

[关键词]　工程师站;数据库生成站;监控系统;抽水蓄能

1　引言

广州蓄能电厂一期工程计算机监控系统投产于 1993 年,实际设计模式为 20 世纪 80 年代末水平,系统的硬件设备基本上是 1990 年前生产的产品,使用时间都已超过 12 年 (每天 24h 不停运行),绝大部分硬件都存在备品供应问题。另外,由于系统设计时,生产厂家法国 CEGELEC 公司未考虑到广蓄电厂生产现场中的一些实际情况,故系统的冗余设计严重不足,系统结构由于受当时技术水平限制,存在严重的结构性缺陷,造成了 SCADA 系统在以后的系统运行、维护中存在一些难以解决而又需要迫切解决的问题。

2　监控系统不能正常工作的严重影响

(1)由于电厂不能向调度提供实时设备运行数据,调度对电厂将失去远方控制功能,并且由于这个原因,使得电厂对电网的事故相应调解能力将大为减弱。

(2)由于监控系统的瘫痪,所有机组的开停机都只能在现场操作,相应的运行值班员就必须在现场值班,而且由于机组的分散布置,一名值班员还不能同时对四台机组进行监视。

(3)监控系统瘫痪后,所有的设备事件自动记录功能将丧失,在设备的就地盘柜只有一些简单的“Group Alarm”,没有 Eventlog 的帮助,检修、运行人员查找设备故障将极度困难。

3　硬件系统存在问题

(1)工程师站 CCC－S1 使用的工作站为 SUN 3/80,市场上已没有备品或代用品可购。电厂有四个相同使用期限的模拟机(Simulator)工程师站 CCC－S3 可以作为备用(这四个 SUN 工程师站均已维修过),但是,由于所有的工作站已经使用了 12 年的时间(1989 年生产),故工作站还能使用多长时间无法估计。如果 SUN 3/80 因为损坏而不能正常运行,将导致整个 SCADA 系统不能重新启动(因死机或更新数据库)。

(2)由于各工作站(包括 CDS、CVS、UGG、GAT)的主要功能卡均为 Motorola 公司产品,备品价格昂贵,而且根据厂家提供的信息,下列的工作站主要卡件已经不再生产也不能维修:MVME147 CPU 模板、SIO4 输入/输出模板、ENP10 以太网耦合器。从另一个角度上考虑,MVME147、ENP10 卡的故障损坏率也较高。随着各功能卡的使用期越来越长,可以预见各卡件的损坏情况将会越来越频繁,使用备品的成本将会明显地增加。

(3)CVS2 运行员操作站因硬盘损坏而导致无法重新恢复运行。由于所有使用硬盘保存数据的工作站均必须使用原先设定的硬盘参数和默认硬盘,而目前厂家已经不再提供硬盘,故此 CVS2 暂时无法恢复正常。

(4)所有的 CPU 芯片均为 Motorola 公司的 68 系列产品(包括各个工作站:数据服务器 CDS、运行员操作站 CVS、前置机 UGG、通信门 GAT 以及图形生成站 CCC - M。另外,远方终端单元 RTU 的 CPU 芯片也是 Motorola – 68030),运行速度缓慢,如当系统需要对数据库作任何的修改或更新时,从 Data Base 的修改或更新到下载(Down Load)到运行员操作站整个过程,最快都需要 3 天的时间。这对于电厂在紧急情况下需要增加监测点时有很大的影响。

(5)系统的人机对话(Man – Machine Interface)功能差。贯穿整个监控系统,从各个工作站(包括 CDS、CVS、UGG、GAT)到远方终端单元 RTU 到图形生成站 CCC – M,当维修人员需要对这些设备进行设置修改或系统维护时,所有的操作都只能使用代码的方式进行对话,非常不方便。另外,当需要与这些设备进行对话时,还需专用连接终端器(FALCO Terminal)来进行操作,同时,由于终端器 FALCO 为非在线设备,故每次操作时,都需要临时布置连接线,既不雅观也不符合五星级电站安全规范的要求。

(6)终端器 FALCO 是一个只有简单设置功能的操作界面,FALCO 本身没有存储设备,这就决定了终端器既不能存储数据也不具备查询功能。

(7)编程器(Programming Case)功能单一、不兼容、设备笨重、易损坏且价格昂贵。如果该设备有故障,则所有的 RTU 程序修改都不能进行。

(8)RTU CPU 模板 MPC 卡的内存不足,使得目前所有的技改不能再进行。而该卡的 P4 人机对话接口总因数据饱和而丢失数据,使检修运行人员难以进行故障跟踪。

4 软件系统存在问题

(1)数据库生成站 CCC - D(Data Base)数据库已经饱和,不能增加新监测点。由于厂家考虑欠周,设计时保留的冗余量不足。电厂自投产以来,由于各种各样故障类型的出现,需要增加 RTU 开关量或中间变量监测点以进行故障监测,使得数据库已经饱和,不能增加新监测点。若需紧急增加监测点,就只能将旧的数据删除,再定义新的监测点,这样一来极容易导致数据库的混乱和无序,并使运行值班人员因数据库的反复修改而容易出错。

(2)运行员操作站 CVS 图形修改困难,主要在于:①在目前情况下,用于与数据库生成站 CCC – D 和图形生成站 CCC – M 相连接的 720kB 外置式软盘驱动器(External Floppy Driver)经常因检测不到而不能执行文件拷贝;同样原因,用于与运行员操作站 CVS 和图形生成站 CCC – M 相连接的 44MB 可移动硬盘(Syquest)亦因经常检测不到而不能执行文件拷贝。另外,任何 MIMIC 图形修改,因图形制作软件功能很少而很难进行。②目前,SCA-

DA 监控系统的故障信息为法语版,且故障信息不清晰,这些故障类型使系统维护人员常常无从下手,也无法解决。③曾经受过软件系统培训的人员因各种原因已离开了电厂,后继人员的系统学习和工作非常有限,所以难以对系统故障进行有效的处理和分析。

5　系统功能不足

(1)目前监控系统没有配置包括设备的状态监测、趋势分析、后期数据采集与处理功能等,难以适应电厂开展设备的状态监测与检修工作的需要。

(2)系统由于受当时技术水平的限制,采用的多层分部结构,使监控系统在出现诸如两个数据服务器 CDS 或者两个前置机 UGG 同时故障时,整个监控系统都将处于瘫痪状态,无法实施所必备的监控功能。

(3)由于系统主机运算速度、数据传输速度的限制,系统各备用工作站在运行过程中不参与数据处理,造成当系统主用工作站故障时,备用工作站切换为主用工作站的时间过长,特别是数据服务器 CDS,导致整个监控系统会有一段时间为系统全瞎,如恰逢电网故障,则监控系统将无法作出反应。

(4)另外,由于备用工作站的不实时性,导致了在某些时候,主用工作站故障时,备用工作站在切换为主用工作站的过程也容易出现故障,导致双工作站故障,并使全站失控。

6　解决方案

(1)更新监控系统:厂家 ALSTOM 曾经对广蓄电厂的监控系统提出了升级改造方案,虽然该方案未能达到电厂的要求,但也让我们可以有更多的了解机会。另外,广蓄电厂也根据实际情况,于 2001 年 4 月份派人到韩国的 MUJU 电厂考察、学习,该电厂也系法国 CEGELEC 公司产品,与广蓄电厂的监控系统相近,但就地控制单元比广蓄新一个版本。

(2)对存在的问题,广蓄电厂邀请法国电力公司 EDF 专家于 2002 年 10 月到厂,对电厂监控系统进行整体评估,并针对系统的不同设备提出了设备运行状况的风险评估报告。

(3)由于监控系统随着运行时间的延续,备品采购难度会相应增加,备品价格也随着时间的推移而倍增。因此,采购多一些备品,目前看来困难较大。

(4)联络使用相同设备的电厂,建立备品沟通信息渠道,实现紧急备件资源共享。可以推断,其他电厂也存在相同问题。

天荒坪抽水蓄能电站计算机监控系统存在的问题和主机改造的必要性分析

华东天荒坪抽水蓄能有限责任公司　宋旭峰

[摘　要]　本文介绍了天荒坪电站计算机监控系统的缺陷,为提高系统的性能,保证生产运行的监控需要,应对原系统主机系统(上位机)进行升级改造。

[关键词]　计算机监控系统;缺陷分析;技术改造

天荒坪电站计算机监控系统自 1997 年投产运行以来,基本能满足发电生产的需要。但由于系统本身的缺陷,系统的使用受到限制。为进一步提高系统的性能,保证生产运行的监控需要,决定对原系统主机系统(上位机)进行升级改造。

1　当前系统的缺陷分析

1.1　操作员站 OWS A/OIS 运行故障

(1)自 1999 年以来,曾三次出现 OWS A 硬盘损坏,OWS A 死机,控制功能丧失。所有操作员工作站密码管理失效,不能在重新启动后登录系统,严重威胁了机组的安全调度。

(2)系统安装的 4 只光驱不能稳定工作,系统历史数据不能保存。当前能查询的设备运行历史数据只有 3 天左右,影响了事故事后分析。

(3)系统的打印任务拖累系统操作任务队列,致使系统的监控响应十分缓慢,甚至死机。尽管在调试和商业运行期间,外商对系统的配置作了修改,但最终未能解决先天存在的问题,加之这类系统市场占有率不高,属淘汰系统,外商已不再就系统缺陷作任何投入,死机问题无法从根本上解决,现已关闭了报警数据的即时打印。

(4)主机硬件属市场淘汰产品,备品备件难以购买。主机运行的操作系统 QNX,属于 BAILEY 特殊开发的系统,操作平台不开放,至今已无法在市场上购买能支持现有系统的硬件。

1.2　系统数据处理和存储能力接近饱和

全厂总的数据容量已超过 25 000 点,尽管利用了分散数据布置方式,但主操作员站 OWS A/B 数据点已接近 10 000 点,主机不堪重负,操作监控的响应速度很慢(见表1):

(1)实时数据库刷新时间最大 3.65s,最小 2.47s,合同要求 2s;

(2)控制命令响应时间最大 8.4s,最小 6.9s,合同要求 2s;

(3)画面调用时间最大 7s,最小 2s,合同要求 2s。

表1　系统数据处理和存储能力

操作员站	OWS A/B	OWS C	机组 OIS	8LCU/OIS	9LCU/OIS	10LCU/OIS
数据库容量	9 423	4 105	8 290	8 026	7 960	7 462
最大允许容量	10 000	10 000	10 000	10 000	10 000	10 000

1.3　数据的分散显示拖延操作处理时间

受 OWS A/B 数据库处理能力的限制,对一些非重要的告警信息和机组各工况的具体启动闭锁条件显示只能分散到物理位置相距甚远的就地机组操作员站。在遇到机组启动闭锁等告警时,操作员必须到地下厂房的就地操作员站上才能知道具体告警或闭锁条件,拖延了缺陷处理时间。2002 年 5 月到 10 月份,已发生类似事件 7 次,按统计计算,延误的时间是十分可观的。

1.4　报表记录站长期数据记录丢失

(1)作为数据文档存储、记录分析的光驱,是工作站配备的专用产品,投运以来屡次发生故障死机情况,外方多次带回厂家修复仍无法正常工作,为此外方不得不用商务平衡的手段来赔偿功能的丧失。

(2)受报表记录软件本身的限制,报表的编辑修改复杂,打印输出经常出错,不能适应运行管理的要求,目前报表仍采用人工记录的方法。

1.5　工程师站的维护手段受软、硬件的制约

(1)受计算机硬件资源的限制,组态维护工具无法进行全厂组态文件信号统一检索,只能局部检索。组态中信号的来龙去脉,特别是各 LCU 间信号传送的正确性无法确认;相应地,图纸和组态的一致性也无法最终确认。

(2)原要求的完整数据库文件只能分散成 11 个,容量剧增,为了确保组态文件的安全,不得不将数据库文件和数据库维护工具分开放置,给数据库维护管理带来极大的不便。

(3)所有组态软件和数据库文件的备份由于工程师站光驱故障而无法实施。

(4)各种组态环境是基于 DOS 的版本程序,使用不方便,功能不强大。

2　改造必要性分析

2.1　工作站的寿命和现有系统开放性的限制

就计算机的硬件本身而言,一般的连续工作寿命为 5～7 年,作为实时控制计算机系统,由于数据处理和交换为电磁活动部件,数年长时间连续运行后,各种部件,特别是硬盘容易发生故障。而目前工作站的工作寿命基本上都超过了 5 年。随着操作员站硬件老化的加剧,预计故障会逐步增加,操作员站计算机硬件的更换对任何监控系统而言,都是必然的。

硬件可换性取决于系统操作平台的开放性,QNX 属 BAILEY 专用系统,可支持的硬件配置只限制到 586,目前此类硬件已从市场上销声匿迹,无处可觅,因此无法通过硬件升级的方式来解决目前主机存在的问题。

2.2　安全运行的需要

天荒坪电厂是华东电网一个重要的调频电厂,随着厂网分开的深入,电网对电厂的依

赖越来越强,鉴于电厂运行管理为"无人值班,少人值守"模式,电厂操作监视全部依赖于监控系统。而天荒坪电厂的布置是集中监控,中央控制室在地面,而机组、主变等重要运行设备在地下厂房,若失去主站集中监控,操作员无法知道地下厂房中机组和其他重要设备的运行情况,无法就设备的运行情况进行判断。

BAILEY 的 QNX 操作系统设计上有缺陷,系统运行不稳定,经常发生由于光驱读写、硬拷贝机工作或打印机缺纸等外围设备问题,拖累系统操作任务队列,致使系统的监控响应十分缓慢,甚至死机,严重威胁机组和设备的安全运行。

2.3 运行、维护管理的需要

(1)由于目前终止了操作员站的告警和操作打印,已无法实施设备运行状况全过程跟踪和建立完整的设备运行档案的功能。

(2)系统报表功能设计上的不完善,使电厂报表记录以及报表统计分析功能不能发挥正常作用。

(3)系统光驱无法使用,趋势、历史数据存储只能利用硬盘有限的存储能力,目前数据最多只能保存 2~3 天。

(4)各种组态环境是基于 DOS 的版本程序,使用不方便,功能不完整,给系统的维护带来了隐患。

2.4 改善操作处理能力的需要

为了缓解 OWS 集中监控信息不足的矛盾,对机组等一些次要的告警采用了归并上传的方式。尽管这种方法解决了 OWS A/B 设计容量和实际容量的矛盾,但部分告警信息和机组的启动闭锁条件只能在就地操作员站显示,致使操作员在运行或操作出现告警时,无法迅速准确对故障进行定位处理,延误处理时间。

综合上述分析,天荒坪电厂监控系统存在的问题主要在上位机,即监控主站部分,自动化控制单元(LCU)本身的运行是稳定可靠的。因此,有主站升级的需求,并期望主站新系统能提供足够在数据处理能力方面更加稳定全面的功能,以及丰富的监控手段,提高电厂的监控和安全生产水平。

天荒坪抽水蓄能电站计算机监控系统
操作监视系统改造技术方案研究

华东天荒坪抽水蓄能有限责任公司　宋旭峰

[摘　要]　本文介绍了天荒坪抽水蓄能电站计算机监控系统操作监视系统的功能,提出对系统技术改造的关键点和可行性。

[关键词]　监控操作监视系统;INFI－90DCS 网络;技术改造

1　监控系统操作监视系统现有功能分析

1.1　操作员工作站(OWS A/B 和培训站 OWS)

操作员工作站的主要任务是对电站所有的生产设备实行集中监控,现有的操作员工作站功能包括:

- 画面显示。
- 操作控制。
- 告警管理。
- 打印管理。
- 负荷和电压曲线的显示和修改。
- 趋势显示。
- 统一时标。
- 事件报表和操作报表。

1.2　工程师工作站

工程师工作站是 PSCS 系统的开发、维护的工具,功能主要包括:

- LCU 组态开发、组态修改、组态生成、组态的在线下装、MFP 和工程师工作站的组态比较及其比较文件的生成。
- 画面开发、画面修改、画面生成、画面下装、动态数据的组态等。
- 数据库开发、修改、数据库生成、数据库文件下装等。
- 在线诊断系统各节点通信状态(INICI01、INNIS01、INNPM01)、MFP 工作状态的诊断。
- 各类软件的备份处理。
- 组态打印、画面打印、数据库文件打印等。

1.3　报表站

原报表站采用外购的专用报表软件来处理班、日、月和年报表的开发、生成、打印和存档。报表分实时报表和统计报表。

- 实时报表。
- 统计报表。
- SOE 报表。

若选用系统的操作员工作站本身具有报表开发和处理功能,在完成报表处理的前提下,系统仍能满足性能要求,则可取消专用的报表站。

1.4 操作链路工作站

操作链路是华东总调和天荒坪电站通过数据网络通信的一种方式,其主要作用是对 X.25 规约进行转换,其功能除了覆盖远动通信的遥信、遥测、遥控、遥调外,还有文件传送功能。包括上传 SOE 报表、接受调度两天的负荷和电压曲线,并将负荷曲线和电压曲线存储在工作站。

1.5 就地操作员工作站

就地操作员工作站具有和 OWS A/B 相同的监控功能,除此之外,还具有工程师工作站的组态、数据库维护功能。

1.6 网络通信

计算机监控系统的网络通信包括:

- INFI – 90 DCS 网络通信。
- LAN – 90 网络通信。

1.6.1 INFI – 90DCS 网络

INFI – 90 DCS 网络为冗余实时信息传输网络,传输速率 10MHz,全站为一个环路,32 个节点,各节点占有唯一的地址,网络接口皆为冗余配置。

1.6.1.1 OWS A/B/C

- 为了保证监控的实时性,OWS A/B/C 是整机组装的,其与 INFI – 90 DCS 的通信接口卡 CIU 是直接安装在机柜里的。
- 冗余的 INFI – 90 DCS 网络环路的输入和输出端口都连接在一块 CIU 网卡上,该 CIU 卡件的损坏或端口连接故障,会造成整个 INFI – 90 DCS 网络通信中断,监控功能失效。

1.6.1.2 其他人机工作站

- 采用 INICI01 串行接口,通过 MODEM 与操作员工作站连接,该类型接口可断电直接插拔替换,不影响环路。
- 配置的 MODEM 通信速率为 19 200bps。

1.6.2 LAN – 90 网络

LAN – 90 网为 10MHz 的以太网,单网结构,主要负责文件传输、打印功能等。

1.6.2.1 OWS A/B

- OWS A/B 整机配备双计算机、双显示屏,分别配备了两块 QNX 网卡;
- 每个 OWS A/B 占据 LAN – 90 网络上两个网址。

1.6.2.2 OWS C 和其他人机工作站

- OWS C 和其他人机工作站都在 LAN – 90 网络上占据一个节点地址。LAN 网络是利用 TCP/IP 协议进行文件传送和打印共享,任何系统都可支持这种结构。

2　改造的关键点

从操作监视系统的功能及改造的范围分析,此次改造的关键和风险主要包括以下几个方面。

2.1　与 INFI - 90 网络的接口

(1)接口的规约应保证与 INFI - 90 网络建立正常稳定的通信和数据的传递;

(2)规约在保证系统实时监控要求的同时,应可支持 >25 000 个数据的流通量。

2.2　与 PCU 的组态管理的无缝集成

(1)支持对现有 PCU 在线组态管理;

(2)支持对 INFI - 90 DCS 网络的诊断和管理功能;

(3)支持对目前组态图纸的管理功能。

2.3　与现有 SOE 系统的集成

现有 SOE RTU 是 Westronics 系统的 WESDAC SOE,它产生 1ms 分辨率的 SOE 信息,并通过标准 BAILEY SOE 功能码 99/210 和 BAILEY RIS - 模拟 MFP02 的 WESDAC link 程序将 SOE 信息送到 INFI - 90 网络上。SOE 报表系统应能即时读取现有 SOE PCU(29)节点的 SOE 报告,打印输出,并可长期存储,供随时查询和打印输出。

2.4　与华东总调调度数据网的接口

(1)操作链路工作站是天荒坪电站监控系统与华东调通中心 EMS 数据网通信的前置机;

(2)操作链路应至少支持遥控、遥信、遥测和遥调的功能;

(3)操作链路应支持文件传送信息,如电站计划、调度、生产和管理的批信息;

(4)操作链路应支持负荷和电压曲线的控制,并按一定的时间间隔将负荷和电压值发送到电站计算机,由电站计算机负荷分配和机组启停控制。

3　技术可行性分析

查询国内外的类似改造工程的资料,并邀请了一些厂家,就该改造项目交流了技术建议方案,并综合各厂家的建议,改造方案可采用以下 3 种方式。

3.1　采用原 DCS 系统软硬件升级的方案(方案一)

(1)由于仍为同一系统,与 INFI - 90 DCS 网络正常稳定的通信和数据传递通信以及与原工程师工作站所有功能的兼容是得到保证的。

(2)计算机技术的发展,ABB BAILEY 已推出以 WINDOWS NT 或 2000 为平台的新系统。新系统除了可兼容原系统的功能外,采用可支持 30 000 数据量的通信接口。单个操作员工作站可监控整个公司的信息,信息处理速度更快,功能更强,通用的操作平台为将来硬件的升级提供了基础。

(3)新系统操作平台为通用的 WINDOWS 平台,并可提供由第三方开发的 API 软件包,给调度数据网通信规约的开发提供了手段。

3.2　OPsCON 驱动软件与 iFIX 的集成(方案二)

(1)随着计算机运算速度、存储容量以及网络的通信速率的提高,使异种系统的连接和互换成为可能,加拿大 PREVISE 公司开发的 OPsCON 就是提供给专门替代原 BAILEY DCS 的通信驱动和应用转换软件,运行于 INTELLUTION 的 iFIX 系统。OPsCON 软件的特点是:

- 可直接与 INFI – 90 DCS 网络通信。
- 支持 30 000 个数据量,并一一对应地将原数据库映射到 INTELLUTION 数据库。
- 自动将原有的过程显示画面文件转换到 iFIX 系统。

(2)OPsCON 的工程师工作站可具备对 BAILEY 系统 LCU 组态的功能。

(3)INTELLUTION 的 iFIX 系统为开放式结构,允许用户嵌入第三方应用软件。

3.3 利用其他驱动软件的系统集成(方案三)

由于 BAILEY semAPI INFI 90 SCSI/Serial I/O Server 是一个基于微软 Windows 的程序,可以作为通信服务器,允许其他 Windows 应用访问 BAILEY INFI 90 DCS。任何支持 DDE、快速 DDE 或者 SuiteLink 技术的客户机可以使用该服务器。支持的通信协议(INICI03)包括 RS – 232、以太网(TCP/IP)和 SCSI。因此,设置通信前置机,选用已投运市场的与 BAILEY semAPI 软件配合使用的驱动软件(如 Matrikon ProcessX Bailey OPC),可构筑全新的主站监控网络,能够选用的主机系统也因此变得非常广泛。这种方案理论上是可行的,但在国内没有有相关工程经验的公司。

3 个方案的比较具体见表 1、表 2。

表1　3 个方案的比较(一)

项目	方案一	方案二	方案三
与 INFI – 90 DCS 网络接口软件	专用	OPsCON	因主站开发商的选择而不同
主站与 INFI – 90 DCS 网络间的通信在工程中的应用是否成熟	成熟	一般	不确定
主站开发商对 INFI – 90 DCS 相关技术的熟悉程度	熟悉	不熟悉	不熟悉
主站与 INFI – 90 DCS 网络通信接口硬件	BAILEY – INICI01/INICI03 卡	BAILEY – INICI01/INICI03 卡 (通信前置机)	BAILEY – INICI03 (通信前置机)
提供的 INFI 90 DCS 工程组态环境是否成熟可信	是	一般	不确定
主站开发商是否熟悉现有 SOE 系统及其与 INFI 90 DCS 的集成技术	熟悉	不熟悉	不熟悉
与第三方接口(用于操作链路)	可提供支持第三方开发的软件包	支持第三方软件嵌入,提供二次开发接口	支持第三方软件嵌入,提供二次开发接口
单个操作员站可支持标签量	30 000	30 000	不限
国内的应用情况	多	尚可	尚未应用

表2　3个方案的比较(二)

项目	方案一	方案二	方案三
系统硬件平台	PC 工控机	PC 工控机	PC 工控机或工作站
系统软件平台	WIN – 2000/symphony	WIN – NT/iFIX	UNIX//X – WINDOW
系统的开放性	尚可	一般	较好
系统的通用性	尚可	佳	佳
主站系统已投入国内市场的时间	4 年左右	2 年左右	1 年左右
是否有多于 1 家的可选厂商	没有	有	有
可选供货商的技术支持是否足够	足够	一般	足够

　　以上技术方案经相关专家审议,认为3种方案在技术上总体是可行的,但须对实施过程中可能存在的风险有详细的计划和准备;改造应优先考虑方案三,因与现有 INFI – 90 DCS 有集成经验,有类似系统集成业绩,并已成功稳定运行一年以上。

厂级监控信息系统在天荒坪
抽水蓄能电站的实践

华东天荒坪抽水蓄能有限责任公司　宋旭峰　冯伊平　杨丽君
华东电力试验研究院　项　捷　方　炯　秦　俊　卞韶帅

[摘　要]　本文讨论了系统平台建设、组态应用开发、接入系统接口、计算机网络时钟同步(GPS)、系统存在的问题和应用展望;系统充分利用了天荒坪蓄能电站现有的 MIS 网络以及相应的计算机终端,有效保护了信息系统资源;系统长期存储运行实时数据和事件,并提供专业应用平台和分析工具,是抽水蓄能电厂建设厂级监控系统的有益探索和实践。
[关键词]　厂级监控信息系统(SIS);抽水蓄能 ABB Plant Connect Infi 90 集散控制系统(DCS)

华东天荒坪抽水蓄能有限责任公司厂级监控信息系统项目由北京 ABB 贝利控制有限公司提供核心软件产品 Plant Connect 和技术支持,由华东电力试验研究院负责系统集成及应用组态和开发工作。该系统涵盖并融入了多个监控、监视系统的数据,实现了冗余的数据采集和存储、实时数据应用、过程事件应用、网络时钟同步和 Web 浏览等功能。经过半年多试运行,系统稳定可靠。

1　项目建设预期内容

项目建设预期内容包括:
(1)建设网络系统平台,构成厂级监控信息系统的网络平台。
(2)实时数据/信息处理平台系统,用于处理实时数据。
(3)过程监视系统,建立在实时数据平台基础上,实现全厂范围内的过程监视。
(4)实时过程画面、实时过程趋势(包括历史数据)。
(5)生产过程事件处理(包括历史数据)。
(6)实时监控 Web 浏览(针对管理信息系统用户)。
(7)生产过程运行管理实时报表处理系统。

厂级监控信息系统实施前,监控系统与 MIS 管理信息系统是相互独立的系统。本工程除了构筑厂级监控信息系统平台外,还将原本相互独立的系统连接整合到同一个信息平台上,优化了信息资源的共享和再利用。

2　平台的建立

2.1　平台的设计

厂级监控信息系统的网络构成是基于电厂现有的 MIS 网络以及相应的计算机终端,

利用原有的硬件资源,根据信息的用途和服务对象,通过对电厂网络系统网段的重新设置,使之分成采集、实时和 MIS 三个虚拟的网段(图1),用户可以利用同一个计算机终端设备通过网管交换机 Cisco 6509,登陆到厂级监控信息系统或 MIS 系统。

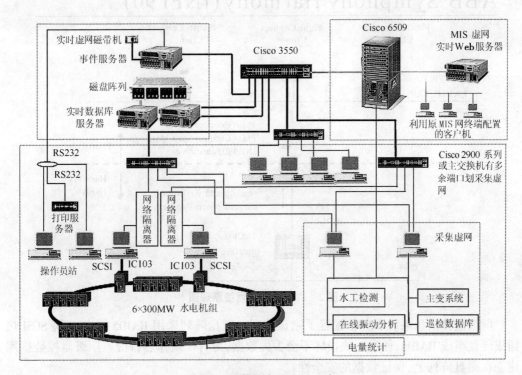

图 1 天荒坪电站实时系统

2.2 厂级监控信息系统接入 INFI 90 DCS 网络

厂级监控信息系统设计与 INFI 90 DCS 有冗余通信接口模块(ABB) INICI03 和采集机,分别能支持 30 000 个标签的实时通信。

采集机安装了 Windows2000pro 操作系统,接口软件为 SEMAPI,其完成于 ICI03 卡件的通讯过程。SEMAPI 采集的数据交由 SCANMANANGER 程序管理并送至数据库服务器。上述过程的原理见图2。

采集机正常情况下并列运行,由服务器随机地决定获取任意一台采集机作为主采集机。当任意一台采集机故障时,服务器数据库数据点不刷新,出现坏质量标志,服务器则认为采集机故障,服务器根据数据是否有变化来进行数据采集源的选择。数据刷新的频率与 INFI 90 DCS 的例外报告特性有关。

2.3 网络安全隔离装置

网络隔离器采用南京南瑞集团公司的网络安全隔离设备 SysKeeper – 2000,在整个通讯过程中,允许采集机访问服务器,允许服务器向采集机发少量的应答报文。

2.4 厂级监控信息系统服务器的配置

厂级监控信息系统服务器采用群集 CLUSTER 技术,群集服务器是一组独立的服务器,运行群集服务,并像单个系统一样运作。通过运行 Windows 2000 Advanced Server 的服务器编组,可组成群集服务器,从而对资源和应用程序提供了高可靠性、可扩展性和可管理性。

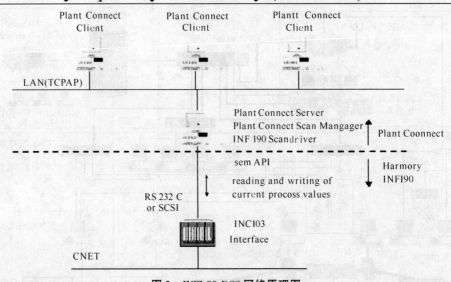

图 2　INFI 90 DCS 网络原理图

厂级监控信息系统服务器配置了磁盘阵列。磁盘阵列采用 RAID5 技术,4 块 SCSI 热插拔硬盘组成 RAID5,任意一块损坏不会丢失数据,另有一块作热备份。厂级监控数据库建立在磁盘阵列上,保证数据的安全性。

当出现故障或断电的情况下,群集系统会自动切换服务器,保证客户对应用程序和资源的访问。如果群集里的某服务器由于故障或维护的缘故不可用,资源和应用程序将移到其他可用的群集节点上。

经测试,该群集系统的故障切换时间在 20min 左右,视实时数据量的大小而有所不同。

2.5　事件服务器的配置

事件服务器存储来自 DCS 和事件顺序记录(SOE)系统产生的事件。采集系统提取来自 DCS 的原准备送往事件打印机的信号,处理软件在将这些信号送往打印机的同时,存储这些事件信息到厂级监控事件数据库中。

厂级监控事件数据库可以为每个信号定义事件的触发条件,当过程信号满足这些条件时, 处理软件就记录下这些事件。因此,通过对事件处理系统的应用开发,能就诸如性能计算等产生大量有价值的过程信息,用于设备管理决策。

事件的历史记录可以按照任意字段排序,按照“与”、“或”组合和统配匹配进行查询并形成 EXCEL 报告,极大地方便了对事件的分析。

2.6　网络的配置

厂级监控信息系统的网络设备主要由 3 台 CISCO 的 2900 系列交换机和一台 3550 系列交换机和若干服务器、采集机及 PC 机组成。根据电厂信息的统一规划,厂级监控信息系统网络为一独立虚拟网段(VLAN)。CISCO 交换机设置采用 VTP 协议和 Trunk 技术，Trunk 可以把多个 VLAN 的数据在交换机之间传递。而 VTP 可在 Trunk 上传 VLAN 的配置信息，如 VLAN NAME、VLAN 号等，这样只需在一台 VTP 的 SERVER 上配置 VLAN(添加、删除、修改 VLAN)，即可把改变传到相邻交换机。

2.7　客户端的配置

厂级监控信息系统允许同时在线运行 30 个客户端，客户端的安装数目可一定比例增大。客户端运行分为以下几个级别：

(1)GUEST 用户。客户机未采用厂级监控信息系统用户登入机器，此时用户只能察看服务器上公用的画面和趋势。

(2)厂级监控信息系统用户。采用厂级监控信息系统用户登入，此时用户可察看数据库，并可在本地新建画面和趋势。

(3)厂级监控信息系统管理员。可修改包括数据库在内的各类应用。

3　组态应用开发

3.1　画面、趋势及其动态元素

由于 Plant Connect 画面制作工具本身提供的元素一般只能制作一些静态的或动态功能有限的画面，如果需要制作定制的、按自己需要的画面就需要使用脚本。从 Plant Connect 3.5.2 版本开始，它提供了一种脚本语言可供高级用户进行编程来制作需要的动态元素。这套脚本语言基本上采用了面向对象的方式编程，但该系统当前并没有提供该套语言的帮助，只提供了若干例子。

本次画面系统使用到的脚本包括断路器、闸刀、阀门、柴油机、机组状态、机组工况、模拟量趋势(颜色渐变)、棒图等。

过程画面	128 幅
其中：电厂过程监控	101 幅
水工监测	24 幅
巡检	3 幅
趋势画面	219 幅

3.2　报表

ABB Plant Connect 的报表是利用 EXCEL 功能开发的，并提供了许多与厂级监控数据库接口的宏函数，这些宏函数以组态的方式对数据进行处理，并将处理后的信息再写入厂级监控数据库。报表系统可以将历史数据以每秒的存储分辨率恢复到 EXCEL 表中，充分使用 EXCEL 的计算、分析工具，具有很大的应用潜力和价值。

3.3　电子运行日志

类似于运行值班人员常规记录的运行日志，利用厂级监控信息系统的采集和记录的数据和事件资源，参照常规的运行日志的记录格式，开发电子运行日志。

所设计的电子运行日志是按时间顺序记录机组启停、其他开关设备的操作、负荷调整、机组运行过程中发生的 SOE、告警以及操作员所进行的事故处理等，同时提供了操作员手动输入记录附加信息的便利和操作员交接记录。

电子运行日志所记录的内容可通过组态开发任意选择数据平台所拥有的任何信息，并长期保存。用户可选择查询电厂运行的历史记录，为无纸化运行管理奠定了基础。

4　第三方系统接口

厂级监控信息系统主要存储 INFI 90 DCS 采集的数据，另外包括的第三方接入系统有水工设施监视系统、主变在线监视系统、运行巡检管理系统和振动分析系统。前三个系统的数据服务器连接在 MIS 网络上，由于厂级监控信息系统网络与 MIS 网之间存在物理连接，故可通过 TCP/IP 协议直接将这三个系统的数据采集过来。由于前三个系统数据更新较慢，另考虑到接口的简易性，接入厂级监控信息系统方式则均采用 ABB ASCII Online 接口。振动分析系统和厂级监控信息系统均支持 OPC 标准通讯协议，相互间的通讯使用该协议进行。

5　网络对时功能

由于 INFI 90 DCS 采集机具有获取 GPS 时钟的功能，在 INFI 90 DCS 采集机上安装时钟对时服务端软件，在厂级监控信息系统服务器上安装对时软件客户端，即可引出标准的 GPS 时钟。通过与 INFI 90 DCS 采集机的时钟对时，达到同步 GPS 时钟的功能。其他厂级监控信息系统网络和 MIS 网络上的所有计算机终端，都可通过安装对时客户端软件来保持时间同步，从而达到全厂网络的 GPS 对时功能，对依赖网络时钟同步的应用提供了条件。

6　系统存在的问题

ABB PLANT CONNECT 3.5.4 厂级监控数据库软件没有提供画面、趋势、事件等的 Web 发布功能。Web 服务器安装 ABB PGP2.1 过程监控软件，通过 OPC 通讯协议从厂级监控系统数据库获取数据，使用微软的 IIS 软件发布网页。PGP2.1 过程监控软件画面、趋势等的 Web 发布需要进行专门的组态，增加了二次开发和维护的工作量，受其支持数据点数、趋势、事件功能等的限制，系统数据分析工具不完备，严重影响了 WEB 系统的功能。

7　总结和展望

充分地利用现有的电站过程控制系统所产生的数据，将其转化为信息，是今后一段时间内过程控制与管理系统要解决的一个重大问题。这是在分散控制系统技术基本成熟的基础上向过程信息化迈进的重要步骤。

该系统充分利用了公司现有的 MIS 网络以及相应的计算机终端，有效保护了原有全厂信息系统资源。合理设置了网络安全隔离装置，有效地解决了系统安全和数据传输性能的协调问题。

该系统使用先进的数据库技术，对设备的状态参数提供了一个长期存储的数据仓库，并支持开放的访问接口技术。同时将相互独立的水工、主变、运行巡检、振动等系统连接整合到同一个信息平台上，为全厂设备运行历史及健康状态的分析研究提供了基础。

结合华东天荒坪抽水蓄能有限责任公司的实际，厂级监控信息系统平台上开发的其他主要应用模块包括负荷－水库的调度、水库水情预测、数据相关性分析、机组发电和抽水效率计算、全厂发电可调小时和综合效率的计算、设备的状态监测和管理等。

　　维护和使用好厂级监控信息系统，将厂级监控信息系统的海量实时和历史的数据，通过开发转化为公司的运行管理和检修管理的指导信息，扎实推进厂级监控信息系统的应用水平，是抽水蓄能电厂面临的新的重要工作，并必将会给电厂设备的管理带来全新的效益。

广州蓄能电厂外加电源方式 100% 定子接地保护的拒动与误动问题

广州抽水蓄能有限公司　贺儒飞

[摘　要]　本文分析了 100% 定子接地保护外加电源的频率对保护灵敏度的影响及其导致 100% 定子接地保护拒动的原因。此外,还分析了特殊工况下,定子电流频率与 100% 定子接地保护误动的关系,并针对这两种情况分别提出了解决方案。

[关键词]　定子 100% 接地保护;故障分析;发电电动机

1　外加 20Hz 电源方式的定子接地保护原理浅析

广州蓄能电厂的大型蓄能发电机组,定子 100% 接地保护采用了外加 20Hz 电源的方案。保护原理图如图 1 所示。

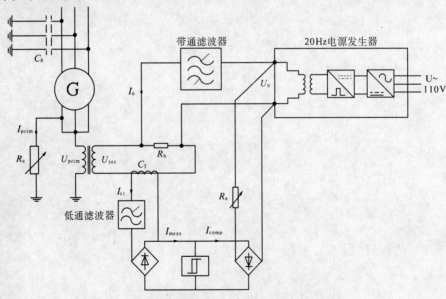

图 1　外加 20Hz 电源方式 100% 定子接地保护原理图

定子中性点为配电变压器接地方式。20Hz 电源经带通滤波器加于配电变压器的二次侧,通过变压器传到定子回路。正常运行时,经发电机三相对地电容流回中性点有少量的 20Hz 零序电流,此电流反映到中间电流互感器的一次,最后经低通滤波器滤波和整流器整流后成为比较元件的不平衡动作电流 I_{meas},为了补偿这个电流,20Hz 电源又经电阻

R_a 整流并得到一个反方向的补偿电流 I_{comp}，调整 R_a 使发电机正常运行时比较元件中的电流等于或近于零，保护不动作。但发电机发生单相接地故障时，定子回路零序阻抗大大减小，20Hz 的零序电流骤增，使动作电流增大，此时右侧的反向补偿电流却不变，使保护动作。

2　100%保护的拒动问题

2.1　拒动问题的引出

在每年对 100%接地保护的定检中发现，100%接地保护的灵敏度呈逐步下降趋势，甚至发生拒动。校验方法为定子中性点处对地接入一个可调电阻 R_e（见图 1），调整阻抗大小模拟接地故障的过渡电阻，记录电阻大小及测量对应的动作电流 I_{meas}。在 R_e 为零的情况下，保护初安装时测量到的 I_{meas} 等于 16mA，最近一次校验时 I_{meas} 只有 8mA，而保护动作值整定为 10mA。说明现在 100%接地保护已经完全失去动作区，无法反映定子接地故障。

2.2　拒动原因分析

除了 I_{meas} 值的降低，同时还测量到电源发生器的输出电压频率由 20Hz 下降为 17.66Hz，怀疑频率的降低是造成 I_{meas} 值降低的原因，于是作单相接地故障时的 20Hz 等值电路来分析，如图 2 所示。

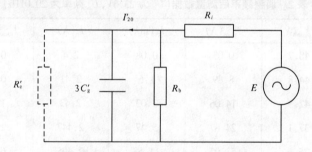

E—20Hz 电源发生器输出电压；R_i—带通滤波器等值阻抗；R_b—接地变压器副边电阻；I'_{20}—20Hz 故障零序电流；
$3C'_g$—发电机三相对地电容（已折算到变压器副边）；R'_e—接地故障过渡电阻

图 2　单相接地故障时 20Hz 等值电路图

100%接地保护的灵敏度主要取决于 I'_{20} 的大小。分析等值电路图可得出，在 E、R'_e、$3C'_g$ 一定的情况下，I'_{20} 取决于加在变压器副边的电压 U_{Rb} 的大小，而 U_{Rb} 的大小又主要取决于 R_b 与 R_i 的阻值之比。事实上，R_b 的数值非常小，只有 1.05Ω，所以 R_i 的阻值变化对 U_{Rb} 的影响非常大。而 R_i 为带通滤波器的等值阻抗，阻抗大小与频率密切相关。当频率为 50Hz 时，$R_i = 100\Omega$；频率为 20Hz 时，$R_i = 8\Omega$；频率为 17Hz 时，$R_i = 25\Omega$。可见现在由于频率的降低，R_i 的大小变为正常情况下的 3 倍左右，分到 R_b 上的电压 U_{Rb} 大大减小。最终导致 I'_{20} 过小，使保护灵敏度大幅降低。

2.3　解决方案

解决此问题的关键是要修正电源发生器的输出频率。20Hz 电源发生器为模块化插件式结构，主要由整流插件、20Hz 矩形波发生器插件及放大插件组成。其中矩形波发生器采用的是典型的 RC 振荡电路。R 为可调电位器，调整电位器的滑动端即可改变 R 大小，从而改变振荡频率。实际操作时，用一块符合 EuroCard DIN 41612 标准的扩展卡将 20Hz 矩形波发生器插件延伸到机箱外便于调整，用一块万用表或示波器接入电源发生器电压输出端监视频率，逐步调整电位器至频率恢复到 20Hz 即可。表 1、表 2 为调整前和调整后保护回路相关测量数据的对比。

表 1   调整频率前测量数据(U_o 为 26.02V, U_o 频率为 17.66Hz)

$U_{sec}(V)$	$U_{prim}(V)$	$I_{prim}(A)$	$I_{ct}(mA)$	$I_o(A)$	$I_{meas}(mA)$	$R_e(\Omega)$
1.5	30.99	0	0.09	1.545	0.14	无穷
1.39	28.39	5.69	1.03	1.553	0.16	5 000
1.33	26.89	8.99	1.8	1.556	0.31	3 000
1.2	23.75	15.86	3.37	1.563	0.82	1 500
0.88	16.15	32.25	7.06	1.575	2.86	500
0.46	5.6	54.72	12.2	1.6	6.22	100
0.283	0.137	66.8	14.94	1.61	8.05	0

表 2   调整频率后测量数据(U_o 为 23.6V, U_o 频率为 20.01Hz)

$U_{sec}(V)$	$U_{prim}(V)$	$I_{prim}(A)$	$I_{ct}(mA)$	$I_o(A)$	$I_{meas}(mA)$	$R_e(\Omega)$
2.331	48.7	0.03	0.08	2.4	0.17	无穷
2.165	44.8	8.89	1.6	2.41	0.64	5 000
2.074	42.5	14.06	3.03	2.43	1.16	3 000
1.87	37.1	24.87	5.47	2.447	2.64	1 500
1.395	25.6	51.05	11.58	2.495	6.81	5 00
0.754	9.02	88.4	20.38	2.565	11.53	100
0.5	0.229	107.6	25.01	2.618	14.23	0

可见频率经调整后虽然电源输出电压 U_o 有所降低，但其他参数得到了大幅提升，能够反映出过渡电阻为 200Ω 以下的接地故障并正确动作，拒动问题得以解决。实际上，发生器内的电子元件由于长期运行老化而必然导致频率发生漂移，更换新备品并不能完全避免这种情况。采用这一简单可行的调整方法既可提高电源发生器的使用寿命、节约更换备品的资金，又可保证保护的灵敏度，一举两得。

3   100%保护在特殊工况下的误动问题

3.1   误动问题的引出

本厂为抽水蓄能机组，与常规发电机组在工况方面存在较大的区别。当蓄能机组运行在电气制动或背靠背拖动启泵这两种工况时，多次发生 100%接地保护的误动。

3.2　误动原因分析

分析此两种工况的特点可知,电气制动工况时,定子出端三相短路,从50％额定转速至5％额定转速期间投入励磁电流。拖动工况时,拖动机组与被拖动机组的定子绕组经启动母线相接,机组从零转速起投入励磁至额定转速,两种工况下三相定子电流的频率随着转速的变化而变化,且均会在某个时段处于低频(20Hz以下)状态。因三相定子存在不平衡电流,此电流过中性点并通过配电变压器反映到100％保护装置内,当机组处在工频运行状态时,进入到保护装置的电流主要为工频分量,无法通过低通滤波器。但当机组转速较低,电流频率处在20Hz及以下时,此电流即可通过低通滤波器,若电流超过设定值即可造成保护误动。实测表明,此两种工况下的动作电流最大达到了20mA。保护装置本身的整定范围为2~14mA,整定值改到最大也无法躲过此电流且无法保障100％保护的灵敏度。本厂A、B两厂分别为Alshtom及Simens机组,所采用的100％接地保护均为Siemens的外加20Hz电源方案,两厂8台机组均出现过此类误动。说明此种误动非特性而是共性问题,此保护装置仍存在设计上的缺陷。

3.3　解决方案

考虑到100％接地保护的特点,短时间内中性点附近发生定子接地故障对机组影响不大,电气制动及拖动工况均只有几分钟的时间,且此时95％接地保护仍能为定子提供接地保护,故可实施技改,在这两种工况时将100％接地保护出口闭锁。本方案利用开关位置辅助接点检测电气制动刀及拖动刀的的开合状态,以反映当前工况,并将其作为保护出口的逻辑条件,当电气制动刀及拖动刀均打开时(即机组非运行在电气制动及拖动工况下),保护动作方能出口。出口逻辑图如图3所示。

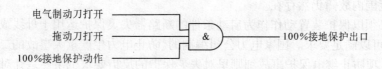

图3　技改后100％定子接地保护出口逻辑图

4　总结

对外加20Hz电源方式的100％定子接地保护而言,电源频率和电源的可靠性对保护的正常运行有很大影响,定检中应列为重点检查项目,最好每年进行一次电源校验,若频率漂移或电压不足应及时处理。电气制动和机组SFC拖动等特殊工况下的误动隐患通过闭锁保护的技术改造后已彻底消除,保证了100％接地保护的正确动作率。

大型抽水蓄能机组断路器失灵保护改造

广州抽水蓄能有限公司　陈　莉

[摘　要]　针对广州蓄能电厂机组断路器失灵保护发生的误动与拒动,分析了目前机组断路器失灵保护在设计上存在的漏洞与缺陷,并结合继电保护反措要求,提出了对断路器失灵保护的改造。通过改造,提高了失灵保护的可靠性和稳定性,消除了失灵保护的死区。

[关键词]　断路器失灵保护;故障处理;发电电动机

1　引言

　　传统意义上的断路器失灵保护,是指当电力系统设备发生故障其继电保护动作发出跳闸脉冲后,断路器拒绝动作时,为尽快消除故障、避免事故的扩大而装设的一种后备保护。它能够在较短的时限内切除同一电厂或变电所连接在同一母线上的其他有关的断路器,以使停电范围限制到最小的程度。由于断路器失灵保护的误动会引起严重的后果,为此失灵保护的启动必须具备两个条件:①故障设备的保护装置出口继电器动作后不返回;②被保护范围内故障仍然存在。

　　这种必须以保护装置动作作为启动条件的断路器失灵保护运用于母线或线路上的断路器,已经可以满足要求。国家电力公司编制的《防止电力生产重大事故的二十五项反措要求》第13项防止继电保护事故细则里对失灵保护的反措要求也主要是针对母线断路器提出的。但是,对于机组断路器尤其是抽水蓄能机组的断路器来说,除了要考虑断路器失灵保护的误动外,对于发电机在正常停机时机组断路器断不开是否需要启动断路器失灵保护这一问题也是值得我们探讨的。因为抽水蓄能机组启停频繁,出口断路器的操作也同样频繁,因此在正常停机情况下断路器断不开的现象是有可能发生的。广蓄 B 厂 5# 机就曾出现过因为断路器操作机构漏气从而闭锁分闸,导致正常停机时断路器拒动的情况。然而,这种情况下断路器的拒动是不会启动失灵保护的。而此时机组导叶已经关闭,励磁也已退出,但机组却仍挂在电网上,使得机组很快进入反水泵工况,变成异步电动机运行,向电网吸收无功。在这种工况下机组的各导瓦瓦温会迅速上升,即使再手动断开 500kV 开关,对机组的安全稳定运行也是非常不利的。

　　因此,我们认为原有失灵保护的逻辑已经不能满足抽水蓄能机组的需要,对"断路器失灵"这一概念也应该理解为任何情况下的失灵。我们对失灵保护的设计也应当考虑各种情况:它既要满足故障情况也要满足正常停机情况;既要防止误动,也要防止拒动。为此,我们结合 A、B 两厂机组断路器失灵保护设计上存在的缺陷,并参照《防止电力生产重大事故的二十五项反措要求》防止继电保护事故条款,提出了对广蓄电厂机组断路器失灵保护的改造。

2　广州蓄能电厂机组断路器失灵保护现状的分析

2.1　A厂失灵保护存在的问题

　　A厂现有失灵保护是以断路器位置的辅助接点或机端电压高作为断路器未断开的判据,动作结果是直接跳500kV开关。动作逻辑如图1所示。此动作逻辑存在着严重的漏洞(见图1中的虚框部分),即由于断路器辅助接点与电压继电器动作是"或门"的关系,所以当断路器实际已经断开,但若机端电压过高,则断路器失灵保护仍然满足动作条件跳开500kV开关造成误动。A厂就曾经两次发生机组断路器断开后因励磁系统故障导致机端电压高,致使失灵保护误动跳500kV开关的事故。这种以电压作为失灵保护的动作判据是不合理的。因此,这样的逻辑必须修改。

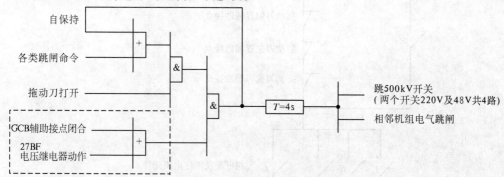

图1　A厂失灵保护动作逻辑框图

2.2　B厂失灵保护现存的问题

　　B厂断路器失灵保护虽然是以三相电流作为断路器未断开的判据,但需要以继电保护动作为前提。动作逻辑如图2所示。只有当继电保护装置动作发出跳闸命令后,若设定时间内任意一相的相电流仍然超过失灵保护整定值,此时失灵保护才会动作跳500kV开关。此逻辑虽然满足了故障时断路器应断而未断的情况,但是并未考虑到引言中所提及的正常停机时断路器的拒动,这样的拒动对机组安全稳定运行造成的危害是不能忽视的,然而这对于现有失灵保护来说却是个死区,因此对其进行改造是必要的。

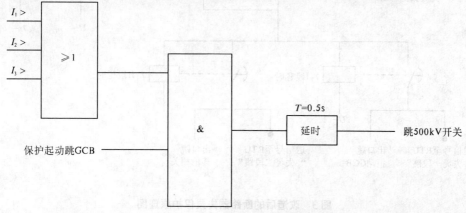

图2　B厂失灵保护动作逻辑框图

3 广州蓄能电厂对断路器失灵保护的改造

3.1 改造后的断路器失灵保护原理

针对 A、B 两厂断路器失灵保护现存的缺陷,在严格按照国家电力公司编制的《防止电力生产重大事故的二十五项反措要求》以及广东省调度中心印发的《广东省继电保护反事故措施汇编》的基础上,我们提出了一套较为合理、完整、可行的断路器失灵保护的改造方案,改造后的断路器失灵保护原理如图 3 所示。此设计原理包含了以下内容:

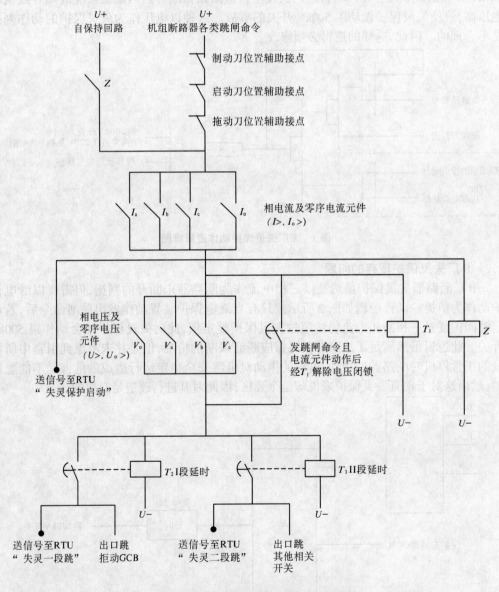

图 3 改造后的断路器失灵保护原理图

(1)采用复合电流(相电流和零序电流)作为断路器未打开的判据;

(2)采用低电压(相电压和零序电压)作为动作闭锁条件;

(3)将正常停机命令引入逻辑作为其中一个启动条件;

(4)考虑到断路器位置辅助接点不能完全可靠地反映断路器三相的实际状态,故取消位置接点作为判据;

(5)当机端附近发生三相短路时,由于机端电压较低,失灵保护被低电压闭锁,此时需由电流元件动作经延时(T_1)解除低电压闭锁;

(6)当机组处于拖动/被拖动工况及电气制动阶段时,为防止失灵保护误动,将拖动刀、启动刀、制动刀位置辅助接点作为闭锁条件,闭锁信号经三个刀闸位置辅助接点串联后送入保护继电器;

(7)参照母线断路器失灵保护动作逻辑,将动作结果由直接跳 500kV 开关改为两段延时,Ⅰ段延时(T_2)发命令到机组断路器两个跳闸线圈再跳机组断路器,Ⅱ段延时(T_3)跳500kV 开关及相邻机组,其中 $T_3 > T_2$;

(8)复合电流继电器使用机端备用 CT。

修改后的动作逻辑框图见图 4。

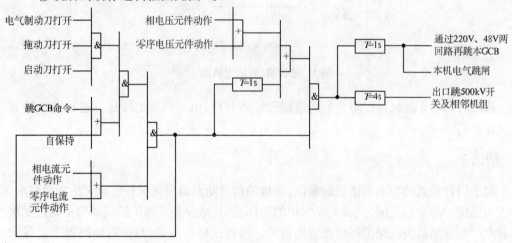

图 4   修改后的动作逻辑框图

3.2   改造后的断路器失灵保护对参数整定方面的要求

(1)零序电流的整定:零序电流按躲过机组正常运行时的不平衡电流整定,I_0 = 实测值×可靠系数(取 1.5)。

(2)相电流的整定:选取各种工况下正常停机时的最小电流值(实测值)。

(3)零序电压的整定:零序电压按躲过机组正常运行时的不平衡电压整定,U_0 = 实测值×可靠系数(取 1.5)。

(4)延时继电器的整定:

$T_1 = 1s$,电流元件动作后经 1s 解除电压闭锁;

$T_2 = 1s$,跳拒动 GCB;

$T_3 = 4s$,跳 500kV 断路器。

4　对断路器失灵保护改造前的临时措施

由于按照上述要求改造的断路器失灵保护需要向厂家专门订货,成品的生产仍需要一定时间。在此期间,为防止断路器失灵保护的误动,我们采取了临时措施,即将原失灵保护回路中断路器位置接点判据与机端电压判据的逻辑关系由"或门"修改为"与门"。修改前、后的逻辑图如图 5 所示。

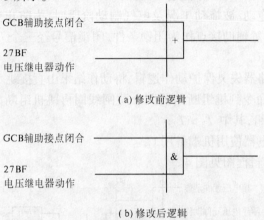

GCB辅助接点闭合

27BF
电压继电器动作

（a）修改前逻辑

GCB辅助接点闭合

27BF
电压继电器动作

（b）修改后逻辑

图 5　修改前、后的逻辑图

修改后的动作逻辑可以防止当断路器已经断开后,由于机端电压过高造成的断路器失灵保护的误动。

5　结语

对于启停频繁的抽水蓄能机组来说,常规的机组断路器失灵保护已经无法满足要求。扩大失灵保护的运用范围,完善失灵保护的动作逻辑,减少失灵保护的误动与拒动是此次广蓄电厂对断路器失灵保护提出改造的目的。通过这样的改造,对提高断路器失灵保护的有效性和可靠性有着重要的意义。

参　考　文　献

[1] 贺家李,宋从矩. 电力系统继电保护原理.北京:水利电力出版社,1994
[2] 广东省继电保护反事故措施汇编.广东省调度中心,2004

热电阻(RTD)元件故障原因分析及对策

华东天荒坪抽水蓄能有限责任公司 李浩良

[摘 要] 天荒坪蓄能电厂采用的热电阻(RTD)元件自设备投产以来运行情况故障率较高。本文介绍了为保证热电阻(RTD)元件的可靠运行所采取的措施。

[关键词] 热电阻(RTD);元件;故障分析

1 引言

天荒坪抽水蓄能电厂采用的热电阻(RTD)均为相应设备的配套元件,由外方提供。这些元件自设备投产以来运行情况一直不太稳定,故障率较高。表1的统计资料表明:

表1 1999年1月～2001年6月因RTD误动引起机组运行故障统计

编号	机组	时间(年·月·日)	工况	位置	原因	结果
1	U1	1999.02.04	PO	空冷	RTD03 误发信号	跳机
2	U1	1999.02.04	SCP	空冷	RTD03 误发信号	启动失败
3	U1	1999.02.04	SCP	空冷	RTD03 误发信号	启动失败
4	U1	1999.05.03	GO	上导	RTD05 误发信号	跳机
5	U2	1999.03.14	PO	空冷	RTD12 误发信号	跳机
6	U1	2000.05.27	PO	下导	RTD14 误发信号	跳机
7	U3	2000.03.30	SCP	推力	RTD20 故障	跳机
8	U3	2000.12.18	PO	推力	RTD10 故障	跳机
9	U4	2000.05.03	SCP	主轴密封	RTD01 故障	跳机
10	U4	2000.05.10	SCP	主轴密封	RTD01 故障	跳机
11	U5	2000.07.29	GO	推力	RTD05 故障	跳机
12	U5	2000.09.19	GO	下导	RTD14 故障	启动失败
13	U5	2001.03.23	GO	上迷宫	上迷宫与主轴密封 RTD 接错	跳机
14	U3	2001.04.26	GO	上导	RTD05 故障	停机失败
15	U3	2001.06.05	GO	推力	RTD20 故障	跳机
16	U3	2001.06.05	PO	推力	RTD20 故障	跳机
17	U3	2001.06.06	PO	推力	RTD20 故障	跳机
18	U3	2001.06.26	GO	推力	RTD10 故障	跳机

自 1999 年 1 月~2001 年 6 月，全厂因 RTD 误动引起机组运行故障(指机组启动失败、跳机、转换失败以及停机失败)累计达 18 次，占设备全部故障的 2.7%。这些故障虽然占设备总故障率似乎并不高，但性质恶劣。在这 18 次故障中，带负荷跳机 14 次，启停失败 4 次，给电厂安全生产和设备稳定运行带来了极大的隐患。为此，对 RTD 故障原因进行仔细分析并提出相应的解决办法显得十分必要。

2 RTD 故障原因分析

天荒坪电厂使用的进口 RTD 均为在 0℃时电阻值为 100Ω 的 Pt100 铂电阻，其温度系数 $\alpha = R100℃/R0℃ = 1.385$，内部连接均采用图 1 所示的三线制接线方式。机组在运行中 RTD 经常出现的异常情况有：

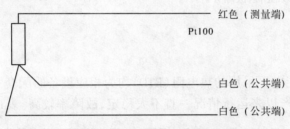

红色（测量端）

Pt100

白色（公共端）

白色（公共端）

图 1　Pt100 RTD 内部连接线

(1)由于 RTD 性能缺陷，致使某些 RTD 测点温度略高于正常运行值；
(2)RTD 在运行过程中出现瞬时尖峰，幅值较大，随即正常；
(3)RTD 在运行过程中不时出现小尖波，但幅值较小；
(4)RTD 在运行中温度显示值快速变化，温度曲线表现为锯齿状，但停机后显示正常；
(5)RTD 输出温度高达数百摄氏度，呈报警颜色；
(6)RTD 输出温度基本不变化；
(7)RTD 输出温度显示小于零摄氏度，曲线状态显示为 Bad。

通常 RTD 的结构比较简单，一般测温元件不易损坏，损坏大都来自机械应力。由表 1 的统计情况可知，引起运行故障的 RTD 绝大多数来自机组转动部分的轴承瓦，尤其以 3 号机推力轴承为甚。从华东电力试验研究院对天荒坪电厂解剖的 5 支 RTD 结果来看，有 2 支 RTD 在根部焊接处开路，1 支 RTD 在外引线焊接处开路，1 支则是在 RTD 本体与外接线软硬过渡处开路，另一支 RTD 却是由于 RTD 封装不良引起短路导致的故障。而导致 RTD 焊接处开路和短路的原因，笔者认为主要有以下几个方面。

首先，RTD 运行环境比较恶劣，机组在不同工况下频繁启停以及大振动、高转速是导致 RTD 损坏的重要原因。由于抽水蓄能电站在电力系统中的特殊性，我们无法克服机组在不同工况下的频繁启停以及高水头导致的高转速，但由此再加上机组的大振动却给 RTD 造成了致命的伤害。从表 2 各机组推力轴承在不同情况下振动统计可以看出，在机组推力 RTD 发生的 7 次故障中，3 号机就占了 6 次，这与 3 号机无论在抽水还是发电工况下其振动值远大于其他机组有一定的因果关系，长期低频、大幅度正反方向的剧烈振动增加了 RTD 的故障率，缩短了正常的使用寿命。

其次,RTD 本身结构有待改进。目前,天荒坪电厂 RTD 绝大部分为国外产品,只有很少一部分采用国内一厂家研制的新产品,但无论是国外的还是国内的,这些 RTD 普遍存在动态性能不好、抗振抗干扰能力差的缺点,这与 RTD 本身结构有很大关系。存在的问题有:

表 2　机组在不同工况下推力轴承振幅统计　　（单位:μm）

机组	抽水		发电	
	X 方向	Y 方向	X 方向	Y 方向
U1	114	87	77	96
U2	46	57	48	43
U3	178	159	185	152
U4	44	47	50	53
U5	91	105	116	171
U6	85	92	139	149

注:机组振动参数摘自各机组正常运行时的数据,在调相过程中(特别是 SCP),其振动幅度可能还要大。

(1)RTD 感温棒内填充材料不实,有的甚至没有填充料(如主轴密封 RTD),且不同材质之间,有的由于热膨胀系数的不同导致 RTD 性能不良,感温效果差,从而使有的 RTD 显示温度偏高。

(2)感温包与导线间焊接不牢,有的 RTD 内部存在虚焊,内部感温元件经不住长期在恶劣的环境下运行,在正反频率的作用下焊点极易松动和开裂。事实上,由于 RTD 热处理不均匀,极易引起热疲劳和过大的机械应力(据美国军方提供的可靠数据表明:在 RTD 所有故障中,开路占 70%)。由于机组轴瓦的 RTD 一般都较小,因此 RTD 内部断线后 RTD 与导线间往往连在一起,而不是彻底开路,这样,在机组剧烈振动下,往往出现时断时通现象而使 RTD 输出温度呈锯齿状。当然,如果 RTD 与导线间彻底开路,此时 RTD 阻值为无穷大,其输出温度即达数百摄氏度;若 RTD 测温端与公共端短路,此时 RTD 阻值为 0,其输出温度显示为 0℃ 以下的负值。其实,对彻底开路和短路,因大多数 RTD 的测温卡 TEU421 具有保护功能,均可避免跳机事件的发生,最糟糕的是,一旦因 RTD 内填充材料不实,内部断线后出现似断非断的情况,跳机事件难以避免。

(3)RTD 本身的固定及拆卸方式均有待改进。目前,天荒坪电厂绝大部分瓦温 RTD 均没有良好而可靠地固定,像上下导 RTD 只是将感温棒直接插入轴瓦孔内即算完事,这样,由于瓦孔直径大于感温棒直径,在机组运行时,RTD 本身极易引起二次振动,伤害 RTD。另外,在每次大小修的拆卸与安装时,检修人员只能通过拉拔其导线来完成,拉拔时由于测温孔内负压的作用,也容易损坏和隐伤感温包与导线的焊接头,给设备运行留下了隐患。特别像主轴密封 RTD,由于安装位置的特殊性,在 2001 年 5 月份机组小修中,6 台机组先后拔坏了 5 个。

(4)RTD 现场校验方法有待改进。在现场,由于条件所限,RTD 实际上只校验了一个沸点,且无法校验其动态特性,更没有对其抗振性作出鉴定,导致每次机组大小修后,经校验合格的 RTD 在使用几天后又出现不同程度的问题,如超差、锯齿波甚至损坏。

3 对策

根据目前天荒坪电厂机组运行的实际状况及 RTD 存在的问题,我们认为应采取以下措施:

(1)调整机组各轴瓦间隙,力争使机组综合振动值最小,必要时可对发电机重新配重并做动平衡试验。

(2)优化 RTD 结构,提高测温元件的可靠性。由于目前制造商提供的 RTD 备品无法满足天荒坪电厂实际使用要求,且备品备件的采购也比较困难,因此建议将所有 RTD 的结构作一改进,选用目前国内工艺上较先进的全铠装热电阻,并用专用接口将 RTD 与机组轴瓦固定在一起,防止二次振动的发生。同时要求制造厂家完善 RTD 制造工艺,消除内部显微裂纹及层裂,并夯实内部填充材料,改善引出电极的制备工艺,提高引出电极的附着力和强度,优化热处理条件,避免引出电极的热疲劳及过大的机械应力,提高 RTD 的抗振能力。事实上,2001 年 7 月天荒坪电厂在 4 号机主轴密封上首次试用目前国内性能较好的沈阳宇光公司生产的全铠装热电阻后发现效果的确不错。

(3)改善跳闸回路。由于天荒坪电厂最初按“无人值班、少人值守”,保设备为主的设计原则,因此设计了很多包括热电阻在内的保护测点。但目前根据华东电网的实际情况,天荒坪电厂必须在电网中起到更大的作用,也就是说,首先必须保证电网的需要,由此我们要努力提高机组的启动成功率及稳定性。但在目前 RTD 性能不太理想的情况下,有必要对机组各个部位所装的 RTD 保护回路测点作一认真的分析,对其跳闸回路作一定的改进,具体可以从以下几个方面着手:①对一些不会立即危及机组安全运行的测点取消其跳闸功能,而将其改为一级报警信号。②对像 3 号机推力轴承那样由于振动过大极易伤害测温元件的 RTD 跳闸回路,可将其出口回路的中间继电器改为延时继电器,这样,适当的延时即可躲过 RTD 出现的瞬时尖峰引起的跳机信号。③对一些尚无短路开路保护功能的 RTD 元件,要求国外制造商增加保护功能。目前,天荒坪电厂绝大多数跳闸回路测温点均有 TEU421 智能卡,对 RTD 彻底短路和开路具有保护功能。但尚有主轴密封温度,上、下迷宫和水环排水水温共计 8 个 RTD 跳闸回路无断线保护,给设备运行留下了一定的隐患。④为提高 RTD 保护系统的可靠性,在现场条件许可的情况下,可以利用现有的 RTD 测量回路对保护系统采用 2/2 或 2/3 保护逻辑,避免单点保护出现因 RTD 误动发生跳机。⑤在技术条件许可的情况下,利用监控系统组态软件设置 RTD 温度变化速率保护功能。假如某一 RTD 的温升速率超过设定的温升速率,保护电路就认定为 RTD 本身故障而自动闭锁跳闸出口。

(4)检查所有机组保护测点的 RTD 输入回路,避免 RTD 输入回路屏蔽线两端接地,否则会产生干扰信号,影响测温精度。

(5)要加强 RTD 回路的巡检,认真检查 RTD 趋势变化,发现保护测点 RTD 趋势图有小尖波或锯齿,应及时更换测点,避免跳机事件的发生。

总之,我们一方面要在积极调研新型 RTD、改进 RTD 结构的同时,花大力气改造测点保护回路;另一方面,要加强管理,做到防微杜渐,保护测点出现不良苗头及时处理。只有从多方面着手,才能保证设备安全稳定运行。

十三陵蓄能电厂基础自动化技术改造

十三陵蓄能电厂 施美霖

[摘　要]　十三陵蓄能电厂投产初期,由于基础自动化的控制和元件不完善、不稳定,严重影响了机组的安全稳定运行。本文从机组机械保护及发电机辅助设备控制系统、球阀控制系统、水轮机控制系统、技术供水控制系统、其他自动化元件等方面较系统地论述了基础自动化的现状、改造经历和取得的效果。改造取得了成功,不仅提高了机组启动成功率,而且减少了机组非计划停运,为十三陵蓄能电厂的设备走向稳定起了重要作用。

[关键词]　基础自动化;技术改造;蓄能电厂

十三陵蓄能电厂自 1995 年 12 月第一台机组投产到 1997 年 6 月 4 台机组全部投入运行以来,由于进口机组自动化回路在设计上考虑不周和元件的选型方面问题,曾多次出现机组启动不成功、运行中误动作跳闸停机现象。据统计,从第一台机组投产到 1998 年 10 月份,机组启动不成功 200 多次,运行中误动停机 120 余次。机组自动化控制和自动化元件暴露出的问题,严重影响了机组安全运行和自动化水平的提高,也制约了"无人值班、少人值守"目标的实现。从 1998 年下半年开始,我们对全厂基础自动化进行了 20 余项 60 多个回路及装置的技术改造,本文就改造情况分类作简要介绍。

1　水力机械保护和发电机辅助设备控制系统

机械保护主要是指水轮发电机组的油、水、风及机械装置的故障保护。故障信号接入两块跳闸矩阵,跳闸矩阵横向出口作用于跳开出口断路器、关闭球阀等操作,纵向作用于监控系统发出跳闸信号告诉运行人员机组跳闸。

1.1　定子铁芯及定子绕组温度高跳闸回路的改造

定子铁芯及定子绕组温度高,分为报警与跳闸两种形式。控制回路由 PT100 电阻温度计、温度继电器构成。通过电阻温度计阻值的变化,输入到温度继电器与设定的电阻值进行比较,超过设定值启动继电器内部的报警线圈和跳闸线圈,发出报警和跳闸信号。作为温度高跳闸的执行元件,温度继电器由于受电磁波干扰(如步话机、无线通讯设备等)几次造成机组停机。另外,出现电阻测量回路端子松动也容易出现误动停机,从事件记录仪的几次事故分析来看,其干扰情况下继电器动作保持时间小于 1s。所以,我们采取了延时跳闸出口时间的方法,用原来出口接点启动时间继电器,5s 后作用于跳闸,以躲过干扰造成的误动,又不影响保护的功能,改造后未再发生保护误动。

1.2　定子加热器控制回路的改造

定子加热器是发电机的辅助设备之一,用来防止发电机在停机状态下结露,其控制回路安装在机械保护盘内。由于加热器功率大,三相电阻不平衡导致三相电流不平衡,经常将进线及接线端子烧焦、烧化;回路中的交流接触器容量小、拉弧能力低、接点粘连,造成接触器过热烧毁,在机械保护柜内存在着很大的火险隐患。根据现场实际情况,我们将其控制回路独立成柜,通过测量定子加热器回路电流,对回路的空气开关、交流接触器、连接导线重新选型设计,增加了设备监视功能,消除了设备存在的隐患。

1.3 机组机械制动甩负荷跳闸回路的改造

机组机械制动及顶起系统是在机组停机时用低压压缩空气加机械制动,在机组检修时加压力油顶起转子。机械制动的位置信号由 8 个限位开关来实现。限位开关的常开接点串联作为预起机条件发出机械制动切信号,其常闭接点并联既作为机械制动投的返回信号,又作为跳闸回路的跳闸条件。由于基础振动大,造成限位开关脱落,压紧弹簧位置调整不当,造成机械制动位置返回信号不正确,影响了机组的启动成功率,也因限位开关的松动错位,造成机械制动跳闸信号的误动。针对出现的问题,我们一方面用进口胶固定限位开关,调整弹簧位置;另一方面,在控制回路中增加低压压缩空气的气压开关量,将制动电磁阀后的压力表更换成国产 JZ－150－A 型压力控制器,并将压力控制器的常开接点串联于跳闸回路,即在机组运行过程中机械制动投入,又有低压气时再作用于机组跳闸,若没有加低压气而仅有位置开关动作,只发机械制动投入报警信号,避免了保护误动情况的发生。

2 球阀控制系统

球阀由美国 VOITH 公司制造。其动作顺序为:开启阀门时,旁通阀先打开,等球阀两侧平压后,下游密封打开,最后球阀转子打开;关闭球阀时,球阀转子先关闭,下游密封再投入,旁通阀最后关闭。

2.1 存在的问题及原因的分析

在球阀的动作过程中,由于多种原因致使球阀不能按正确的顺序打开或关闭。经常发生转子未全关下游密封就关上了,下游密封未打开转子就开始动作了,造成转子和下游密封相撞,密封被破坏,导致漏水严重,对电厂和机组的安全运行构成威胁,同时也影响了电厂的经济运行。通过分析研究,找到了球阀不能正常开关的原因:

(1)只有机械闭锁,而无电气闭锁。球阀在关闭过程中,只是靠阀门顺序架控制转子、下游密封和旁通阀的动作顺序,一旦阀门顺序架可调螺杆上的螺丝松动或顺序架所带动的液压阀出现问题,球阀的各个部分将不再按顺序动作。

(2)球阀不按正确顺序动作。监控系统发出的开球阀令为一脉冲信号,随着机组运行时间的推移,导叶漏水量和限位开关的延时特性都发生了变化,使球阀不但不能按照顺序打开,反而造成球阀不能按顺序关闭。

(3)压差开关拒动。用于球阀上下游平压控制的压差开关,由于本身结构的不合理,造成开关可动部分的活塞渗水,开关内部经常积很多水,锈蚀严重导致开关拒动,球阀不能按时打开,也造成了机组启动不成功。

2.2 球阀控制回路的技术改造

(1)增加电气闭锁功能。通过改变电气控制回路中电磁阀的动作顺序,即可实现电气闭锁。在球阀关闭过程中先接通关转子的排油回路,作用于关转子;转子全关后撤去顺序阀的操作油压,下游密封和旁通阀再依次关闭。这样可有效地防止由于螺丝松动或液压阀出现问题造成的误动故障,也避免了导叶漏水量和限位开关的延迟特性所造成的误动。

(2)保证球阀按正确顺序动作。在下游密封开启油回路上增加一个电磁阀,目的是在球阀关闭时,只有转子全关以后,下游密封才可以关闭;球阀打开时,只要下游密封打开的位置接点返回,下游密封开的水路有水压,就切断下游密封的动作油路。

(3)更换压差开关。我们选用了国产 HTJ - 100 型压差变送器作为测量元件,SWP-80 型智能控制仪作为执行元件,将变送器输出的 4~20mA 模拟量送入控制器,控制器通过定值判断,将开关量送入球阀控制回路。为了满足机组黑启动的条件,选择了直流供电的控制器。这样解决了开关动作不灵活和拒动的问题,满足了原设计的要求,同时也减少了检修维护量。

3　水轮机控制系统

水轮机控制系统主要包括水导轴承和联合轴承循环油泵控制、交直流高压油顶起泵控制,主轴密封、上下迷宫环水流量的报警跳闸控制、各路液压阀的电磁阀控制等。

3.1　水导轴承循环油泵控制回路改造

水导轴承循环油泵为水导轴瓦提供冷却用油。一号机水导轴承油泵曾由于夏季环境温度高,油泵出力降低,轴承油流量降低使机组跳闸。在原设计回路中,当油流量降低时控制回路一方面去报警,一方面启动备用油泵,而正在工作的油泵同时停泵。由于一台油泵运行不能满足油流量的需要,因此我们考虑在控制回路中油流量低启动备用泵时使主泵不停,两台油泵同时运行,可以满足流量要求。

3.2　水导轴承集油箱油位计控制回路的改造

水导轴承集油箱油位计采用的是浮子式双稳态切换开关。由于切换开关受磁场的干扰,几次出现信号误动。该开关选用的是德国产 MES - 4/W 型双稳态切换开关,集油箱内共有三个开关。当油系统因故出现油位降低,降低到报警开关位置时发油位低报警信号,如果油位继续降低到跳闸开关位置时发油位过低跳闸信号,作用于机组跳闸,还有一个油位高报警开关。报警与跳闸没有关联,各自执行本功能,这种情况下只要有跳闸开关受干扰就发生误动,而实际的油位并没有降低。

为了解决此问题,我们对控制回路做了如下改进:当油位真正下降时,报警回路开关动作报警并自保持(只有浮子回升后才复归),如果这时油位继续下降至最低油位,跳闸开关也动作并保持,两开关都动作时,方能跳闸停机。任何一个开关单独动作都只发报警信号,而不作用于跳闸回路。根据双稳态切换开关自保持的特点,在原回路中接入两个中间继电器。当两个继电器都励磁时,将一对常开接点串联接入原跳闸回路,另外一对常开接点并联接入报警回路。这时,报警信号有双重意义,一是低油位信号,二是开关误动信号。运行人员需要到现场检查油位。改造后,有效地防止了两次误停机事故的发生。

3.3　转轮排水阀位置接点的改造

转轮排水阀的作用是在抽水启动过程中,压气时排出转轮部分的水,用以减少启动过程中水的阻力。由于转轮排水阀的液压控制阀打开关闭位置接点受环境振动的影响错位,位置开关在排水阀打开或关闭后信号不能返回到监控系统,造成启动失败。为提高其可靠性,利用液压控制器的方向杆,在阀体外安装两个辅助位置开关,方向杆的转动使外部位置开关动作,开关接点与原接点并联,以提高其可靠性。

4 技术供水系统

技术供水系统主要为机组提供设备冷却用水。采用单元供水方式,每台水泵随每台机组启停,当主泵出现故障时延时启动两台备用泵。

4.1 存在的问题及原因分析

技术供水泵整套系统为国产设备。在机组投产初期,多次发生水泵停运事故。冷却水的中断,直接影响到机组的安全运行,导致非计划停运。由于水泵启动电流大,经常将上一级电源开关顶跳;国产交流接触器拉弧能力低,固定不牢固,动静触头在短时间内就大面积烧伤,而且发生过两次动触头自行脱落故障,造成水泵缺相运行,烧毁了自耦变压器。虽然未发生火灾,但全厂乌烟弥漫。平均每台水泵每月都需要更换一次动静触头,不仅增加了检修维护量,而且增加了检修费用。同时,原设备的直接启动方式造成水泵启动过程中产生水锤现象,水锤将会导致水管爆裂,存在着水淹厂房的重大隐患。技术供水泵的不稳定运行成为急需解决的重要问题。

4.2 技术供水泵控制回路的改造

针对存在的问题,我们决定对其进行彻底的改造。更换原来的启动控制柜和现地控制柜,现地控制柜内利用智能化的可编程控制器来实现原控制回路功能。采用了法国施耐德公司生产的 TSX3710028DRI 可编程控制器完成技术供水的启动停止控制、异常信号可发至监控系统远方报警、每台水泵互为备用等功能。PLC 灵活实现复杂的电气回路接线。例如,利用 PLC 只需要输入一个调相令即可实现机组长时间调相。回路的简化同时减少了故障点,提高了可靠性。启动控制柜内水泵的启停取消了原自耦变压器和交流接触器控制,采用了施耐德 ATS – 46C41N 全数字式交流电动机软启动控制器,实现电机的平滑启停,消除了水锤的发生。

4.3 技术供水泵的其他改造项目

(1)解决了机组不能长时间调相问题。主要思路为一台机组调相时,将本台机组的冷却水出口阀关闭,将水排至同单元另一台机组的出水口,这样本台机组的冷却水水温不会升高,达到机组可以长时间调相的目的。

(2)完善了水流量低启动备用泵功能。在外方的控制回路中,在水流量下降时,希望利用流量计的开关接点启动备用泵,但是因为流量开关只有一对接点而未能实现。我们利用联合轴承冷却水流量低跳闸回路延时继电器上的一对常开接点,作为启动条件。当技术供水流量低时,接点闭合启动备用泵,如果备用泵启动后,水流量满足,开关接点断开,备用泵自保持,不作用机组跳闸,否则跳闸。

(3)实现了运行人员在中控室远方启动备用泵的功能。

5 其他自动化元件的改造

5.1 流量计的改造

由美国 UM 公司生产的挡板式流量计,因其内部渗水严重开关锈蚀而发生过直流接地,凸轮位置变化不能正确反映流量而发生保护误动。我们在管路上又增加了一个国产蜗街式流量计,实现保护二取二功能,即只有当两个流量计均因流量真正过低都动作后再发跳闸信号,其中任一个动作只发报警信号。同时,蜗街式流量计的控制器可以将流量值远传到监控系统,运行人员在中控室即可以监视到流量的大小。但是蜗街式流量计灵敏度高,受环境的振动和噪音的影响示值变化大。为此,我们在跳闸回路中增加了相应部位的瓦温、油温的判断,即水流减少、油温升高时才作用于出口。

5.2 压力开关的改造

球阀压油罐油压控制系统采用美国制造的 Square D 型压力开关。压力开关的整定值不易调整,且易变位;内部小开关经常损坏;传动机构不可靠,用于球阀油罐压力高监视的压力开关曾发生过弹簧拉断,开关误动机组跳闸事故。压力开关每年拆装进行校验,使接线和管路都有不同程度的破坏。现在我们采用可编程控制器(PLC)和 Honeywell 压力变送器取代了原控制。在管路中安装了两个压力变送器,其输出的模拟量送到 PLC,通过 PLC 的逻辑判断可以灵活实现各种功能。

6 结语

经过不断的摸索和几年的改造,十三陵蓄能电厂的自动化整体水平有所提高,自动化控制回路得到完善,自动化元件的稳定性有了很大提高。1999～2002 年,因自动化元件造成机组启动不成功有 3 次,机组机械保护误动 1 次。虽然取得了一定的成绩,但是随着机组的运行,还将会有新的问题出现,改造的任务还很艰巨。

十三陵蓄能电厂二次系统运行与改造

十三陵蓄能电厂　任志武

[摘　要]　根据十三陵蓄能电厂投产运行 8 年来,在二次控制系统运行中出现的实际问题,有针对性地进行设备改造,保证电厂安全稳定运行。本文将电厂二次控制系统主要进行的设备改造从原理和方法上进行介绍总结,希望能够为其他抽水蓄能电站尤其是正在建设的抽水蓄能电站提供一些可借鉴的经验。
[关键词]　二次系统；技术改造

1　概况

十三陵蓄能电厂位于北京市昌平区境内,下池为原十三陵水库,上池为人工开挖修建而成,容积为 430 万 m^3,厂房为地下厂房。装机容量 4×20 万 kW,设计年发电量 12.5 亿 kWh,主要设备为成套进口引进,水泵水轮机、发电机 - 变压器组以及 220kV 组合电气(GIS)分别为美国 VOITH 公司、奥地利 ELIN 公司和瑞士 ABB 公司提供,计算机监控系统采用加拿大 BAILY 公司 INFI - 90 系统,其余附属设备、辅机均为国产设备。1995 年 12 月 $1^\#$ 机组投入运行,1997 年 6 月 $4^\#$ 机组并网发电,至此全部机组建成并网发电。

十三陵蓄能电厂是华北电网最大的抽水蓄能电厂,为首都电网提供可靠的调频、调峰和紧急事故备用电源。自 1997 年 6 月机组全部投产以来,顺利完成了华北电力集团公司下达的各项生产任务和生产指标,取到了显著的经济效益和社会效益,为确保首都政治供电任务和提高电网的供电质量发挥了重要作用。

2　电站二次设备配置简介

2.1　DCS 监控系统

十三陵蓄能电厂监控系统采用加拿大贝利公司的 INFI - 90 系统,具有控制、监视、优化计算,以及值班员和装置之间的对话等功能。此监控系统具有高度可靠性,处于完整待命状态,实现最优控制过程,提高抽水蓄能电站的综合效率。

十三陵抽水蓄能电站监控系统,根据电站的实际情况,采用的是双环网结构。为了便于设计和管理,INFI - 90 环上直接或间接地接有 7 个现地控制单元(LCU)。每个 LCU 包括几个 INFI - 90 过程控制单元和现地控制屏。INFI - 90 系统采用以计算机为基础的分层分布控制系统,分设主控级和现地控制级。电站控制层由 6 台 DEC 466 工作站和 4 台打印机组成。单元控制层包括 7 台现地控制单元和两套远方数据采集单元。主控级设有多微机冗余系统,作为电站的监控系统中枢。主控级设有 4 个运行人员工作台和 2 个优化/监视台(共6个OIS),另外,还设有由微处理器支持的模拟屏(MIMIC),它们通过信息处理接口与监控系统相连,实现与现地控制单元的信息交换。处于下一级的是单元控制级,共设有7个现地控制单元(LCU),它们负责对所管辖的设备进行数据采集和预处理,并与机组附属设备控制子系统、电站公用设备控制子系统和配电装置控制子系统等相配合,对电站设备进行控制和监视。此外,华北电网总调度所的能量管理系统通过远动系统(电站RTU),向电站的主控级发送有功功率和无功功率调整信号,以及机组开、停及工况转换命令,并通过监控系统实现远方控制和收集电站的有关信息的功能。

2.2　继电保护

十三陵蓄能电厂继电保护大致可分为发电机 – 变压器组元件保护和线路保护两部分。机组元件保护随主机成套引进奥地利 ELIN 公司设备,为集成电路元件保护,主要配备有发电机 – 变压器差动保护,各电压电流保护,发电机失磁保护,失步保护,低功率、逆功率保护,过负荷保护,负序保护等,全部为冗余配置,并根据发电抽水不同工况、不同负荷方向进行相关闭锁。线路保护为引进 GEC 光纤纵联电流差动保护以及南京11型后备距离保护。

2.3　励磁系统

十三陵蓄能电厂励磁系统随主机成套引进奥地利 ELIN 公司设备,采用自并励方式。十三陵抽水蓄能电厂励磁调节器为数字式微机型励磁调节器,它是一个可自由编程的微处理机系统,该系统包括一个主处理器(MBR)、3个子处理器(pr. A,B,C),另外还有数字输入、输出接口和模拟输入、输出接口,以及一个信号处理器 SAB。励磁系统的所有功能都是通过主处理器或子处理器上的程序(软件包)来实现的。该调节器具有双自动电压调节通道和双励磁电流调节的手动调节通道。其主要功能为将发电机电压调差、过流限制、低励限制、V/F 限制、PSS 等的输出信号相加后与设定电压比较,其差值经第一级电压放大,然后经 PID 串联校正电路。对于快速励磁系统,当比例增益较大时,一般不需要有微分单元以增加高频时的增益,因此自并励励磁系统通常只采用 PI 调节。十三陵蓄能电厂励磁系统调节器设有微分单元,调试时将微分系数 $K_D = 0$,即微分单元退出。因此,自动通道单元具有积分反馈的 PI(D)调节特性,手动调节通道具有 P(I)调节特性。

2.4　热工保护及自动化控制系统

十三陵蓄能电厂热工自动化保护主要包括发电机水轮机各部轴承温度,冷却油,冷却水的流量、压力保护,以及抽水启动,调相运行尾水水位工况状态监视保护等。

自动化控制系统包括机组调速器控制系统,机组冷却水技术供水、厂房渗漏排水控制系统,机组进口阀控制系统,各部轴承循环油控制系统,主轴密封、迷宫环冷却水以及压水排气控制系统,上池、下池及事故闸门控制系统。

主机设备控制系统随主设备成套引进奥地利 ELIN 或美国 VOITH 公司设备,其他辅机设备采用国产设备。

3　二次设备运行中出现问题分析及改造情况介绍

十三陵蓄能电厂自1995年12月第一台机组投产以来,多次由于二次设备的问题造成机组运行中跳闸停机或机组启动不成功。总结其原因主要有设计原因、设备选型或质量原因以及运行经验不足的原因等,经过几年在实际运行中的分析总结以及不断的技术改进和设备改造,电厂的设备运行逐渐稳定,由投产初期的每年几十次非计划停运到现在每年几乎没有非计划停运,启动成功率达到99%以上,下面将1995年投产以来二次设备在运行中出现的主要问题及技术改造情况进行介绍。

3.1 自动同期装置技术改造

电厂同期装置采用加拿大贝利公司的自动同期装置(简称TAS),自机组投产以来,多次由于该装置在同期过程中死机造成机组同期失败而启动不成功。

经过多次对机组发电、抽水不同工况的同期并网过程的录波分析,发现造成同期装置死机的主要原因是:由于抽水蓄能机组在发电和抽水不同工况时,在高压侧进行A、C换相,外方在设计同期测量电压时,发电采用高压侧BC线电压和低压侧B相电压进行同期比较,抽水采用高压侧BC线电压和低压侧-A相电压进行同期比较,中间采用继电器切换来区分不同工况进行同期并网,在切换过程中同期电压发生波动导致同期装置认为电压不满足同期条件而死机。另外,更重要的是,在抽水启动时,低压侧-A相电压来自变频器,相电压含有大量的谐波分量,造成同期装置认为同期电压不满足同期条件而导致死机。

经过理论分析和实际测量,在低压侧采用线电压基本可以消除抽水启动时变频器谐波干扰,通过对发电、抽水高低压侧电压相量比较,无论发电、抽水高压侧B相电压始终与低压侧BA线电压方向相同,因此采用高压侧B相电压与低压侧BA线电压作为同期测量电压既可以解决继电器切换干扰又可消除变频器谐波干扰,经过假同期试验后进行技术改造,改造后同期装置完全正常工作,使电厂的启动成功率得到根本保证。

3.2 监控系统机组黑启动程序、机组压水程序修改

为了使十三陵蓄能电厂真正成为首都电网的紧急事故备用电源,电厂按厂领导的要求在1999年开始机组黑启动的研究和试验。

根据外方在1997年安装调试期间进行3#机黑启动试验导致推力瓦烧毁的经验教训,电厂反复分析认为,外方失败的主要原因在于其设计监控系统黑启动开机程序存在严重缺陷和错误。其错误首先是在黑启动程序中不应设计同期装置工作找同期点并网,因为黑启动时电网根本没有电压,同期装置根本不能工作;其次,黑启动程序应在机组转动之前将能够完成的工作全部完成,避免机组无电转动时间过长,如应将换相刀闸先合上。

根据以上分析,电厂总结黑启动每一步程序的时间,尽量优化黑启动程序,最终编制出最合理的黑启动程序,在华北电网黑启动试验中一次成功。

除对黑启动程序进行优化修改外,电厂根据机组启动运行情况及现场设备的不同特性对机组发电开机、调相运行压水程序进行优化修改,使得修改后的监控程序更符合现场运行条件,机组开机成功率大大提高。

3.3 实现调度远方开机及控制室移出洞外

为了解决运行人员在洞内控制室值班噪音大、潮湿、工作环境差的问题以及调度远方开机实现电厂"四遥"功能,电厂在1999年开始调度远方开机和地下厂房控制室移出洞外的工作。

实现调度远方开机和电厂"四遥"功能,经过与调度局自动化处多次研究,采用更换电

厂远动装置(RTU),使之能够接受调度的各遥调、遥控指令,经过处理后将指令送入监控系统数据采集单元,监控系统修改开停机程序,能够正确执行遥控指令,同时将机组的各种工况状态通过远动装置返回到调度,调度完全可以看到指令执行的结果。通过试验运行完全实现了调度远方开机实现电厂"四遥"功能。

控制室外移通过采用光电转换技术,通过光缆将原 INFI-90 系统环网延长,使得原地下控制室的 4 台 OIS 移到洞外,同时将 INFI-90 数据取出到电厂数据服务器送入电厂到 MIS 系统支持洞外控制室返回屏。同时,将厂房消防报警系统、工业电视系统等移到洞外,完全将控制室的各种功能移出,通过洞外控制室试运行完全满足要求,成功将控制室移出。

3.4　上池 7LCU 改造

十三陵蓄能电厂计算机监控系统 1LCU-6LCU 均连在 INFI-NET 环网上,7LCU 则通过串行口与 6LCU 交换信息。7LCU 作为上池进/出水口数据采集单元。由于 7LCU 位于上池与厂房距离较远,又经常受雷电干扰,经过几年运行后,7LCU 与厂房 6LCU 通信常常中断,给电厂安全带来极大隐患。

根据这种情况电厂与南瑞联合进行 7LCU 设备改造。将原通信电缆改为光缆传输,用 MODICON TSX COMPACT 可编程控制器代替原 7LCU 的主要设备,与电厂原 6LCU 实现数据通信,将数据送到 MFP 模件,经 MFP 将数据送到环网,实现对 7LCU 的数据组态、流程修改、报警输出,达到原环网上 BAILY 数据使用要求,完成以上数据通讯功能后,保证原 BAILY 环网运行正常。通过改造后,设备运行稳定,保证了电厂的安全运行。

3.5　继电保护动作情况及存在问题

电厂继电保护系统运行比较可靠,多次在电厂一次电气设备故障时准确而及时地切除故障,保证了主设备的安全。电厂发生的主要电气故障有:发电机转子软连接脱落接地,发电机转子接地保护动作;发电机上导挡油圈磨损脱落,发电机轴电流保护动作;220kV 的 GIS 开关触头放电,断路器失灵保护动作;发电机定子绕组叠片位移定子接地故障,发电机定子 100% 接地保护动作;220kV 电缆连接头爆炸接地,线路保护纵联差动保护动作。

继电保护发生一次误动事故,当区外故障,线路保护的零序 4 段后加速保护出口跳闸,检查其原因是由于抽水蓄能电站开关多次分合操作后造成零序保护手合输入的光耦特性变坏,在没有手合输入时仍然保持输入,在区外故障时造成线路保护的零序 4 段后加速保护出口跳闸。目前已更换,正在与厂家协商针对操作频繁的蓄能电厂的改进办法。

3.6　定子绕组测温 RTD 抗干扰回路技术改造

电厂的定子绕组测温 RTD(铂 100)元件安装于发电机定子绕组线棒之间,当发电机运行时在 RTD 测温回路上受到发电机电磁场的干扰时,定子绕组温度波动较大且测量曲线不平滑,温度值波动快,并且多次导致监控系统的负责采集 RTD 模拟量输入模板通道损坏和热工保护误跳闸。

经过大量现场试验,发现在受干扰的部分 RTD 信号进入模板之前增加屏蔽隔离装置,然后将处理后的信号接入原模板中,可有效地减少精密设备的损坏,提高温度信号显示质量。针对现场信号的实际情况,设计铂电阻温度变送器,在装置中采用合适规格的电容器,用于滤波和退耦。同时该隔离装置具有将电阻信号转为 4～20mA 模拟量的功能,这样的设计更加可靠地保证了信号输出稳定性,可有效隔离交流电磁场的影响。

3.7 球阀控制系统技术改造

自电厂投产以来,由于控制球阀的各液压阀动作配合不够精确,在球阀的动作过程中,球阀不能按正确的顺序打开或关闭,造成阀芯和下游密封相撞,密封被破坏,造成漏水严重,降低了电厂的效率。通过多次分析研究,找到了球阀不能正常开关的原因:只有机械闭锁,而无电气闭锁,闭锁设计不够严密。为此,对原球阀控制回路进行技术改造:①通过改变原电气控制回路中电磁阀的动作顺序,增加电气闭锁功能。这样可有效地防止由于机械问题造成的误动,也避免了导叶漏水量变化所造成的误动。②在下游密封开启油回路上增加一个电磁阀,保证球阀按设计的顺序动作。改造后,球阀动作可靠,提高了机组效率,同时,节约了检修费用,减少了检修维护的工作量。

3.8 解决机组不能长时间调相的问题

电厂水泵/水轮机组在发电或抽水调相工况运行时,利用 8MPa 高压气将尾水管内的水位压至转轮以下,转轮在空气中转动,以减少系统有功损耗,为系统提供无功功率,由于机组技术供水系统取/排水口取自尾水管肘管出口段,这样造成当机组调相运行时,尾水管肘管出口段的静水死循环,水温不断上升,很快造成机组技术供水温度不断提高至报警值,其他各部温度也有不同程度的升高。为解决这一问题,通过分析,管路改造难度较大,故此通过二次改造改变排水路线,即:当 1# 机组调相时,将该机组排水电动阀关闭,打开 2# 机组的电动排水阀,将调相机组所排热水排至相邻机组,这样解决了尾水管肘管出口段的静水死循环,保证了机组技术供水的初始温度,解决了机组不能长时间调相运行的问题。

3.9 水轮机各控制系统改造

机组水轮机控制系统主要包括机组油系统、冷却水系统以及机组各机械系统的控制,通过机组运行中暴露出的问题,对各控制系统及相关的机械保护原理进行技术改造主要有以下几个方面。

(1)机组机械制动跳闸回路的改造。在风闸控制回路中增加了压力控制器,将制动电磁阀后的压力控制器的接点串联于跳闸回路。如果在机组运行过程中,机械制动实际投入且有低压气时再作用于机组跳闸;如果没有压力信号而只是位置开关动作,则发出机械制动报警信号,避免了由于风闸接点抖动导致保护误动情况的发生。

(2)集油箱油位计控制回路的改造。针对集油箱油位计开关受干扰发生误动的问题,对控制回路做了如下改进:当油位下降到油位过低,报警和跳闸两开关都动作时,方能跳闸停机。任何一个开关单独动作时只发报警信号,而不作用于跳闸回路。

(3)技术供水泵控制系统改造:原技术供水泵整套控制系统,在机组投产初期,不断地发生水泵停运事故,由于采用自耦变压器降压启动,电机启动电流大。同时,其停泵方式使管道产生水锤,水锤可能会导致水管爆裂,存在着水淹厂房的重大隐患。电厂采用如下改造:现地控制柜通过智能化的 PLC 灵活实现复杂的电气回路接线,实现原控制回路功能;启动控制柜采用了全数字式交流电动机软启动控制器,实现电机的平滑启停,消除了水锤的发生;完善了低流量启动备用泵功能;实现了运行人员在中控室远方启动备用泵的功能。

(4)流量控制回路的改造:机组原有流量信号装置因其内部渗水严重开关锈蚀而多次发生直流接地,造成保护误动。改造方法:在管路上增加了一个国产蜗街式流量计,实现保护二取二功能,即只有当两个流量计因流量真低都动作后再发跳闸信号,其中任一个动作只发报警信号。同时,我们在跳闸回路中增加了相应部位的瓦温、油温的判断,即水流减少,瓦温、油温升高时才作用于出口跳闸。

(5)压力开关的改造:原有压力开关的整定值不易调整;内部小开关经常损坏;传动机构不可靠。现在在管路中安装了两个压力变送器,其输出的模拟量送到可编程控制器(PLC),通过 PLC 的逻辑判断可以灵活实现各种功能,取代了压力开关。

3.10 励磁系统 PSS 投入

电力系统稳定器(PSS)是励磁系统的附加功能,用于提高电力系统阻尼,解决电力系统以阻尼不足为特征的低频振荡问题,是提高电力系统动态稳定性的重要措施之一。十三陵电厂电力系统稳定器(PSS)是在数字式励磁调节器中,处理器采用计算出的有功功率去产生一个附加信号,确定有功的变化率并从中分解出与转子的角速度和角加速度成正比的分量,这两个分量被用于产生一个具有可调的相位和幅值的信号,再作用于电压调节器,产生一个正阻尼转矩,去克服原电压调节器产生的负阻尼转矩作用。

1998 年,电厂根据励磁系统及 PSS 频率特性及仿真试验,对 PSS 参数进行选择,原厂家调试时选用的参数 $P = 0$、$a = 0.6$,虽对机组振荡阻尼很好,但频率特性较差,因此相位单元设定 $P = 3.75$,使其有较宽的频率特性。a 值可在 $0.3 \sim 0.9$ 之间,a 值较小时正阻尼减小,a 值大于 0.6 时,正常运行中励磁电压波动增大,试验表明,$a = 0.6$ 较合适。因此,电厂 1# 机组上获得的 PSS 参数为:$P = 3.75$(即 V886,表示输出滞后输入信号 22.5°),放大信号 $a = 0.6$(即 V887,表示 KPSS = 0.225)。同时在 4 台机组上进行了核对性的检查试验,结果均满足要求。1998 年 8 月十三陵抽水蓄能电厂 4 台机组 PSS 参数按上述试验结果进行修改并投入运行后,不管机组是发电还是抽水等,各种运行方式均有较好的阻尼效果,有效地防止系统发生低频振荡,满足系统稳定运行要求。

4 结语

十三陵蓄能电厂根据二次控制系统在机组运行中出现的实际问题,有针对性地进行相关设备的技术改造,取得了一些成功的经验,在这里我们简单介绍了一些改造经验,希望能够为推动我国抽水蓄能电站的建设作出贡献。

十三陵蓄能电厂消防报警系统完善及技术改进

十三陵蓄能电厂　樊玉林　孔祥武

[摘　要]　十三陵蓄能电厂主变、机组消防报警系统采用现地分散控制,集中报警形式,当主变、机组出现火灾后,由现地主机进行控制联动,并且通过对主消防报警系统 NF - 3 消防主机进行软件开发,将机组、主变的火灾报警信号送入主消防报警系统。该系统投入运行后,可以将电厂的消防报警系统形成统一整体,使电厂整体消防报警系统的安全性得到大大的提高。

[关键词]　蓄能电厂;消防报警;技术改进

1　引言

十三陵蓄能电厂是国家和北京市"八五"重点建设工程项目,是华北电网最大的抽水蓄能电厂。电厂安装 4 台可逆混流式水轮发电机组,总容量为 800MW,设计年发电量 12 亿 kWh,抽水用电 16.5 亿 kWh。电站主要作用是调峰填谷,同时担任京津唐电网的第一调频厂,兼作调相和紧急事故备用电源。

2　消防报警系统现状

十三陵抽水蓄能电站为地下式电站,厂内装设 4 台 200MW 混流可逆式水泵水轮机。原有地下厂房的消防报警系统由三部分组成,即主消防报警系统、主变消防报警系统和机组消防报警系统。主消防报警系统采用日探公司 NF - 3 主机,负责地下厂房、出线竖井的消防报警和火灾联动。4 台机组消防报警由一台火灾报警控制器集中控制,4 台主变消防报警由 4 台火灾报警控制器就地实现各自的火灾报警及灭火功能。机组、主变的 5 台报警控制器与主消防系统的报警控制器未连接。主变消防报警、机组消防报警原安装的是 ELIN 公司和 ABB 公司的消防报警设备。该消防报警设备已经老化落后,并且有的已失去有效保护作用,备件很难买到,维修困难,旧的消防报警系统为独立运行,不能与主消防报警系统联网,这给运行人员的巡视带来诸多不便。为了解决上述问题,十三陵蓄能电厂高度重视,于 2004 年初进行关于主变消防报警系统和机组消防报警系统改造完善工程。

3　系统改造要求

为了解决主变及机组消防报警系统存在的问题,电厂技术人员进行了反复研究、论证,确定了主变及机组消防报警系统进行全面技术改进和完善所要达到的目的和技术

要求:

(1)在不改变原有消防联动、报警功能的基础上,完善消防报警方案,更新主变、机组的消防报警系统,4台主变和4台机组的消防报警系统均能满足正常报警及联动输出的要求。

(2)完善主变报警系统的各项联动功能,实现与主变消防卷帘门的消防联动,主变和机组的消防报警系统与整个厂区的消防报警系统能够实现联网运行功能。

(3)改造完成后,所选用的设备厂商要能够保证长期的备品、备件供应。通过此次改造,要同时完善各项技术资料,提高消防报警系统的技术管理水平。

4　系统改造方案及实施

改造后十三陵蓄能电厂消防报警系 3 统如图 1 所示。

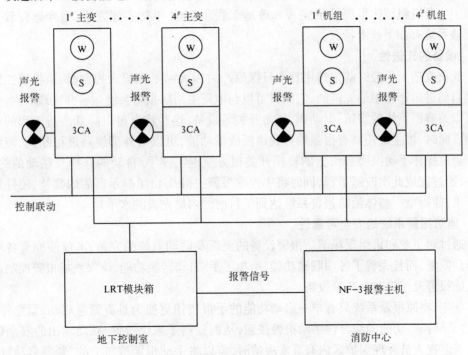

图1　改造后十三陵蓄能电厂消防报警系统

新系统采用现地分散控制、集中报警形式,全厂 4 台主变、机组分别安装一套 3CA - 1L 型灭火控制盘,当主变、机组出现火灾后,由现地主机进行控制联动,并且通过对原有 NF-3 消防主机进行软件修改,将机组、主变的火灾报警信号送入主消防报警系统。十三陵蓄能电厂主变和机组消防报警系统改造和完善工程现场实施分为以下两大部分。

4.1　主变和机组现场消防报警系统的改造和完善工程

改造和完善主变和机组的现场消防报警系统,使其能够满足整个电厂对消防防灾的要求,确实起到保障人身和设备消防安全的作用。同时,通过此次改造使得现场的消防报警设备更加安全可靠,操作更加简洁直观,整个系统运行也更加稳定。此项工作主要涉及主变和机组防火区内更换原有的烟感温感探测器、报警控制主机、手动报警按钮以及主中继器箱。主变防火分区内增加消防报警后联动卷帘门落底功能,使其能够满足消防规范的要求。

4.2　主变和机组消防报警系统与远方(洞口中控室)厂区报警主机的联网改造工程

通过实现主变、机组的现场报警系统与远方(洞口中控室)厂区报警主机的联网,使得电厂的消防报警系统变分散监控为整体监控,这样便于厂区在较少值班人员情况下,也完全可以实现对整个厂区消防系统的监视。这项工作主要内容是首先将现场的报警、故障等信号通过新更换的中继器箱联入主报警系统,同时修改中控室报警主机的软件数据,以及修改中控室内的 CRT 电脑画面图形显示系统,最终达到无论主变和机组现场报警系统出现报警或故障均能够在远方中控室内显示、打印。

5　消防报警系统技术特点

主变及机组消防报警系统完善和改造工程于 2004 年初实施完成,至今运行较为稳定。该系统有如下技术特点。

5.1　设备的先进性

此次改造工程最终确定选用日本日探原产的 3CA – 1L 型灭火控制盘,该报警控制设备是目前进口产品中最先进的,它同时可以与电厂主消防报警系统兼容并实现联网,并且还可以兼容原系统的警笛、电动阀、压力开关等设备,这些特点可以降低改造工程的整体费用。同时,该主机还具有很强的自我诊断故障功能,可以对外部线路进行断线、短路监视。通过操作手动报警按钮上的转换开关很方便地实现手/自动的选择及联动的终止。另外,通过完成此次改造工程,同时将中控室报警主机及 CRT 显示器的内部软、硬件进行了升级,使得电厂整体消防报警系统达到了目前国内最先进的水平。

5.2　消防报警系统的安全可靠性

通过对主变和机组现场消防报警设备的更新及联动系统的完善,不仅使原有各项功能得到恢复,而且完善了各项联动功能,增加了手/自动转换功能,确保现场报警控制系统的正确报警及正确联动各项设备。

首先,将原报警系统只有单一启动功能的手报按钮更换为具有紧急启动、紧急停止、手/自动转换等功能的综合性手动报警按钮,从而提高了系统报警、联动输出的安全可靠性。当巡视人员发现保护区内有真实火情时,可以将手动报警按钮上的"紧急启动"键按下,报警设备可以自动联动相应被控设备实现各种消防功能。另外,当保护区内的控制盘发生误报警时,巡视人员可以将手动报警按钮上的"紧急停止"键按下,中止误报警,以免发生误联动现象。

原主变消防报警系统和防火卷帘门为独立的两套消防设备,增设报警联动防火卷帘门落底功能后,可以在一旦发生火情时,由现场报警控制器发出联动命令,联动主变的防火卷帘门落地,及时阻断火势蔓延,同时提高灭火工效。

由于此次改造工程同时实现了主变和机组现场消防报警系统与洞口处中控室内报警主机的联网,使得中控室的值班人员不用下到洞内便可以全面监控电厂整体消防系统,一是对人员更安全,二是能够早期及时发现异常现象,三是由于中控报警主机可以实时打印出现场报警控制器各种状况的变化,为分析现场情况和快速维护设备提供了重要依据。

改造完成后的现场报警控制盘盘面均为全中文指示,便于值班运行人员的快速正确处置各种状况,减少误操作的发生。

6 新改造系统实施后的效果

主变及机组消防报警系统完善和改造工程的竣工,标志着十三陵蓄能电厂厂区整体消防报警系统又迈上了一个新的台阶。它的意义在于:

(1)整个厂区的消防报警系统不再是分别独立的系统,而是一个完整的整体消防系统。主变和机组的消防报警控制系统是靠现场独立的8个控制器完成的,但作为电厂主消防报警控制机上同样可以实时记录和监视现场各种状况;同时,在消防中心的CRT报警图形显示系统上也可以显示出报警的具体位置。

(2)整个厂区的消防报警系统目前不但均已达到正常工作的状况,而且通过了消防局的验收。这就为电厂整个消防系统的安全运行提供了可靠的保障。

(3)完成此项工程不仅使电厂消防报警系统得到了完善,同时也相应地建立健全了相关的技术图纸和技术资料,为以后的系统维护打下了坚实的基础。此项目完工后,相应的设计图纸、竣工验收资料及使用说明书等有关技术资料,均已以文字和光盘不同形式存档。

7 结语

通过完成主变和机组消防报警系统的完善改造工程,使得十三陵蓄能电厂厂区整体消防报警系统运行更加安全可靠,完成了作为保障电厂安全生产的重要工作内容。

六、水工建筑物及其附属设备

十三陵蓄能电厂地下厂房结构振动监测

十三陵蓄能电厂　彭　涛

[摘　要]　本文根据十三陵抽水蓄能电站 1# 机组段结构振动实测资料,分析不同工况、部位、方向的振动特性,研究振动原因以及振动对结构稳定的影响,总结一般性规律,确保机组安全运行。

[关键词]　机组支撑结构;振动监测;地下厂房;抽水蓄能

1　引言

十三陵抽水蓄能电站位于北京市昌平区十三陵水库的左岸,距北京市区约 40km。电站利用十三陵水库作为下水库,在其左岸蟒山山岭后的上寺沟建造上水库,发电厂厂房及附属洞室和水道系统建在蟒山岩体内,其中地下式厂房埋深约 250m。电站最大工作水头480m,安装 4 台 200MW 竖轴水泵水轮机组。

抽水蓄能电站机组由于水头高、转速快、运行工况复杂,与常规水电站相比,机组支撑结构承受的机械离心力、电磁不平衡力矩以及水道压力脉动产生的振动都大得多,且由于机组周围混凝土结构体型和受力复杂,理论计算难以准确地反映结构的振动和应力情况。为了尽可能地减少结构振动,厂内结构没有采用常规的梁、板、柱结构,而在国内首先采用水轮机上拆检修方案、厂房布置成厚板无梁结构型式,其重要目的就是为了加强机组支撑结构的强度。为验证厚板无梁结构的实际运行效果,分析结构振动的原因以及振动对结构稳定的影响,电站在尾水管、蜗壳、机墩、风罩周围混凝土结构和各层楼板内埋设观测仪器,进行多方位的观测,了解结构振动规律。

2　地下厂房结构布置

地下厂房呈"一"字形布置,由西向东依次为副厂房、1#~2# 机组段、安装场、3#~4# 机组段。主厂房内结构在发电机层以下由现浇混凝土厚板、边墙和机组周围大体积混凝土等组成,发电机层以上为吊车梁柱系统。副厂房为 7 层现浇钢筋混凝土框架结构。主、副厂房之间设有结构缝,缝内填沥青锯木板。

2.1　主厂房楼板结构布置

主厂房自下而上共分 5 层:蜗壳层(高程 25.0m)、水轮机层(高程 31.30m)、母线层(高程 35.95m)、中间夹层(高程 41.07m)和发电机层(高程 43.90m)。除发电机层楼板厚 80cm外,其他各层楼板均采用 100cm 的厚板。楼板支撑在机组周围混凝土结构和四周边墙上。边墙自底至发电机层楼板以下为现浇混凝土结构,厚度 100cm,沿四周布置。因为边墙先于各层楼板浇筑,所以边墙浇筑时,在各层楼板底高程设置连续式牛腿,用于支撑楼板。

机组周围大体积混凝土与厂房楼板整体浇筑。

2.2 机组周围大体积混凝土结构布置

四台机组周围大体积混凝土结构的布置形式相同。尾水管包括直锥段、肘管段、扩散段三部分,均采用钢筋混凝土加钢衬的结构型式。金属蜗壳在打半压情况下浇筑外包混凝土,蜗壳与外包混凝土共同承担内水压力。机墩为圆筒式结构,内径 5.525m,外径 11.2m,下部与蜗壳外包混凝土固结,上部连接风罩。定子基础板位于机墩顶部,下机架支撑在机墩内侧的环形牛腿上。圆筒形风罩内径 9.20m、外径 11.20m、壁厚 0.8m,顶部与发电机层楼板相连。

机组周围混凝土结构在机组轴线下游侧、高程 28.10m 以下与下游边墙连成整体。

3 地下厂房结构振动监测概况

3.1 监测内容

以 1# 机组段内埋设仪器监测结果为例,分析 1#、2# 机组运行时机组支撑结构的振动特性。地下厂房振动观测内容主要分为两部分:一部分为厂房支撑结构动力监测,主要观测机组支撑结构的频率、振幅、阻尼等;另一部分为机组动力监测,主要观测机组各种工况下机组转速、蜗壳压力、导轴承摆度、尾水管及导叶与转轮处水力脉动压力等。

1995 年 11 月~1998 年 3 月,对 1# 机组支撑结构振动状况进行了动力监测,所采用的加速度传感器的频带范围为 0.5~50Hz,带通滤波范围为 0.5~30Hz。

3.2 机组支撑结构振动测点布置

1# 机组段结构和副厂房混凝土结构内共布置 37 组 PA-1 加速度计,测点编号为 DA1~DA37,每测点均布置有垂直、径向、切向三个分量。主厂房风罩、机墩结构和楼板内设置的加速度计,测点编号为 DA1~DA32,分 8 层布置,具体布置见图 1、图 2。副厂房内设置两个固定观测点、三个随机观测点,加速度计测点编号为 DA33~DA37。

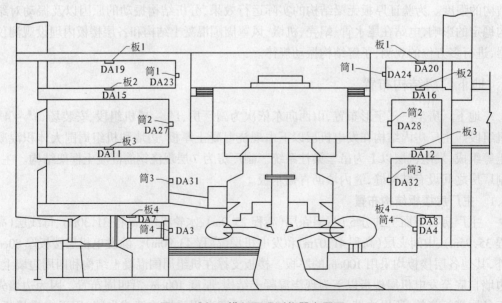

图 1　1# 机组横剖面观测仪器布置图

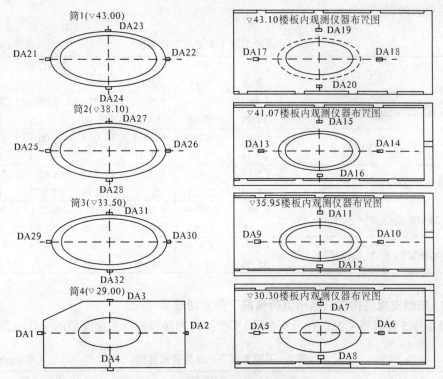

图 2　1#机组观测仪器分层布置图

4　地下厂房结构振动监测成果及分析

4.1　1#机组支撑机构机组正常运行情况下的监测成果

描述支撑结构在受迫振动时的响应值—振动加速度,采用加速度计测量,观测结果为各测点垂向、径向、切向加速度值。根据随机振动理论,加速度过程中的最大峰值为瞬时随机量,离散性大,而均方根是表示振幅大小特征的一个统计性参数,称之为有效值。因此,各工况加速度统计结果采用有效值表示,最大加速度值多数为有效值的 3 倍左右。

为了便于说明问题,分以下 5 种典型工况分析实测加速度值的数量级及其变化范围,表 1 给出了不同工况下圆筒和楼板加速度值的变化范围。

根据表 1 所列 5 种工况振动数据,可以得出以下几点规律:

(1)就数量级来看,作用在圆筒结构上的振动加速度值为 5 ~ 29cm/s²,作用在楼板上的振动加速度值为 3 ~ 39cm/s²,两者无明显数量级上的差异。

(2)就不同工况而言,也不存在明显数量级上的差异。例如,以Ⅰ和Ⅲ两种工况进行比较,则 1#、2#机组 200MW 同时发电工况加速度值略大于 1#、2#机组 200MW 同时抽水,但不存在数量级的差异;工况Ⅳ和Ⅴ之间相比较,却又有抽水工况加速度值略大于发电工况,但仍不存在数量级上的明显差异。

(3)机墩振动一般是水平方向大,垂直方向小;楼板振动是垂直方向大,水平方向小。

(4)结构振动沿高程分布存在差异,总趋势为高程低的较高程高的振动反应大一些,说明水轮机的振动源较发电机的振动源大,同时表明在正常发电的振动量级下结构未发生动力放大的现象。

表1 不同工况下加速度变化范围 （单位：cm/s²）

工况	圆筒部位			楼板部位		
	垂向	径向	切向	垂向	径向	切向
1#、2#同发 200MW（Ⅰ）	9.48 ~ 14.27	18.74 ~ 25.68	9.51 ~ 16.64	16.35 ~ 35.96	8.06 ~ 32.16	7.62 ~ 17.39
1#、2#同发 150MW（Ⅱ）	5.84 ~ 17.18	10.29 ~ 23.90	6.65 ~ 18.97	10.02 ~ 16.45	6.08 ~ 20.74	5.00 ~ 10.08
1#、2#200MW 同抽水（Ⅲ）	7.93 ~ 12.34	12.37 ~ 28.15	7.17 ~ 18.32	11.35 ~ 16.79	6.65 ~ 29.77	3.15 ~ 15.32
1#200MW 发电、2#机停机（Ⅳ）	4.18 ~ 7.55	8.89 ~ 15.33	8.02 ~ 18.30	5.30 ~ 16.96	6.35 ~ 20.20	6.47 ~ 9.01
1#200MW 抽水、2#机停机（Ⅴ）	4.61 ~ 11.56	13.91 ~ 19.88	9.09 ~ 28.89	4.98 ~ 23.14	6.07 ~ 39.73	8.43 ~ 14.59

4.2 1#机组支撑机构在机组甩负荷情况下的监测成果

表2分5种典型工况进行分析，列出实测圆筒和楼板振动加速度值的变化范围。

表2 不同工况下加速度变化范围 （单位：cm/s²）

工况	圆筒部位			楼板部位		
	垂向	径向	切向	垂向	径向	切向
1#、2#机组 200MW 发电时，突然甩负荷（Ⅰ）	49.50 ~ 95.34	90.00 ~ 209.60	65.70 ~ 134.90	49.60 ~ 163.60	40.74 ~ 185.50	38.60 ~ 159.70
1#、2#机组 150MW 发电时，突然甩负荷（Ⅱ）	27.70 ~ 72.58	64.45 ~ 107.50	54.09 ~ 87.46	32.19 ~ 99.59	25.45 ~ 125.90	22.10 ~ 95.40
1#机 150MW、2#机 200MW 同时发电，1#机突然甩负荷（Ⅲ）	22.95 ~ 61.75	53.62 ~ 94.93	50.14 ~ 81.66	24.50 ~ 83.05	20.06 ~ 97.17	19.41 ~ 67.46
1#、2#机组 200MW 抽水运行，突然同时甩负荷（Ⅳ）	27.16 ~ 96.39	97.35 ~ 121.40	31.24 ~ 109.00	26.02 ~ 120.30	21.72 ~ 78.58	21.26 ~ 90.69
1#、2#机组 200MW 同时抽水运行，1#机突然甩负荷（Ⅴ）	30.07 ~ 116.27	81.60 ~ 134.05	31.39 ~ 100.50	27.84 ~ 122.20	23.43 ~ 82.94	22.39 ~ 94.21

比较表1和表2可见，两者数量级的差异十分明显，对于工况Ⅰ，同为1#、2#机200MW发电工况，甩负荷所产生的振动加速度大体相当于正常运行的5~8倍；对于1#、2#机组200MW抽水工况，则甩负荷所产生的振动加速度相当于正常运行的约4倍。但甩负荷后所产生的较强振动，其历时只有5s左右，是一个短暂的瞬态过程，见图3。

比较Ⅰ工况和Ⅳ工况可知，机组在甩负荷工况下发电和抽水两者的加速度反应差异明显，圆筒和楼板上均如此。以33.50m高程机墩为例，由正常发电甩负荷引起的振动加速度值约为210cm/s²，而由正常抽水甩负荷引起的振动加速度值为114cm/s²，几乎相差一倍。就楼板所受的振动加速度而论，在30.30m高程上，两者分别为185.5cm/s²和78.56cm/s²，即发电工况相当于抽水工况的2.36倍，至主厂房发电机层、楼板下缘43.10m

高程，则分别为 $113.85\mathrm{cm/s^2}$ 和 $45.67\mathrm{cm/s^2}$，前者为后者的 2.5 倍。以上对比说明在甩负荷的情况下发电工况加速度大于抽水工况，发电工况在 43.10m 楼板的振动加速度有所增大。

文件名：12S04　通道：62　采样频率：200Hz　时间：1997年1月25日

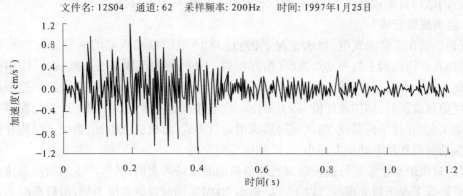

图3　$1^{\#}$、$2^{\#}$机组 200MW 发电同时甩负荷工况下振动加速度时程曲线

4.3　$1^{\#}$机组振动加速度的频谱分析

应用快速傅立叶变换（FFT），对 $1^{\#}$、$2^{\#}$机组 200MW 同时发电和 $1^{\#}$机组 200MW 单独发电的两种典型工况加速度时程曲线进行了功率谱分析，具体见图4、图5。由图4可见，4Hz 为明显的优势频率；而由图5可见，在 $1^{\#}$机单独运行情况下，除 8Hz 表现较为明显的优势频率外，其他段次则无明显的优势频率存在，呈"白噪音"状态。根据机组制造商提供的资料，4Hz 的频率应是尾水管的水流强烈紊动所导致的压力脉动的频率，8Hz 的频率为机组转频。

文件名：12S03　通道：41　采样频率：200Hz　时间：1997年1月25日

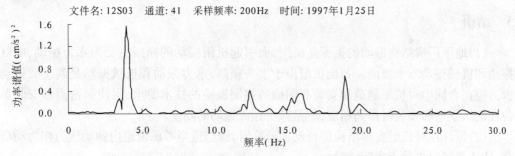

图4　$1^{\#}$、$2^{\#}$机组 200MW 同时发电工况下的功率谱值曲线

文件名：FO2　通道：41　采样频率：200Hz　时间：1997年1月25日

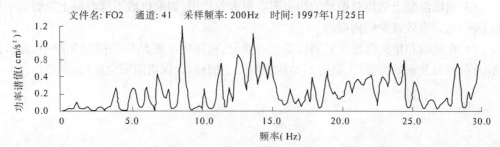

图5　$1^{\#}$机组 200MW 单独发电运行时的功率谱值曲线

4.4 主、副厂房结构自振频率测试成果

采用"刹车法"进行测量,即利用 1#、2# 机组带满 200MW 负荷正常运行情况下,突然甩负荷刚结束后,引起的结构自由振荡的加速度时程曲线,做频谱分析来求得自振频率。主厂房的结构自振频率为 12.3Hz,副厂房结构自振频率为 16.6Hz。

4.5 监测成果分析

(1)机组在正常的发电、抽水工况下,通过对 1# 机组振动观测的五种工况的资料表明,作用在圆筒结构上的振动加速度(均方根值,下同)值的范围是 $5 \sim 30cm/s^2$,作用在楼板上的为 $3 \sim 40cm/s^2$;各种工况下无明显数量级上的差异。表明结构所受的强迫振动的加速度值是微弱的,即加速度值 $a < 0.04g$。在上述加速度变化范围内,其变化规律主要受发电工况、支撑结构部位、测试方向和机组运行方式(单机或双机)的影响。结构在这样小的振动荷载作用下动应力很小,支撑结构是安全的。

(2)对机组在正常运行或机组突然甩负荷的测试结果表明,其所产生的振动加速度值较正常运行工况下增大很多。以 1#、2# 机组 200MW 同时发电工况为例,甩负荷时为正常运行时的 $5 \sim 8$ 倍;而相应工况抽水时,甩负荷时为正常运行时的 3 倍多。就发电和抽水两种甩负荷工况的实测值相比较,则是发电状态甩负荷的数值大于抽水时甩负荷数值一倍左右。但就数量级来看,最大为 $0.2g$,只能属较强的受迫振动,其历时只有 5s 左右,是一个短暂的瞬态过程,且不是经常发生的,一般对围岩内支撑结构不会产生严重的后果。

(3)频谱分析结果表明:1#、2# 机组 200MW 发电正常运行下,优势频率为 4Hz;而 1# 机组 200MW 单独发电运行时,其优势频率为 8Hz,其他段次呈"白噪音"状态。实测主厂房结构自振频率为 12.3Hz,副厂房自振频率为 16.5Hz,与受迫振动的优势频率 4Hz 和 8Hz 比较,不存在共振问题。

5 结语

(1)地下厂房结构振动的振源是机组,而引起机组振动的原因主要为水力振动、电气振动和机械振动三个方面。蓄能机组由于水头很高,水力振动和机械振动是其主要振动源。应在合同中对机组制造和安装有明确的控制振动的技术要求,促使制造商和安装单位在机组制造和安装时提高精度,尽量减少振源振动的幅度。

(2)设计在对机组支撑结构进行动力计算时,应当适当考虑流道内脉动压力作为动荷载,使计算工况更接近实际情况。

(3)机墩混凝土结构对振动的约束起着很大的作用,如果机墩下部混凝土能够坐于岩基上,则可以有效减少结构振动。

(4)在机墩和楼板内埋设监测仪器很有必要,可随时了解结构的振幅和频率,分析振动原因,校核共振的可能性,适时对结构实施安全措施,确保机组安全运行。

从天荒坪抽水蓄能电站高压输水系统
运行情况分析得到的几点认识

华东天荒坪抽水蓄能有限责任公司　周民权　吴宏炜

[摘　要]　本文介绍分析了天荒坪电站 2# 高压输水系统三次发生涌水情况,得出发生涌水原因与涌水部位附近的地质条件有关的结论,进而提出高压输水系统施工支洞堵头设计、施工以及排水孔、渗压观测孔布置方面的建议。对同类工程具有一定的参考意义。

[关键词]　高压输水系统;涌水原因;分析和认识

　　抽水蓄能电站与常规水电站相比,前者一般水库库容较小而运行水头高,水头变幅大。因此,作为蓄能电站的输水系统往往容易发生输水道内的高压水击穿水道混凝土衬体、围岩、裂隙、岩体破碎带、堵头等造成内水集中外泄甚至发生渗透破坏酿成事故。本文针对天荒坪电站 2# 输水系统运行 6 年来所出现的一些问题,谈几点不完全成熟的认识,供同类工程借鉴。

1　输水系统设计简况

　　天荒坪电站总装机容量 180 万 kW,装机 6 台,单机 30 万 kW,平均运行水头 570m,最大发电毛水头 610m。输水系统采用一洞三机布置方式,包括上水库进/出水口、两条钢筋混凝土衬砌斜井、钢筋混凝土岔管和 6 条高压钢衬支管以及 6 条尾水隧洞、下水库进/出水口等。输水系统全长 1 415m。其中高压部分两条钢筋混凝土衬砌斜井倾角 58°,内径 7m,混凝土衬砌厚度 60cm,斜井直线长度约 700m。岔管亦为钢筋混凝土衬砌,混凝土厚度同为 60cm,主管经岔管后一分三。高压支管内径为 3.2m,渐变段后分别采用国产 16 锰钢及日本进口的 HT80 材料(钢衬管壁厚度 32 ~ 42mm)。高压输水系统下部,尤其是下平段和岔管部位地质条件整体较好,比较而言,2# 比 1# 略差,存在小规模断层 f_{821} 和 X_{62} 岩脉以及裂隙较发育的地带。设计单位曾经在做高压渗透试验中发现该区域存在劈裂应力只有 5.2MPa 的部位,试验孔岩芯完整性相对较差,孔深 85m,裂缝有 270 余条,试验报告提示需采取工程措施进行处理。同时,根据施工需要在高压输水系统布置了 5#、6#、7#、8# 施工支洞。在输水系统施工结束过程中对施工支洞用混凝土堵头进行封堵,堵头长度与堵头所承的水头以 1:20 左右设计,形体按瓶塞形里大外小,堵头设计按结构稳定要求控制,辅以渗透稳定校核,其布置见图 1。

2　高压输水系统运行期间所发生的异常情况

　　电站 1#、2# 高压输水系统分别于 1997 年 11 月 10 日 ~ 12 月 7 日、1999 年 1 月 21

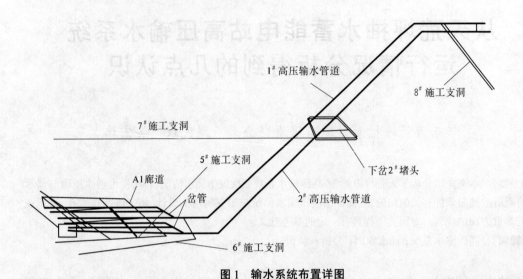

图 1 输水系统布置详图

日~3 月 10 日进行充排水试验后,相继投入运行至今,已运行分别达 7 年和 6 年。其中,1# 输水系统运行正常;2# 前后共发生 3 次异常情况,均进行了放空处理。具体情况如下:

(1)主厂房顶 A1 廊道排水孔突发涌水。2000 年 1 月 4 日(库水位 895m),A1 排水廊道内 2#、4#、7#、8#、10# 排水孔突发涌水,其中 4# 排水孔涌水量最大,测得涌水水柱离孔口 50~60cm 高,附近几个排水孔也产生溢流且水量增大,临近测压孔 Up5 的最大读数达 6.2MPa,与库水位接近,说明与输水道中的水连通。经组织专家和专业技术人员分析认为:①根据廊道出水情况结合地质分析,廊道出水和出现高压的测压管主要集中在 2# 岔管的 4#、5#、6# 支管附近,这显然和 2# 岔管区域围岩裂隙相对较发育有关;②A1 廊道和岔管高程仅相距 35m,而排水孔钻至钢管高程以下,排水孔和测压孔在平面上与岔管的距离较近,而裂隙又相对较发育,因此存在着裂隙直接连通的可能;③在 A1 廊道涌水后,为分析原因,分别在 2#、7#、10#、8#、4# 排水孔中进行孔内彩色电视观测,其中前 3 个孔是在输水道充水时进行的,后 2 个孔是在岔管放空后立即进行的。观测结果反映,钻孔中裂隙发生不同程度的张开,而在岔管开挖中观察裂隙绝大部分是闭合的,这表明,在高压水作用下,闭合的裂隙产生了重张。当这些重张的裂隙和近距离的排水孔和测压孔相交时,即引起排水孔渗水量增加,测压孔压力升高。总之,A1 廊道出现部分排水孔涌水和测压管压力升高,和该部位的裂隙较发育及在高压水通过一定时间作用下裂隙产生一定的重张有关。本次涌水的处理措施为,放空输水道,对 A1 廊道位于 2# 输水道的涌水排水孔和压力高的渗压孔进行灌浆回填及有针对性地补充固结灌浆,并对 A1 廊道增加钢筋混凝土衬砌(原为裸洞)。

(2)7# 施工支洞下岔 2# 堵头顶部突发涌水。2002 年 5 月 27 日,水工巡检人员发现 7# 支洞下岔 2# 斜井堵头顶部涌水,涌水集中,呈喷射状,压力较高,流量一般为 1~2L/s。经组织设计和有关技术人员分析后认为,涌水原因为斜井内的高压水通过该部位与斜井相交的 f_{810} 断层击穿堵头薄弱部位形成涌水通道,2# 堵头长度 15m,与承受的水头之比约

1:20。f_{810}断层规模不大,在斜井施工时对断层做过补强灌浆处理,但效果不是十分理想,下岔堵头在斜井充排水试验时漏水就比较严重,曾采取了增加衬砌和固结灌浆,但问题一直没得到较好的解决。本次涌水在2002年11月份放空斜井进行处理,措施为将$2^{\#}$堵头延长6m,并对该区域针对f_{810}断层进行补充固结灌浆。集中涌水点虽然已经封堵住,但下岔总渗水量没有明显减少,效果不太理想。

(3)$6^{\#}$施工支洞涌水。2004年7月29日电厂水工人员发现$5^{\#}$、$6^{\#}$施工支洞已被涌水充满,总计涌水量已达1.6万 m^3 左右,推算涌水流量400m^3/h。经放空斜井排空$5^{\#}$、$6^{\#}$施工支洞内的积水后检查发现,是$2^{\#}$输水道下平洞,$6^{\#}$支洞附近一灌浆孔被高压水击穿并与$6^{\#}$支洞永久排水管连通而形成涌水。放空输水道检查还同时发现输水道内$6^{\#}$堵头端面钢筋混凝土衬体开裂错台,围岩中的地下水源源不断地流出,凿除后,发现裂缝已经贯穿且钢筋严重锈蚀。本次处理措施为:对$5^{\#}$、$6^{\#}$支洞永久排水管进行回填封堵。对混凝土衬砌缺陷用环氧混凝土进行修补约$28m^2$,对堵头迎水面接缝进行灌浆,背水面实心堵头延长12m。空心堵头延长,混凝土衬砌延长,并进行系统固结补强灌浆。在补强灌浆施工中发现少数孔灌浆耗灰量特别大,达到400～500kg/m,平均单耗大于施工期。因此,我们怀疑高压渗水可能对围岩存在溶蚀危害甚至可能在裂隙发育的区域产生了蠕变。$6^{\#}$堵头原设计长度按水头1/20控制,充水试验后因渗水严重,作了延长,并补充灌浆但渗水仍然未得到遏制。本次处理又延长12m,现已达到54m,与水头之比达到1:12,此外,还延长了堵头外的混凝土衬砌。

总之,天荒坪的$2^{\#}$输水系统,由于地质存在的缺陷和采取工程措施不够到位导致运行期间发生涌水,前后三次放空处理,造成全厂停机累计2个多月,经济损失巨大。通过上述情况的分析,我们得到如下几点粗浅认识:

(1)对于超高水头用混凝土衬砌的输水系统,地质工作一定要做得全面细致,对于地质薄弱部位必须采取切实可行的工程措施,甚至可以适当地提高设计标准,设计不仅要考虑围岩的结构要求,还应同时考虑抗渗要求,以降低高压水长期作用对围岩的危害影响,如此可能会提高建设投资但与因涌水而进行检修造成的损失相比是微乎其微的。

(2)对于高压输水系统施工支洞堵头设计,不能套用常规中、低水头电站的设计标准。除了考虑堵头结构稳定以外,不能忽视渗透稳定,一般情况堵头长度与水头之比,宜控制在1:(10～15)之间,并且不能一概而论,对于堵头段围岩裂隙发育,存在断层的堵头长度还应加长,并辅之以可靠的防渗措施。

(3)在堵头段的洞身开挖中,应采用保护层开挖,尽量减少开挖对围岩形成的扰动,降低开挖松动圈的深度,并且在堵头混凝土浇筑施工时,应注意温控,采取可靠措施降低水化热,防止水化热产生温度裂缝形成渗漏。同时,对堵头混凝土收缩形成的周边缝也须进行处理。总之,对高压输水道的堵头施工应以关键部位对待,严格控制每道工序质量。

(4)对在堵头内部布置管线(如观测电缆或排水管等),尤其要慎重,应采取切实可靠的防渗措施。

(5)在高压输水道附近设置排水孔、渗压观测孔,应避免离输水道太近,应采用合适的渗透比降,水头与渗径之比(直线)宜为(10～15):1,对排水孔、渗压观测孔,孔内还应采用可靠的反滤措施。

天荒坪抽水蓄能电站上库沥青混凝土防渗护面产生裂缝原因分析

华东天荒坪抽水蓄能有限责任公司　周民权　吴宏炜

[摘　要]　本文对天荒坪上库沥青混凝土防渗护面裂缝产生原因,从设计、施工、运行三个方面进行了分析。得出的结论,对今后采用沥青混凝土防渗结构的工程设计、施工质量控制和运行均具有参考意义。

[关键词]　上水库;沥青混凝土防渗护面;裂缝原因分析

　　天荒坪抽水蓄能电站上水库利用天然洼地挖填而成,库岸边坡坡度为 1:2.0 ~ 1:2.4,水库四周布置有 1 座主坝和 4 座副坝。主副坝均为土石坝,坝顶高程 907.5m,主坝高 72m,坝顶长度 576.975m。上水库总库容为 859.56 万 m^3,工作深度 42.2m。上库库底和岸坡除进/出水口采用混凝土支护防渗外,其余部分均采用沥青混凝土防渗,沥青混凝土防渗面积约 28.5 万 m^2,体积约 5.65 万 m^3。上库盆及下卧层成形及进出水口的土建工程由中水五局一分局承建。下卧层排水层的厚度在库底均为 60cm,库岸为 90cm。其渗透系数要求不小于 2.5×10^{-2}cm/s,压实相对密度不小于 90%,变形模量不小于 35MPa,不平整度在库底不大于 3cm,在库岸不大于 4cm。下卧层内设有排水管网系统,将渗水引入布置在库底的排水观测廊道,集中自流排出库外(见图 1)。

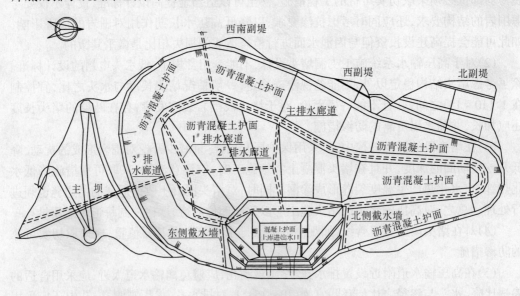

图 1　上水库平面布置图

上库沥青混凝土防渗护面工程采用国际招标,由德国斯特拉堡工程有限公司承建,中国水利水电科学研究院结构材料所派人协助工作,上海设计院监理。

1 设计施工

天荒坪工程上库沥青混凝土防渗护面为筒式结构,由整平胶结层、防渗层和封闭层组成,如图 2 所示。

整平胶结层厚度库底为 8cm,库岸为 10cm,作为垫层与防渗层的过渡层,同时使铺筑防渗层时有一个稳定良好的铺筑条件;防渗层为整个防渗护面的关键结构,起防渗作用,厚度为 10cm;护面表面为沥青玛瑞脂封闭层,厚度为 2mm,是防渗层的保护层,以防止防渗层受阳光紫外线和恶劣气候影响,延长防渗护面的使用寿命。另在库岸与库底之间、库岸与进出水口斜边之间的弧形过渡区,以及坝顶的胶结层与防渗层之间均采用聚酯网格加强,有的部位还采用了 5cm 的防渗层加厚。

在库底挖填施工中,由于库底全风化层较厚,最厚达 20 余米,而且含水量高,为了重型施工机械能自由进出采用了抛石垫路,造成了局部人为的地质不均匀。在库底 60cm 厚的排水垫层表面采用 5m 间距网格法检查平整度,整平时将部分垫层表面削薄,又由于库底开挖部分测量断面间

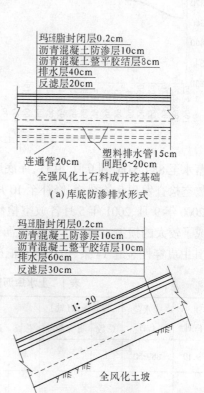

（a）库底防渗排水形式

（b）库岸防渗排水形式

图 2　上库沥青混凝土防渗护面筒式结构

距 10~30m,在断面之间存在超欠挖,使得库底局部垫层厚度不能满足设计明确的 60cm 要求。在沥青混凝土防渗结构施工中,防渗层和胶结层沥青含量分别为 6.83% 和 4.25%(现场取样平均值),库岸与库底相同,比大部分同类型工程偏低;灰岩骨料中的针片状含量按德国 DIN 标准检查,施工期内共取样 261 组,合格率为 65.6%~75.3%。施工采用的设备、摊铺工艺、接缝处理、现场质量控制均比较严格。施工完成后顺利通过竣工验收。

2 上库运行情况

天荒坪电厂上水库于 1997 年 10 月 6 日开始充水,到 1998 年 1 月 22 日,水位达到 861.0m。1998 年 1 月 22 日~7 月 22 日间上库水位保持在 863.0m 左右。1998 年 7 月 23 日电站 1# 机组投产,上水库正式充水。库水位的平均上升速率为 0.61m/d,最高到 889.5m 左右,9 月 19 日放空水库检查发现一条裂缝长 40cm、宽 5mm,进行修补后,于 9 月 21 日开始第二次蓄水,水位上升速率为 15.32m/d(见图 3)。

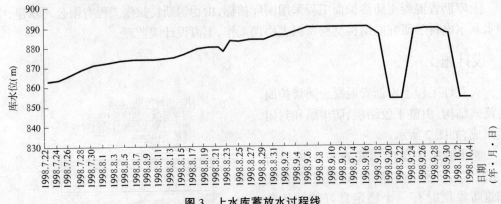

图3　上水库蓄放水过程线

　　蓄水至 889.51m,到 9 月 29 日,库底廊道可测到的渗水流量加大,估计为 50～60L/s,随即放空检查发现 9 条裂缝,修补至 10 月 25 日,并在 10 月 27 日再次充水。此后 1999 年 9 月、2000 年 9 月、2001 年 5 月各放空检修一次,每次放空检修均耗时 25 天左右,全厂停机造成了较大的损失。前后 5 次发现沥青混凝土防渗结构裂缝累计 33 条(处),总长约 50m,其中贯穿性裂缝 14 条,由于沥青混凝土局部施工缺陷产生的渗水点 11 处(见表1)。

表1　上水库沥青混凝土护面裂缝一览表

日期 (年·月·日)	库水位 (m)	裂缝条数(处)		裂缝性状(cm)				说明
		总数	贯穿裂缝	总长	最大长度	最大宽度	渗水点(处)	
1998.9.19	889.50	1		40	40	0.5		放空检查
1998.9.29	889.51	9	9	1 820	特别备注	2.0		蓄水后运行过程渗水异常;3#～8#贯穿裂缝位于一处总长 15.5m
1999.9.24	898.97	7	3	940	560	1.4	2	运行过程水位上升,渗水略见异常
2000.9.26	904.97	9	2	1 510	250	1.5	2	运行过程水位上升,渗水异常
2001.5.9	903.50	8	无	200	200	0.3	7	放空检查

　　大部分裂缝发生在北库底(岩基)以南,进出水口以西,南库底的靠北部位,属岩基和软基的过渡区,并不是全风化岩(土)覆盖最厚的部位。原先比较平整的库底,由于基础的不均匀沉降,可看到明显的起伏、坑洼。为了解库底沉降固结情况,在库底深 10 余米的廊道底板上设有沉降观测系统,定期测量。观测结果表明,全风化岩(土)厚的部位沉降还在继续,说明软基部分的固结还未完成。此外,到 2003 年底,上库稳定运行的最高水位只到 903.5m,离设计水位 905.2m 还有 1.7m 的差距。若水位抬升上库沥青混凝土防渗结构能否保证不再开裂尚存疑虑。由于沥青混凝土的数次开裂,给电站水工运行管理带来了很大的压力和困难。裂缝一般是通过观测排水观测廊道中的渗水情况发现的。如发生渗水量(总量或单孔流量)突然变化及渗水变浑等情况就引起高度关注,然后加密观测、分析,

视情况决定是否放空水库。长期以来我们每天都在最高库水位时测单孔的渗水量。

3 沥青混凝土防渗护面产生裂缝的可能原因

根据所掌握的设计施工运行等方面的资料,通过分析认为,天荒坪上库沥青混凝土防渗结构产生裂缝的原因可能有如下几个方面。

3.1 设计原因

上库防渗护面库岸和反弧段情况非常好,裂缝主要产生在库底全风化岩(土)层区。上库库底范围大,地质条件复杂且极不均匀,软基的厚度也存在极大的差异,厚的达20余米。而设计考虑的垫层均为60cm。没有根据不同部位区别对待,在基础软硬变化部位也没考虑过渡。同时,对防渗护面的沥青掺量,岸坡和库底相同,并且掺量偏小,使沥青混凝土柔性较差,适应变形的能力较弱。如果岸坡沥青掺量高,可能在夏季高温时容易造成熔化流淌,但库底平缓,浸在水中不需要这种担心。

3.2 施工原因

前面已经提到施工中为使重型施工机械能在软土中作业,往往先以块石、石渣垫场、垫路,而事后未能专门处理,可能会造成大石块架空或产生松散区,人为造成基础不均匀。同时,由于库盆挖填控制平整度检查要求较松(检查断面10~30m),可能在断面之间存在超欠挖,而排水垫层面的检查要求较严,采用5m间距网格法,从而导致垫层厚度不均,局部达不到60cm。实际挖开检查,在有些开裂部位垫层厚度仅为40cm左右。

3.3 运行原因

如在第一次放空检修完后,回充水时水位上升速率达15.32m/d(图3),蓄水到889.5m,因在水库蓄水初期下卧层中全风化岩(土)自然排水固结尚未结束,水荷载作用下的基础沉降变形才刚刚开始,受快速加、卸荷载的冲击,引起了基础的快速变形,很难说对沥青混凝土没有不利影响。

总之,造成天荒坪上库沥青混凝土防渗结构开裂的原因是多方面的。因为天荒坪电站上库采用全库盆沥青混凝土防渗是国内首例,所以无论是设计、施工、运行,各方面均缺少经验。虽然通过一段时间的运行,出现了一些问题,但在天荒坪上库这样基础极不均匀的条件下,采用沥青混凝土防渗是非常合适的,防渗效果也十分理想。针对上库目前存在的问题,我们认为只要谨慎运行,缓升水位,待软基部分固结完成,然后再按照设计要求运行,就可以减少沥青混凝土的开裂。即使沥青混凝土防渗结构开裂了,其应力、应变均能得到释放调整,最后总能趋于稳定。所以,沥青混凝土防渗结构在基础不均匀区使用是一种比较理想的选择。

十三陵蓄能电厂上池进出水口闸门控制系统改造

十三陵蓄能电厂　王志刚　黄继宏

[摘　要]　本文介绍十三陵蓄能电厂上池进出水口闸门,自投产以来一直处于锁定状态,在对原设计进行分析研究的基础上,提出了上池进出水口闸门控制系统改造方案。

[关键词]　闸门控制系统;PLC控制功能;运行分析;上池闸门锁定梁

1　概述

十三陵蓄能电厂地处首都北京和华北电网的中心位置,是华北电网的第一调频、调峰厂。电厂位于风景秀丽的十三陵水库东侧,它以十三陵水库为下库,在蟒山之巅修建了一个可满发5h水量的天池作为它的上水库。电厂装有4台单机200MW抽水蓄能机组,担负着整个电网紧急事故备用的重任。为了检修球阀、压力钢管或当它们发生事故时能够及时切断上池来水,防止事故扩大,在距上池进/出水口约155m处,为两条引水隧洞各设置了一道事故闸门。该闸门正常情况下为静水启闭,事故情况下可以动水闭门。

事故闸门为单吊点胶木滑道支撑的平面钢闸门,孔口尺寸(宽×高)为4.5m×5.0m。闸门井检修平台高程为572.0m。事故闸门由设在584.3m高程的固定卷扬机启闭,平时启闭机的抱闸抱死制动轮,使闸门悬挂在门槽顶部,其底缘位于567.0m高程左右。当出现事故需要动水闭门时,可在启闭机室或中央控制室操作启闭机,动水关闭孔口。

上池进出水口闸门正常运行方式下,其底缘高程由发电工况下双机全甩最大负荷导叶关闭导致事故闸门井的涌浪高度决定。闸门从目前锁定位置,落门时间为32min。

2　问题的提出

2000年2月25日,召开了"十三陵蓄能电厂上池进出水口闸门运行问题"的专题会议,设计单位派人参加。本次会议主要研讨亟待解决的问题如下。

2.1　上池进出水口闸门的运行情况

上池进出水口闸门(以下简称闸门),自投产以来一直处于锁定状态;为了确保电厂水道和地下厂房的安全,应尽快将上池进水口闸门正式投入运行,但在该闸门正式投运前存在下述问题需要明确:

(1)根据"无人值班、少人值守"的运行方式,该闸门在出现事故时只能在中控室远方完成动水关闭。因此,必须对闸门启闭机控制部分和电源加以改造,以确保事故时可靠动作。

(2)闸门位置设分级误动报警装置,报警信号传至中控室,以便当事故闸门意外下落时,值守人员能够及时发现并采取紧急处理措施。

(3)设计应说明上池进出水口闸门正式运行状态下所处位置。

(4)若闸门处在预定位置(闸门底缘高程定位于567.0m高程),双机全甩负荷,此时闸门井产生的涌浪对闸门是否产生影响。

(5)高压管道上斜段直接排水系统的4根Dg159排水管,有两根排水不畅。在此情况下,闸门解除锁定正式投运后,如果出现闸门误动落门,而此时水道正处于两台机组发电工况下,机组引用流量为$2 \times 53.8 m^3/s$,高压管道和引水隧洞闸后段快速放空,在此情况下有可能对压力钢管和引水隧洞闸后段(混凝土衬砌段)产生影响。

2.2　设计对上池进出水口闸门正式投入运行问题意见

设计对上池进出水口闸门正式投入运行问题意见如下:

(1)上池进出水口闸门是按照"有人值班"的原则设计的。该闸门在电厂基建及投产初期,由于考虑到安全因素,因此一直处于锁定状态。但为了考验闸门制动部分的可靠性,上池事故门悬吊于锁定梁之上约5cm,持续约半年时间而没有产生位移,证明其机械部分是可靠的。

(2)设计提出上池进水口事故闸门正常运行位置为:启闭机的抱闸抱死制动轮,使闸门悬挂在门槽顶部,其缘位于567.0m高程左右,在上池正常高水位566.0m以上1m左右。

(3)在上池进水口事故闸门底缘处于567.0m高程时,如发生双机同时甩满负荷的工况,闸门井产生的涌浪也只会缓慢上升,对闸门产生部分淹没,并不会产生不利影响。若考虑涌浪对闸门的影响,可适当提高闸门底缘高程,但原则是闸门不能出槽,以避免落门时发生卡门现象。

(4)上池进水口事故闸门解除锁定正式投运后,应不出现闸门误动落门的情况。如出现闸门误动落门,应按中控室控制信号快速停机。

综上所述,在做好上述工作的基础上,上池闸门是可以投入运行的。上池进水口事故闸门的控制部分是按照"有人值班"的原则设计的,自动化水平与目前电厂"无人值班、少人值守"的运行方式不匹配。因此,闸门在正式投入运行前,其控制部分急需进行改造。只有在完成闸门控制系统设备完善改造工作后,才能将上池进水口闸门投入正式运行。

3　改造前的闸门控制系统运行状况

改造前上池闸门控制系统运行状况很不好,主要原因如下:

(1)只能实现现地手动操作。

(2)继电器及接触器不良,无法进行控制。

(3)操作盘和动力柜内设备设计选型落后,且元器件动作不可靠。

(4)对闸门的状态无法有效实施监视,无法正确判断闸门运行位。

(5)闸门控制系统操作烦琐。

(6)上池冬季温度低。

(7)历年闸门动作统计见表1,操作成功率太低,仅44%~67%。

表 1　历年闸门动作统计情况

时间	1996 年	1997 年	1998 年	1999 年	2000 年
操作次数	18	10	12	15	9
正确动作次数	12	6	6	7	4
操作成功率	67%	60%	50%	46%	44%

4　对闸门控制系统改造的要求

根据以上情况统计,为确保电厂设备及厂房的安全,决定对上池进出水口闸门控制系统进行改造,目的是使其操作简便、可靠,闸门控制系统采用 PLC 为主要控制部件的现地控制单元,系统应功能完善,可靠性高,工作温度范围大,各组成元件具有密封性好,安装、维护方便的特点。其具体要求如下:

(1)闸门控制应有下滑报警、下滑自提升功能,反映充水阀状态。闸门位置的主令控制器应指示准确、可靠,且具备欠压、过流、超载保护功能。

(2)闸门可以现地起升、降落,也可远方由中控室紧急降落,且同一水道的两台机组任意一台处于运行状态时,闭锁降落回路。

(3)闸门控制系统应向监控系统送出如下信号:①充水阀位置信号;②闸门位置信号;③超载、失压、过流信号。

(4)配备闸门称重仪和闸门位置显示仪,现地直观地反映钢丝绳拉力和闸门位置。

5　PLC 控制功能的实现

5.1　闸门 PLC 自动控制系统的功能

(1)用可编程控制器(PLC)的逻辑控制功能取代原有的手动机电控制装置,在现场用按键或键盘控制,使控制简单、准确,取消原来烦琐的操作。

(2)平时在启闭室用操作盘人机对话的方法进行闸门的升降操作。

(3)紧急落门在中控室可用单键控制。

(4)由 PLC 为主要控制部件的现地控制单元(LCU)可在现场监控闸门的运行和位置状态。在闸门运行时,可以判断出闸门的卡滞、飞车和接触器粘连,并自动完成相应的处理和告警。当闸门在某位置静止时,LCU 可以不断地监视闸位的位置,若发现闸门有下滑等不正常动作时,系统可以自动将闸门提升到正常位置并告警。

(5)闸门控制系统与电厂监控系统联网,将闸门工作的状态和闸门运行时的闸位、上升下降及各种故障状态传送给电厂监控系统。

(6)系统要求抗干扰性强,可靠性高,操作方便,适合于长期无人状态下的工作。

5.2　闸门 PLC 自动控制系统的组成

控制系统由自动控制和手动控制两部分组成。

5.2.1　自动控制部分

由 PLC 的电源、CPU、数字输入、数字输出、模拟量输出、显示面板和闸位计组成。

闸位计自动测量当前闸位值,由数字输入模块采集,同时还采集闸门工作状态,例如闸门的上限、下限、上升、下降、电厂监控系统的闭锁信号及落门命令。数字输出模块向闸门发出控制信号,例如上升、下降、停止、电阻切换。向电厂监控系统发出报警信息,例如卡滞、飞车、下滑、上限、下限、粘连、PLC失电;闸门状态:上升、下降、停止、紧急切断。模拟量输出模块向电厂监控系统发送闸门的当前位置。

操作人员在显示屏上用按钮操作,输入闸门的开启高度,并输入上升,下降闸门。闸门在全关上升时,首先自动进行冲水等待,等冲好水后再进行提门操作。

当电厂自动监控系统在电厂发生事故、需要紧急落门时,由监控系统发出紧急落门的指令,闸控系统接到命令后自动执行落门动作。

5.2.2　手动控制部分

闸门控制系统除了通过显示屏操作进行自动控制之外,还具有取代原来的手动操作部分的手动控制部分。此部分取消了原来由手动操作的流程和由机械继电器组成的控制部分,完全由PLC来自动控制各种时序,其操作过程与普通简单闸门一样,只需按动上升、下降、停止按键就可以实现自动控制,无需原来的电阻切换及冲水阀控制等烦琐操作过程。

上升键:当闸门从最低部提起时,到达到20cm时,会自动停止,表示冲水阀打开。由操作员认可已冲完水时,第二次按此键,闸门开始上升(电阻的切换自动进行)。当闸门开始提门的位置 > 20cm时,闸门直接上升。

下降键:当按此键时,闸门直接下落(电阻的切换自动进行)。

停止键:按此键时,闸门停止上升或下降。

该手动控制部分闸门需要上升、下降到何位置,完全由操作人员根据需要,按控制柜上的闸位显示器的闸位数据来控制闸门的运行,当然闸门的落门也要受电厂监控系统闭锁信号的控制。

自动控制部分和手动控制部分相互备份,正常由自动控制部分控制,手动控制不起作用。当自动控制部分失效时,由手动控制进行控制。手动控制部分不接受监控系统的落门指令。

5.3　闸门自动控制流程

控制流程如图1、图2、图3所示。

5.4　报警信号、状态信息

报警信号、状态信息具体描述如下。

(1)卡滞:当提门工作时,发生闸门被意外情况(如异物卡住,钢丝绳拉偏等)被卡滞时,表现在闸位计上升速度变缓或停止,测重计重量变大。闸控系统关闭主回路电源,抱闸刹车,停止上升,并向电厂监控系统发出卡滞报警信号。

(2)飞车:当落门工作时,闸门因意外情况(如电机失电、缺相、钢丝绳脱落等),失去控制,自由落体向下落,称为飞车。表现在闸位计下降速度变快,闸控系统关闭总回路电源,抱闸刹车,停止落门,并向电厂监控系统发出飞车报警信号。

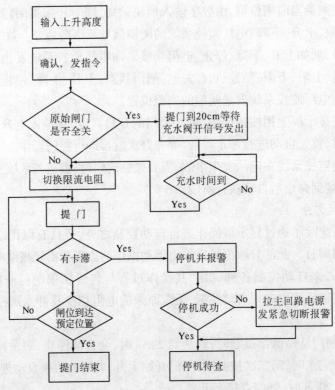

图 1　闸门上升流程图

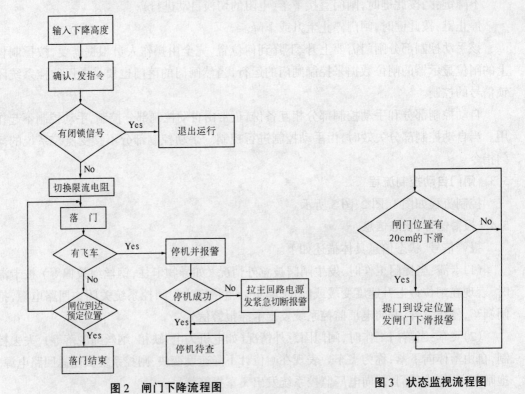

图 2　闸门下降流程图　　　　　　**图 3　状态监视流程图**

(3)粘连:当提门、落门结束时,接触器的主触点因电弧烧坏粘连,无法断开电机主回路电源,表现在停止命令发出后接触器的上升或下降回讯仍然保留,闸控系统立即拉掉主回路的空气开关,并向电厂监控系统发出粘连报警信号。

(4)PLC失电:当PLC有电时,PLC会自动给出一特定状态。当PLC失电时,此特定状态消失。电厂监控系统检测到时,会自动发出PLC失电的报警。

(5)动力柜失电:当动力柜有电时,会有一开关信号给电厂监控系统。当动力柜失电时,会自动改变此开关的状态,以发出动力柜失电的报警信号。

(6)闸位上限:当闸门到达最高点位置时,由主令发出的停止命令使闸门停止,此时闸门已不能再向上提门,应检查发生此情况的原因。

(7)闸位下限:当闸门到达最低点时,闸门仍未停止,最终由主令发出停止命令。此时闸门已不能再向下落门,应检查发生此种情况的原因。

(8)紧急切断:一般在主接触器发生触点因电弧烧坏粘连时,PLC自动发出切断主电源回路的指令。当然,如果人工操作时发现有意外情况时,也可发出紧急切断指令。

5.5 几种闸门状态

几种闸门状态如下所述。

(1)上升:闸门在提门时,发出正在上升的运动状态。

(2)下降:闸门在落门时,发出正在下降的运动状态。

(3)冲水阀开:闸位从 0～20cm 时为冲水阀运动行程。当闸位 > 20cm 时,此状态出现。当闸位 ≤ 20cm 时,表示闸门已落到底,余下行程为冲水阀运行行程。

(4)电阻切换:为保护电动机,在提门和落门的开始,采用增加降压电阻的方法来达到限流保护电动机目的。随着闸门从静态到动态,加入的降压电阻逐步切除。此电阻分成4级切换,每级切换都可以有一种状态表示。

6 闸门控制系统与电厂监控系统的组网

闸门控制系统要将闸门的各种状态传输给电厂监控系统,由监控系统来监视闸控系统的运行情况,同时监控系统还要给闸控系统闸门闭锁信号。在电厂发生紧急情况时,监控系统还会自动(或手动)向闸控系统发出落门指令,闸控系统将自动执行此落门指令,将闸门落到底,以保护电厂及发电机、水轮机。

6.1 闸门控制系统传输给监控系统的信号

闸门控制系统传输给监控系统的信号有:

(1)闸门状态信号:上升、下降、冲水阀开、闸位。

(2)告警状态信号:飞车、卡滞粘连、PLC失电、动力柜失电、紧急切断、下滑。

6.2 监控系统传输给闸控系统的信号

监控系统传输给闸控系统的信号有:

(1)闸门闭锁信号(有此信号时闸门不能落门)。

(2)闸门落门信号(紧急落门指令)。

以上两种信号是互斥的,不可能同时存在。监控接收与发出的信号为 400V 直流电,闸控系统接收与发出的信号为 24V 直流电,因此两者信号要进行转换。

7　闸门控制系统控制柜 PLC 的参数

闸门控制系统控制柜的 PLC 选用美国通用电气公司的 GE 系列产品,具体参数见表 2。

表 2

名称	型号
CPU	IC200CPU001
24VDC 电源	IC200PWR001
24VDC/32 点数字量输入	IC200MDL650
24VDC/16 点数字量输出	IC200MDL740
12 位 AO/4CH 模拟量输出	IC200ALG320
机架	IC200CHS001
编程电缆	IC200CBL001
编程软件	IC641VPS300
数字屏	IC200DTX850

数字量输入有 32 位,具体分配见表 3,其他 4 位为备用。

表 3

作用名称	位数	备注
闸位计	13 位	
上升回讯	1 位	
下降回讯	1 位	
冲水阀开	1 位	
上限回讯	1 位	
下限回讯	1 位	
4 组电阻切换回讯	4 位	
闭锁信号	1 位	
远方落门信号	1 位	只有自动控制才有
上升输入	1 位	只有手动控制才有
下降输入	1 位	只有手动控制才有
停止输入	1 位	只有手动控制才有
与控制 PLC 通讯	1 位	只有手动控制才有

数字量输出有 16 位,具体分配见表 4,其他 2 位为备用。

表 4

作用名称	位数	备注
上升命令	1 位	
下降命令	1 位	
停止命令	1 位	
4 组电阻切换命令	5 位	
上限报警		001
下限报警		011
飞车报警	3 位	010
卡滞报警	000 为无报警	100
粘连报警		101
下滑报警		110
PLC 失电报警	1 位	
紧急切断报警	1 位	
冲水阀开状态	1 位	
与手动 PLC 通讯	1 位	只有自动控制才有

模拟量输出有 4 通道,分配见表 5:

表 5

作用名称	通道数	备注
闸门位置	1	只有自动控制有

注:其他 3 个通道为备用。

8　上池 1#、2# 闸门锁定梁加装自动控制系统

将上池闸门锁定梁加装自动控制装置,使锁定梁能够远方退出,现地可以进行投入、退出,与闸门 PLC 控制系统形成连锁动作。为此,锁定梁控制系统最终应实现功能如下:

(1)上池锁定梁在现地能控制进、出;在远方(中控室)只能控制退出。

(2)锁定梁退出到位,远方有信号显示。退出到位接点串入闸门提升控制回路。

(3)闸门若下滑至锁定梁,锁定梁进、出不能操作,向远方(中控室)显示信号。

(4)机组飞逸紧急落闸门功能具备,锁定梁控制暂不考虑与其连动功能。

(5)由于上池早晚温差大,为此在控制箱内安装加热器 1 只,可现地进行切换。

(6)控制回路电源消失,具有报警信号。